HISTOIRE DES MUSULMANS D'ESPAGNE

Tome III

Reinhart Dozy

Histoire des musulmans d'Espagne
jusqu'à la conquête de l'Andalousie par les Almoravides
(711-1110)

LIVRE III

LE CALIFAT

I

Ne voulant pas interrompre l'histoire de l'insurrection de l'Andalousie, nous sommes déjà arrivés, dans le livre précédent, à l'année 932; mais comme la guerre étrangère va nous occuper à présent, il sera nécessaire que le lecteur se reporte au commencement du règne d'Abdérame III.

L'insurrection des Espagnols et de l'aristocratie arabe n'était pas alors le seul péril qui menaçât l'existence de l'Etat: deux puissances voisines, l'une récente, l'autre déjà ancienne, la mettaient également en danger: c'étaient le royaume de Léon et le califat africain, qui venait d'être fondé par une secte chiite, celle des Ismaëliens.

D'accord sur les grands principes, reconnaissant tous que l'imâmat, c'est-à-dire le commandement temporel et spirituel de tous les musulmans, appartient à la postérité d'Alî et que l'imâm est impeccable, les Chiites ou partisans du droit divin formaient cependant plusieurs sectes, et ce qui les tenait surtout divisés, c'était la question de savoir lequel parmi les descendants du sixième imâm, Djafar le Véridique, avait droit à l'imâmat. Ce Djafar avait eu plusieurs fils, dont l'aîné s'appelait Ismâîl et le second Mousâ, et comme Ismâîl était mort avant son père, dans l'année 762, la majeure partie des Chiites avait reconnu Mousâ pour imâm après la mort de Djafar. La minorité, au contraire, ne voulut pas se soumettre à lui. Disant que Dieu lui-même avait, par la bouche de Djafar, désigné Ismâîl pour le successeur de ce dernier, et que l'Etre suprême ne peut pas revenir sur une résolution une fois prise, ces Ismaëliens, comme on les appelait, ne reconnaissaient pour imâm qu'Ismâîl et ses descendants. Mais ces derniers n'avaient pas d'ambition. Découragés par l'insuccès de toutes les entreprises des Chiites et ne voulant pas partager le sort de leurs ancêtres presque tous morts prématurément par le fer ou par le poison, ils se dérobèrent aux dangereux et compromettants hommages de leurs partisans et allèrent se cacher au fond du Khorâsân et du Candahar.

Abandonnée ainsi de ses chefs naturels, la secte des Ismaëliens semblait destinée à s'éteindre obscurément, lorsqu'un Persan audacieux et habile vint lui donner une direction et une vie nouvelles.

Dans la patrie de cet homme, l'islamisme avait fait à peu près les mêmes progrès qu'en Espagne. Il avait reçu dans son giron un nombre assez considérable de prosélytes, mais il n'avait pas étouffé les autres religions, et l'ancien culte, le magisme, florissait à côté de lui. Si les musulmans eussent rigoureusement exécuté la loi de Mahomet, ils n'auraient laissé aux Guèbres que le choix entre la conversion à l'islamisme et le glaive. N'ayant point de livre sacré révélé par un prophète que les musulmans reconnaissaient pour tel, les adorateurs du feu ne pouvaient prétendre à être tolérés. Mais dans les circonstances données, la loi de Mahomet était inapplicable. Les Guèbres étaient fort nombreux; ils étaient attachés de cœur et d'âme à leur religion; ils repoussaient tout autre culte avec une opiniâtreté inflexible: fallait-il égorger tous ces braves gens uniquement parce qu'ils voulaient faire leur salut à leur guise? C'eût été bien cruel, et en outre, bien dangereux, car de cette manière on aurait provoqué une insurrection universelle. Moitié par humanité, moitié par politique, les musulmans passèrent donc par-dessus la loi, et, le principe de la tolérance une fois admis, ils permirent aux Guèbres d'exercer partout leur culte en public, de sorte que chaque ville, chaque bourgade même, avait son pyrée. Qui plus est, le gouvernement protégeait les Guèbres même contre le clergé musulman: il faisait fouetter des imâms et des muëzzins qui avaient tenté de changer des temples du feu en mosquées.

Mais si le gouvernement était tolérant pour les sectateurs avoués de l'ancien culte, qui, en citoyens paisibles qu'ils étaient, ne troublaient point le repos de l'Etat, il ne l'était pas et ne pouvait l'être pour les faux musulmans, les soi-disant convertis, qui, au fond du cœur, étaient encore païens et qui tâchaient de miner sourdement l'islamisme en y entant leurs propres doctrines. En Perse comme en Espagne les conversions apparentes et dont l'intérêt mondain était le véritable mobile, avaient été nombreuses, et les faux musulmans étaient en général les hommes les plus remuants et les plus ambitieux de la société. Repoussés par l'aristocratie arabe, qui se montrait partout fort exclusive, ils rêvaient la résurrection d'une nationalité et d'un empire persans. Le gouvernement sévissait contre eux avec une rigueur impitoyable; pour les contenir et les punir, le calife Mahdî créa même un tribunal d'inquisition qui continua d'exister jusque vers la fin du règne de Hâroun ar-Rachîd. Comme d'ordinaire, la persécution engendra la révolte. Bâbec, le chef de la secte des *khorramîa* ou *libertins*, comme les appelaient leurs ennemis, se souleva dans l'Adherbaidjân. Pendant vingt ans (817-837), cet Ibn-Hafçoun de la Perse tint en échec les nombreuses armées des califes, et ceux-ci ne parvinrent à s'emparer de sa personne qu'après avoir sacrifié deux cent cinquante mille soldats. Mais ce qui était bien plus difficile encore que de dompter les révoltes à main armée, c'était de découvrir et de déraciner les sociétés secrètes que la persécution avait fait naître et qui propageaient dans l'ombre, soit les anciennes doctrines persanes, soit des idées philosophiques bien plus dangereuses encore, car en Orient le choc de plusieurs religions avait eu pour résultat qu'une foule de gens les répudiaient et les méprisaient toutes. «Tous ces prétendus devoirs religieux, disait-on, sont bons tout au plus pour le peuple, mais ne sont nullement obligatoires pour les hommes bien élevés. Tous les prophètes n'étaient que des imposteurs qui visaient à obtenir la prééminence sur les autres hommes.»

C'est du sein de ces sociétés secrètes que sortit, au commencement du IXe siècle, le rénovateur de la secte des Ismaëliens. Il s'appelait Abdallâh ibn-Maimoun. Issu d'une famille persane qui avait professé les doctrines des sectateurs de Bardesane, lesquels admettaient deux dieux, dont l'un a créé la lumière et l'autre les ténèbres, et fils d'un oculiste esprit fort, qui, pour échapper aux griffes de l'inquisition dont soixante-dix de ses amis venaient de tomber les victimes, avait cherché un asile à Jérusalem où il enseignait en secret les sciences occultes tout en affectant la piété et un grand zèle pour les prétentions des Chiites, Abdallâh ibn-Maimoun devint, sous la direction de son père, non-seulement un prestigiateur habile et un savant oculiste, mais encore un grand connaisseur de tous les systèmes théologiques et philosophiques. A l'aide de ses prestiges, il essaya d'abord de se faire regarder comme prophète; mais cette tentative n'ayant pas réussi, il conçut peu à peu un projet plus vaste.

Relier dans un même faisceau les vaincus et les conquérants; réunir dans une même société secrète, dans laquelle il y aurait plusieurs degrés d'initiation, les libres penseurs, qui ne voyaient dans la religion qu'un frein pour le peuple, et les bigots de toutes les sectes; se servir des croyants pour faire régner les incrédules, et des conquérants pour bouleverser l'empire qu'ils avaient fondé; se former enfin un parti nombreux, compact et rompu à l'obéissance, qui, le moment venu, donnerait le trône, sinon à lui-même, du moins à ses descendants, telle fut l'idée dominante d'Abdallâh ibn-Maimoun, idée bizarre et audacieuse, mais qu'il réalisa avec un tact étonnant, une adresse incomparable et une connaissance profonde du cœur humain.

Les moyens qu'il employa étaient calculés avec une fourberie diabolique. En apparence il était Ismaëlien. Cette secte semblait condamnée à s'éteindre faute d'un chef: il lui inspira une nouvelle vie en lui en promettant un. «Jamais, disait-il, le monde n'a été et ne sera privé d'un imâm. Quiconque est imâm, son père et son aïeul l'ont été avant lui, et ainsi de suite, en remontant jusqu'à Adam; le fils de l'imâm est aussi imâm, et son petit-fils, et ainsi de suite, jusqu'à la fin des siècles. Il n'est pas possible que l'imâm meure, sinon après qu'il lui sera né un fils, qui sera imâm après lui. Mais l'imâm n'est pas toujours visible. Quelquefois il se manifeste, et d'autres fois il reste caché, comme le jour et la nuit, qui se suivent l'un l'autre. Dans une époque où l'imâm se manifeste, sa doctrine reste cachée. Lorsque, au contraire, il demeure caché, sa doctrine est révélée, et ses missionnaires se montrent au milieu des mortels.» A l'appui de cette doctrine, Abdallâh citait des passages du Coran. Elle lui servait à tenir en éveil les espérances des Ismaëliens, qui acceptèrent l'idée que l'imâm se cachait, mais qu'il paraîtrait bientôt pour faire régner l'ordre et la justice sur la terre. Dans sa pensée intime, toutefois, Abdallâh méprisait cette secte, et son prétendu attachement à la famille d'Alî n'était qu'un moyen de réaliser ses projets. Persan au fond du cœur, il comprenait Alî, ses descendants et les Arabes en général dans le même anathème. Il sentait fort bien (et en ceci il ne se trompait pas) que si un Alide eût réussi à fonder un empire en Perse, comme les Persans l'auraient voulu, ceux-ci n'y auraient rien gagné, et il recommandait à ses affidés de tuer sans pitié tous les descendants d'Alî qui tomberaient en leur pouvoir. Aussi n'était-ce pas parmi les Chiites qu'il cherchait ses véritables soutiens, mais parmi les Guèbres, les Manichéens, les païens de Harrân et les partisans de la philosophie grecque; à ceux-là seulement on pouvait se fier, à ceux-là seulement on pouvait dire peu à peu le dernier mot du mystère, en leur révélant que les imâms, les religions et la morale n'étaient qu'une imposture, une farce. Les autres hommes, *les ânes* comme disait Abdallâh, n'étaient pas capables de comprendre de telles doctrines. Cependant, pour arriver au but qu'il se proposait, il ne dédaignait nullement leur concours; il le briguait au contraire, mais en prenant soin de n'initier les âmes croyantes et timides qu'aux premiers degrés de la secte. Ses missionnaires, auxquels il avait inculqué que leur premier devoir était de dissimuler leurs véritables sentiments et de s'accommoder aux idées de ceux à qui ils s'adressaient, se présentaient sous mille formes diverses, et parlaient, pour ainsi dire, à chacun dans une langue différente. Ils captivaient la masse ignorante et grossière par des tours de prestigiateur qu'ils faisaient passer pour des miracles, ou par des discours énigmatiques qui excitaient la curiosité. Vis-à-vis des dévots, ils se paraient du masque de la vertu et de la dévotion. Mystiques avec les mystiques, ils leur expliquaient le sens intérieur des choses extérieures, les allégories, et le sens allégorique des allégories elles-mêmes. Exploitant les calamités de l'époque et les vagues espérances d'un avenir meilleur que nourrissaient toutes les sectes, ils promettaient aux musulmans l'arrivée prochaine du Mahdî annoncé par Mahomet, aux juifs celle du Messie, aux chrétiens celle du Paraclet. Ils s'adressaient même aux Arabes orthodoxes ou sonnites, les plus difficiles à gagner parce que leur religion était la religion dominante, mais dont ils avaient besoin pour se mettre à l'abri des soupçons et des poursuites de l'autorité, et des richesses desquels ils voulaient se servir. On flattait d'abord l'orgueil national de l'Arabe en lui disant que tous les biens de la terre appartenaient à sa nation, les Persans n'étant nés que pour l'esclavage, et l'on tâchait de gagner sa confiance en faisant parade d'un profond mépris pour l'argent et d'une grande piété; puis, cette confiance une fois obtenue, on le brisait à force de le surcharger de prières jusqu'à ce qu'il devînt *perinde ac cadaver*; après quoi on lui persuadait aisément qu'il devait soutenir la secte par des dons pécuniaires et lui laisser par son testament tout ce qu'il possédait.

Ainsi une foule de gens de diverses croyances travaillaient ensemble à une œuvre dont le but n'était connu que d'un fort petit nombre. Cette œuvre avançait, mais lentement. Abdallâh savait que lui-même n'en verrait pas l'accomplissement; mais il recommanda à son fils Ahmed, qui lui succéda comme grand-maître, de la continuer. Sous Ahmed et ses successeurs, la secte se propagea rapidement, et ce qui y contribua surtout, c'est qu'un grand nombre d'individus de l'autre branche des Chiites se joignirent à elle. Cette branche, comme nous l'avons dit, reconnaissait pour imâms les descendants de Mousâ, le second fils de Djafar le Véridique; mais lorsque le douzième, Mohammed, eut disparu, à l'âge de douze ans, dans un souterrain où il était entré avec sa mère (879), et que ses partisans, les Duodécimains comme on les appelait, se furent lassés d'attendre sa réapparition, ils se laissèrent facilement enrôler parmi les Ismaëliens, qui possédaient sur eux l'avantage d'avoir un chef vivant et prêt à se faire connaître, dès que les circonstances le lui permettraient.

En 884, un missionnaire ismaëlien, Ibn-Hauchab, qui auparavant avait été Duodécimain, commença à prêcher ouvertement dans le Yémen. Il se rendit maître de Canâ, et envoya des missionnaires dans presque toutes les provinces de l'empire. Deux d'entre eux allèrent *labourer*, selon l'expression des Chiites, le pays des Ketâmiens, dans la province actuelle de Constantine, et quand ils furent morts, Ibn-Hauchab les remplaça par un de ses disciples, nommé Abou-Abdallâh.

Actif, hardi, éloquent, plein de finesse et de ruse, sachant d'ailleurs s'accommoder à l'esprit borné des Berbers, Abou-Abdallâh était parfaitement propre à la tâche qu'il allait remplir, bien que tout porte à croire qu'il ne connaissait que les degrés inférieurs de la secte, car même les missionnaires ignoraient parfois son véritable but. Il se mit d'abord à enseigner les enfants des Ketâmiens et s'appliqua à gagner la confiance de ses hôtes; puis, quand il se crut sûr de son fait, il jeta le masque, se déclara Chiite et précurseur du Mahdî, et promit aux Ketâmiens les biens de ce monde et de l'autre s'ils voulaient prendre les armes pour la sainte cause. Séduits par les discours mystiques du missionnaire, et plus encore peut-être par l'appât du pillage, les Ketâmiens se laissèrent aisément persuader; et comme leur tribu était alors la plus nombreuse et la plus puissante de toutes, celle d'ailleurs qui avait su le mieux conserver son antique indépendance et son esprit martial, leurs succès furent extrêmement rapides. Après avoir enlevé toutes ses villes au dernier prince de la dynastie des Aghlabides, laquelle avait régné pendant plus d'un siècle, ils le forcèrent de s'enfuir de sa résidence avec tant de précipitation qu'il n'eut pas même le temps d'emmener sa maîtresse. Alors Abou-Abdallâh porta le Mahdî sur le trône (909). C'était le grand-maître de la secte, Saîd, un descendant d'Abdallâh l'oculiste, mais qui se donnait pour un descendant d'Alî et qui se faisait appeler Obaidallâh. Devenu calife, ce fondateur de la dynastie des Fatimides cacha soigneusement ses véritables principes. Peut-être eût-il mis plus de franchise dans ses procédés, si un autre pays, la Perse par exemple, eût été le théâtre de son triomphe; mais comme il devait le trône à une horde à demi barbare et qui ne comprenait rien à des spéculations philosophiques, force lui fut, non-seulement de dissimuler lui-même, mais encore de contenir les membres avancés de la secte, qui compromettaient son avenir par des hardiesses intempestives. Aussi le vrai caractère de la secte ne se montra-t-il au grand jour qu'au commencement du XIe siècle, alors que le pouvoir des Fatimides était établi si solidement qu'ils n'avaient plus rien à craindre, et que, grâce à leurs nombreuses armées et leurs immenses richesses, ils pouvaient faire bon marché même des prétendus droits de leur naissance. Dans l'origine, au contraire, les Ismaëliens ne se distinguèrent des autres sectes musulmanes que par leur intolérance et leur cruauté. De pieux et savants faquis furent fouettés, mutilés ou crucifiés, parce qu'ils avaient parlé avec respect des trois premiers califes, oublié une formule chiite, ou prononcé un fetfa selon le code de Mâlic. On exigeait des convertis une soumission à toute épreuve. Sous peine d'être égorgé comme un mécréant, le mari devait souffrir qu'on déshonorât sa femme en sa présence, après quoi il était obligé de se laisser souffleter et cracher au visage. Obaidallâh, il faut le dire à son honneur, tâchait parfois de réprimer la rage brutale de ses soldats, mais rarement il y réussissait. Ses sectaires, qui ne voulaient pas, disaient-ils, d'un Dieu invisible, le déifiaient volontiers, conformément aux idées des Persans, qui enseignaient l'incarnation de la Divinité dans la personne du monarque; mais c'était à la condition qu'il leur permettrait de faire tout ce qu'ils voudraient. Rien n'égale les horreurs que ces barbares commirent dans les villes conquises. A Barca, leur général fit couper en morceaux et rôtir quelques habitants de la ville; puis il en força d'autres à manger de cette chair; enfin, il fit jeter ces derniers dans le feu. Plongés dans une stupeur muette et ne croyant plus à une providence réglant les destinées humaines, les malheureux Africains ne mettaient leurs espérances qu'au delà de la tombe. «Puisque Dieu tolère tout cela, dit un pamphlétaire de l'époque, il est clair qu'à ses yeux ce bas monde est trop méprisable pour qu'il daigne s'en occuper! Mais le jour dernier arrivera et alors Dieu jugera!»

Par leurs prétentions à la monarchie universelle, les Fatimides étaient dangereux pour tous les Etats musulmans, mais ils l'étaient surtout pour l'Espagne. De bonne heure ils avaient jeté leur dévolu sur ce riche et beau pays. A peine en possession des Etats des Aghlabides, Obaidallâh avait déjà entamé une négociationavec Ibn-Hafçoun, et ce dernier l'avait reconnu pour son souverain. Cette singulière alliance n'avait abouti à rien; mais les Fatimides ne s'étaient pas laissé rebuter. Leurs espions parcouraient la Péninsule en tous sens, sous le prétexte d'affaires de commerce, et l'on peut se former une idée de ce qu'ils rapportaient à leurs maîtres, quand on lit ce que l'un d'entre eux, Ibn-Haucal, écrivit dans la relation de ses voyages. A peine a-t-il commencé à parler de l'Espagne, qu'il s'exprime de cette manière: «Ce qui étonne le plus les étrangers qui arrivent dans cette Péninsule, c'est qu'elle appartient encore au souverain qui y règne, car les habitants du pays sont des gens sans fierté et sans esprit; ils sont lâches, ils montent fort mal à cheval, ils sont tout à fait incapables de se défendre contre de bons soldats, et d'un autre côté, nos maîtres (que Dieu les bénisse!) savent fort bien ce que vaut ce pays, combien il rapporte en impôts, et quelles en sont les beautés et les délices.»

Que si les Fatimides réussissaient à mettre le pied sur le sol de l'Andalousie, il était certain qu'ils y trouveraient des partisans. L'idée de l'apparition prochaine du Mahdî s'était répandue en Espagne comme dans tout le reste du monde musulman. Déjà dans l'année 901, comme nous le raconterons plus tard,un prince de la maison d'Omaiya s'était attribué le rôle du Mahdî que l'on attendait; et dans un livre écrit une vingtaine d'années avant la fondation du califat fatimide, on trouve une prédiction faite par le célèbre théologien Abdalmélic ibn-Habîb (+ 853), selon laquelle un descendant de Fatime viendrait régner en Espagne, conquerrait Constantinople (ville que l'on considérait encore comme la métropole du christianisme), tuerait tous les chrétiens mâles de Cordoue et des provinces voisines, et vendrait leurs femmes et leurs enfants, de sorte que l'on pourrait se procurer un garçon pour un fouet, et une jeune fille pour un éperon. Comme d'ordinaire, c'étaient surtout les gens des basses classes de la société qui croyaient à ces sortes de prophéties; mais même parmi les gens bien élevés, et notamment parmi les libres penseurs, les Fatimides auraient peut-être trouvé des adhérents. La philosophie avait pénétré en Espagne sous le règne de Mohammed, le cinquième sultan omaiyade; mais on y voyait les philosophes de mauvais œil, car on y était beaucoup plus intolérant qu'en Asie, et les théologiens andalous, qui avaient fait le voyage d'Orient, ne parlaient qu'avec une sainte horreur de la tolérance des Abbâsides, et surtout de ces réunions de savants de toutes les religions et de toutes les sectes, où l'on disputait sur des questions métaphysiques en mettant de côté toute révélation, et où les musulmans mêmes tournaient parfois le Coran en ridicule. Le peuple détestait les philosophes, qu'il traitait d'impies, et les brûlait ou les lapidait très-volontiers. Les libres penseurs étaient donc forcés de dissimuler leurs sentiments, et naturellement cette contrainte leur pesait. Ne seraient-ils pas prêts à appuyer une dynastie dont les principes étaient conformes aux leurs? Il était permis de le croire, et les Fatimides, ce semble, en jugeaient ainsi; il nous paraît même qu'ils tâchèrent de fonder une loge en Espagne, et qu'à cet effet ils se servirent du philosophe Ibn-Masarra. Cet Ibn-Masarra était un panthéiste de Cordoue, qui avait surtout étudié les traductions de certains livres grecs que les Arabes attribuaient à Empédocle. Forcé de quitter sa patrie parce qu'on l'avait accusé d'impiété, il s'était mis à parcourir l'Orient, où il s'était familiarisé avec les doctrines des différentes sectes, et où il semble s'être affilié à la société secrète des Ismaëliens. Ce qui nous porte à le supposer, c'est la manière dont il se conduisit après son retour en Espagne, car alors, au lieu d'exposer ouvertement ses opinions, comme il l'avait fait dans sa jeunesse, il les cachait et faisait parade d'une grande dévotion, d'une austérité extrême; les chefs de la société secrète, nous le croyons du moins, lui avaient enseigné qu'il fallait attirer et séduire les gens par les dehors de l'orthodoxie et de la piété. Grâce au masque qu'il avait pris, grâce aussi à son éloquence entraînante, il sut tromper le vulgaire et attirer à ses leçons un grand nombre de disciples, qu'il conduisait lentement et pas à pas, de la foi au doute, et du doute à l'incrédulité; mais il ne réussit pas à duper le clergé, qui, justement alarmé, fit brûler, non pas le philosophe lui-même (Abdérame III ne l'aurait pas permis), mais ses livres.

Au reste, qu'Ibn-Masarra ait été ou non un émissaire des Ismaëliens (car il n'existe pas de témoignage formel à cet égard), toujours est-il que les Fatimides ne négligeaient aucun moyen pour se former un parti en Espagne, et que, jusqu'à un certain point, ils y réussirent. Leur domination aurait été sans doute un bienfait pour les libres penseurs, mais elle aurait été un terrible fléau pour les masses, et particulièrement pour les chrétiens. Une phrase froidement barbare du voyageur Ibn-Haucal montre ce que ces derniers avaient à attendre de la part des fanatiques Ketâmiens. Après avoir remarqué que les chrétiens, qu'il trouva établis par milliers dans un grand nombre de villages, avaient souvent causé bien de l'embarras au gouvernement quand ils s'étaient mis en insurrection, Ibn-Haucal propose un moyen fort expéditif pour les mettre dorénavant dans l'impuissance de nuire: c'est de les exterminer jusqu'au dernier. Une telle mesure serait à ses yeux excellente, et la seule objection qui se présente à son esprit, c'est qu'il faudrait beaucoup de temps pour l'exécuter. Ce n'était donc, après tout, qu'une question de temps! Les Ketâmiens, on le voit, auraient réalisé à la lettre la prédiction d'Abdalmélic ibn-Habîb.

Voilà quel péril menaçait l'Espagne arabe du côté du Midi; celui auquel elle était exposée du côté du Nord, où le royaume de Léon grandissait de jour en jour, était plus grave encore.

Rien de plus humble que l'origine du royaume de Léon. Au VIIIᵉ siècle, alors que la province qu'ils habitaient s'était déjà soumise aux musulmans, trois cents hommes, commandés par le brave Pélage, avaient trouvé un asile dans les hautes montagnes de l'est des Asturies. Une grande caverne leur servait de demeure. C'était celle de Covadonga. Fort élevée au-dessus du sol (on y monte aujourd'hui au moyen d'une espèce d'escalier de quatre-vingt-dix marches), elle se trouve dans un énorme rocher, au fond d'une vallée tortueuse, profondément ravinée par un torrent, et si étroitement resserrée entre deux chaînes de rochers fort escarpés, qu'un homme à cheval peut à peine y pénétrer. Une poignée de braves pouvait donc aisément s'y défendre, même contre des forces très-supérieures. C'est ce que firent les Asturiens; mais leur existence était bien misérable, et quelques-uns de ses compagnons s'étant rendus, et d'autres étant morts faute de vivres, il y eut un instant où Pélage n'avait autour de lui que quarante personnes, parmi lesquelles se trouvaient dix femmes, et qui n'avaient pour toute nourriture que le miel que les abeilles déposaient dans les fentes du rocher. Alors les musulmans les laissèrent en paix, en se disant qu'après tout une trentaine d'hommes n'étaient pas à craindre, et que ce serait peine perdue que de s'aventurer pour eux dans cette dangereuse vallée, où tant de braves avaient déjà trouvé une mort sans gloire. Grâce à ce répit, Pélage put renforcer sa bande, et plusieurs fugitifs s'étant unis à lui, il reprit l'offensive et se mit à faire des incursions sur les terres des musulmans. Voulant mettre un terme à ces déprédations, le Berber Monousa, qui était alors gouverneur des Asturies, envoya contre lui un de ses lieutenants, nommé Alcama. Mais l'expédition d'Alcama fut fort malheureuse: ses soldats essuyèrent une terrible défaite et lui-même fut tué. Le succès obtenu par la bande de Pélage enhardit les autres Asturiens; ils s'insurgèrent, et alors Monousa, qui n'avait pas assez de troupes pour réprimer cette révolte et qui craignait de se voir couper la retraite, abandonna Gijon, sa résidence, en prenant la route de Léon; mais à peine eut-il fait sept lieues qu'il fut attaqué à l'improviste, et quand il fut arrivé à Léon après avoir essuyé une perte très-considérable, ses soldats, entièrement découragés, refusèrent de retourner dans les âpres montagnes qui avaient été témoins de leurs malheurs.

Ayant ainsi secoué le joug de la domination étrangère, les Asturiens virent, quelque temps après, accroître leur puissance. Du côté de l'est, leur province confinait avec le duché de Cantabrie, qui n'avait point été soumis par les musulmans; et quand Alphonse qui y régnait et qui avait épousé la fille de Pelage, monta sur le trône des Asturies, les forces des chrétiens se trouvèrent presque doublées. Dès lors ils songèrent naturellement à refouler les conquérants encore davantage vers le Midi. Les circonstances leur vinrent en aide. Les Berbers, qui formaient la majorité de la population musulmane dans presque tout le Nord, embrassèrent les doctrines des non-conformistes, se mirent en insurrection contre les Arabes et les chassèrent; mais s'étant mis en marche contre le Midi, ils furent battus à leur tour et traqués comme des bêtes fauves. Déjà décimés par le glaive, ils le furent encore bien davantage par l'horrible famine qui, à partir de l'année 750, ravagea l'Espagne pendant cinq années consécutives. La plupart résolurent alors de quitter l'Espagne et d'aller rejoindre leurs contribules qui demeuraient sur la côte d'Afrique. Profitant de cette émigration, les Galiciens s'insurgèrent en masse contre leurs oppresseurs dès l'année 751, et reconnurent Alphonse pour leur roi. Secondés par lui, ils massacrèrent un grand nombre de leurs ennemis et forcèrent les autres à se retirer sur Astorga. Dans l'année 753(4), les Berbers durent se retirer encore davantage vers le Midi. Ils évacuèrent Braga, Porto et Viseu, de sorte que toute la côte, jusqu'au delà de l'embouchure du Duero, se trouva affranchie du joug. Reculant toujours et ne pouvant se maintenir ni à Astorga, ni à Léon, ni à Zamora, ni à Ledesma, ni à Salamanque, ils se replièrent sur Coria, ou même sur Mérida. Plus à l'est, ils abandonnèrent Saldaña, Simancas, Ségovie, Avila, Oca, Osma, Miranda sur l'Ebre, Cenicero et Alesanco (tous les deux dans la Rioja). Les principales villes frontières du pays musulman furent dès lors, de l'ouest à l'est: Coïmbre sur le Mondego, Coria, Talavera et Tolède sur le Tage, Guadalaxara, Tudèle et Pampelune.

Ainsi la guerre civile et la terrible famine de 750 avaient affranchi une grande partie de l'Espagne de la domination musulmane, qui n'y avait duré qu'une quarantaine d'années. Mais Alphonse profita peu des avantages qu'il avait obtenus. Il parcourut le pays abandonné et passa au fil de l'épée les musulmans, peu nombreux sans doute, qu'il y trouva; mais n'ayant ni assez de serfs pour faire cultiver un pays aussi étendu, ni assez d'argent pour rebâtir les forteresses que les musulmans avaient toutes démantelées ou détruites avant leur départ, il ne put songer à en prendre possession et emmena avec lui les indigènes lorsqu'il retourna dans ses Etats. Il n'occupa que les districts les plus rapprochés de ses anciens domaines. C'étaient la Liébana (c'est-à-dire le sud-ouest de la province de Santander), la Vieille-Castille (nommée alors la Bardulie), la côte de la Galice et peut-être la ville de Léon. Tout le reste ne fut longtemps qu'un désert qui formait une barrière naturelle entre les chrétiens du Nord et les musulmans du Midi.

Mais ce qu'Alphonse Ier n'avait pu faire, ses successeurs le firent. Presque toujours en guerre contre les Arabes, ils firent de Léon leur capitale et rebâtirent peu à peu les villes et les forteresses les plus importantes. Dans la seconde moitié du IXe siècle, alors que presque tout le Midi était en insurrection contre le sultan, ils reculèrent les bornes de leur Etat jusqu'au Duero, où ils élevèrent quatre places fortes, Zamora, Simancas, San Estevan de Gormaz et Osma, lesquelles formaient contre les musulmans une barrière presque infranchissable, tandis que le vaste mais triste et stérile pays qui s'étend entre le Duero et le Guadiana, n'appartenait ni aux Léonais, ni aux Arabes; on se le disputait encore. Du côté de l'ouest, les Léonais étaient plus rapprochés de leurs ennemis naturels, attendu que leurs frontières s'y étendaient jusqu'au delà du Mondego. Mais ces frontières, ils les dépassaient maintefois. Profitant de la faiblesse du sultan, ils poussaient des expéditions hardies jusqu'au delà du Tage et du Guadiana, et les tribus, pour la plupart berbères, qui demeuraient entre ces deux fleuves, pouvaient d'autant moins leur résister, qu'elles étaient le plus souvent en guerre entre elles. Force leur était donc de s'humilier devant les chrétiens et de se racheter du pillage.

Mais l'heure de la vengeance semblait enfin venue pour elles. Dans l'année 901, un prince de la maison d'Omaiya, Ahmed ibn-Moâwia, qui s'adonnait à l'étude des sciences occultes et qui aspirait au trône, s'annonça aux Berbers comme le Mahdî, et les excita à se ranger sous ses drapeaux, afin de marcher ensemble contre Zamora, ville qu'Alphonse III avait fait rebâtir, en 893, par les chrétiens de Tolède, ses alliés, et qui depuis lors était l'effroi des Berbers, car c'était de là que les Léonais venaient les piller, et c'était là encore qu'ils mettaient leur butin en sûreté, derrière sept fossés et sept murailles. L'appel d'Ahmed fut couronné d'un succès immense. Ignorants et crédules, brûlant d'ailleurs du désir de prendre leur revanche, les Berbers vinrent se ranger en foule autour d'un prince qui faisait des miracles, peu compliqués au reste, et qui leur disait que les murailles de toutes les villes tomberaient à son approche. En peu de mois l'imposteur rassembla une armée de soixante mille hommes. Il la conduisit vers le Duero, et, arrivé près de Zamora, il fit parvenir au roi Alphonse III, qui se trouvait dans cette ville, une lettre fulminante et dans laquelle il le menaçait des effets de sa colère, si lui et ses sujets n'embrassaient pas sur-le-champ l'islamisme. Ayant entendu la lecture de cette lettre, Alphonse et ses grands frémirent d'indignation et de rage, et, voulant punir à l'instant même l'insolence de celui qui l'avait écrite, ils montèrent à cheval et vinrent l'attaquer. La cavalerie berbère alla à leur rencontre, et comme il n'y avait que peu d'eau dans le Duero (c'était en été, dans le mois de juin), le combat eut lieu dans le lit du fleuve. Le sort des armes ne fut pas favorable aux Léonais. Les Berbers les mirent en déroute, et leur fermant l'entrée de la ville, ils les poussèrent devant eux dans l'intérieur du pays.

Cependant l'issue de l'expédition fut tout autre qu'on ne le présageait en jugeant d'après ce premier combat. Le soi-disant Mahdî avait acquis un immense pouvoir sur ses soldats; croyant qu'il était au-dessous de sa position de donner des ordres de vive voix, il les donnait par signes, et l'on obéissait à ses moindres gestes avec la plus grande docilité; mais plus il imposait du respect aux simples soldats, plus il excitait contre lui la jalousie des chefs, qui pressentaient que si l'expédition réussissait, ils seraient supplantés par le soi-disant prophète, à la mission duquel ils ne croyaient guère. Aussi avaient-ils déjà cherché une occasion pour l'assassiner; ils ne l'avaient pas trouvée, mais pendant qu'ils poursuivaient l'ennemi, le plus puissant d'entre eux, Zalal ibn-Yaîch, le chef de la tribu de Nefza, déclara à ses amis qu'ils avaient fait une grande faute en battant les Léonais, et qu'il fallait la redresser avant qu'il ne fût trop tard. Il n'eut point de peine à les faire entrer dans ses sentiments, et ils résolurent tous de brouiller les affaires du Mahdî. Ils firent donc sonner la retraite, et, arrivés aux avant-postes, sur la rive droite du Duero, ils prirent les objets qui leur appartenaient en disant qu'ils avaient été battus et que l'ennemi était à leurs trousses. Leurs paroles trouvèrent créance, d'autant plus qu'ils n'avaient avec eux qu'une partie de leurs troupes, les autres n'ayant pas obéi à leur ordre ou ne l'ayant pas entendu. Une terreur panique s'empara des esprits. Cherchant leur salut dans une prompte fuite, un grand nombre de soldats coururent vers le Duero; ce que voyant, la garnison de Zamora fit une sortie et sabra plusieurs d'entre eux au moment où ils essayaient de franchir le fleuve. Toutefois les Léonais, arrêtés par le gros de l'armée musulmane qui se trouvait encore sur la rive gauche, ne furent pas en état, ni ce jour-là, ni le lendemain, de rendre décisif l'avantage qu'ils venaient de remporter. Mais la désertion, qui devenait de plus en plus générale parmi les troupes du Mahdî, leur vint en aide. Le Mahdî avait beau dire que Dieu lui avait promis la victoire, on ne le croyait plus, et le troisième jour, quand il se vit abandonné de presque tous ses soldats, lui-même perdit toute espérance. Ne voulant pas survivre à sa honte, il enfonça les éperons dans les flancs de son cheval, se jeta au milieu des ennemis, et trouva la mort qu'il cherchait. Sa tête fut clouée à une porte de Zamora.

L'issue de cette campagne augmenta naturellement l'audace des Léonais. Comptant sur l'appui de Tolède et surtout sur la coopération du roi de Navarre, Sancho-le-Grand, qui venait de donner à son pays une importance qu'il n'avait pas eue jusque-là, ils regardaient de plus en plus l'Espagne musulmane comme une proie qui ne pouvait leur échapper. Tout les poussait vers le Midi. Pauvres à un tel degré qu'ils échangeaient encore, faute de numéraire, des objets contre d'autres objets, et instruits par leurs prêtres, auxquels ils étaient aveuglément dévoués et qu'ils comblaient de dons, à regarder la guerre contre les infidèles comme le plus sûr moyen de conquérir le ciel, ils cherchaient dans l'opulente Andalousie et les biens de ce monde et ceux de l'autre. L'Andalousie échapperait-elle à leur domination? Si elle succombait, le sort des musulmans serait terrible. Fanatiques et cruels, les Léonais donnaient rarement quartier; d'ordinaire, quand ils avaient pris une ville, ils passaient tous les habitants au fil de l'épée. Quant à une tolérance comme celle que les musulmans accordaient aux chrétiens, il ne fallait pas l'attendre d'eux. Que deviendrait d'ailleurs la brillante civilisation arabe, qui se développait de plus en plus, sous la domination de ces barbares qui ne savaient pas lire; qui, quand ils voulaient faire arpenter leurs terres, devaient se servir de Sarrasins, et qui, quand ils parlaient d'une *bibliothèque*, entendaient par là l'Ecriture sainte?

On le voit: la tâche qui attendait Abdérame III au commencement de son règne, était belle et grande: elle consistait à sauver sa patrie et la civilisation elle-même; mais elle était extrêmement difficile. Le prince avait à conquérir ses propres sujets, et à repousser, d'un côté les barbares du Nord, dont l'insolence s'était accrue au fur et à mesure que l'empire musulman avait faibli, de l'autre les barbares du Midi, qui en un clin d'œil s'étaient emparés d'un vaste Etat et qui croyaient avoir bon marché des Andalous. Abdérame comprit sa mission. Nous avons déjà vu de quelle manière il conquit et pacifia son propre royaume; nous allons voir à présent comment il s'y prit pour faire face aux ennemis du dehors.

II

Lors même qu'Abdérame III n'aurait pas eu l'intention de tourner ses armes contre les Léonais, ceux-ci l'y auraient forcé, car dans l'année 914, leur roi, l'intrépide Ordoño II, commença les hostilités en mettant à feu et à sang le territoire de Mérida. S'étant emparé de la forteresse d'Alanje, il passa au fil de l'épée tous les défenseurs de la place, et réduisit en servitude leurs femmes et leurs enfants. Alors les habitants de Badajoz s'effrayèrent. Craignant de partager le sort de leurs voisins, ils rassemblèrent une foule d'objets précieux, et, ayant leur prince à leur tête, ils allèrent supplier le roi chrétien de vouloir bien les accepter. Ordoño y consentit; puis, victorieux et regorgeant de butin, il repassa le Tage et le Duero, et, de retour à Léon, il donna à la Vierge une preuve de sa reconnaissance en lui fondant une église.

Comme les habitants des districts qu'Ordoño avait pillés n'étaient pas encore rentrés dans l'obéissance, Abdérame, s'il l'avait voulu, aurait pu fermer les yeux sur ce qui s'était passé. Mais telle n'était pas sa manière de voir. Comprenant fort bien qu'il lui fallait conquérir les cœurs de ses sujets rebelles en leur montrant qu'il était en état de les défendre, il résolut de punir le roi de Léon. A cet effet il envoya contre lui, en juillet 916, une armée commandée par Ibn-abî-Abda, le vieux général de son aïeul. L'expédition d'Ibn-abî-Abda, la première depuis celle que le soi-disant Mahdî avait entreprise quinze années auparavant, ne fut à vrai dire qu'une razzia; mais dans cette razzia les musulmans firent un ample butin. L'année suivante, Abdérame, vivement sollicité par les habitants des frontières qui se plaignaient de ce que les Léonais avaient brûlé tous les faubourgs de Talavera (sur le Tage), donna l'ordre à Ibn-abî-Abda de se mettre encore une fois en campagne et d'aller assiéger l'importante forteresse de San Estevan (de Gormaz), que l'on appelait aussi Castro-Moros. L'armée était nombreuse, et elle se composait en partie de mercenaires africains qu'Abdérame avait fait venir de Tanger. Aussi l'expédition promettait d'être heureuse. Etroitement bloquée, la garnison de San Estevan fut bientôt réduite à l'extrémité, et elle était déjà sur le point de se rendre, lorsque Ordoño vint à son secours. Il attaqua Ibn-abî-Abda. Malheureusement pour lui, ce général avait dans son armée, non-seulement des soldats de Tanger, mais aussi un grand nombre d'habitants des frontières, et l'on ne pouvait compter ni sur la fidélité ni sur la bravoure de ces hommes, moitié Berbers, moitié Espagnols, qui jetaient les hauts cris quand les Léonais venaient les piller, et qui prétendaient alors que le sultan devait les protéger, mais qui n'aimaient ni à se défendre eux-mêmes, ni à obéir au monarque. Cette fois encore ils se laissèrent battre, et leur retraite précipitée jeta un effroyable désordre dans les rangs de toute l'armée. Voyant que la bataille était perdue, le brave Ibn-abî-Abda aima mieux mourir à son poste que de chercher son salut dans la fuite; plusieurs de ses soldats, qui pensaient comme lui, se rangèrent à ses côtés, et tous succombèrent sans reculer sous les coups des chrétiens. Au rapport des historiens arabes, le reste de l'armée parvint à se rallier et arriva en assez bon ordre sur le territoire musulman; mais les chroniqueurs chrétiens racontent au contraire que la déroute des musulmans fut si complète que partout, depuis le Duero jusqu'à Atienza, les collines, les bois et les champs étaient jonchés de leurs cadavres.

Sans se laisser décourager, Abdérame prit aussitôt des mesures pour réparer ce désastre; mais pendant qu'il faisait des préparatifs pour une nouvelle campagne qui aurait lieu l'année suivante, les affaires d'Afrique captivèrent son attention.

Bien qu'il ne fût pas encore en guerre contre les Fatimides, et que ceux-ci, occupés de la conquête de la Mauritanie, ne lui eussent pas donné des sujets de plainte, il prévoyait cependant que, cette guerre terminée, ils tourneraient aussitôt leurs armes contre l'Espagne. Il regarda donc comme un devoir de secourir la Mauritanie autant que possible, et de faire en sorte que ce pays restât, pour ainsi dire, le boulevard de l'Espagne contre les Fatimides. D'un autre côté, il devait éviter de se mettre trop tôt en guerre ouverte contre cette dynastie, car tant qu'il n'aurait pas dompté l'insurrection dans son propre empire et forcé les chrétiens du Nord à implorer la paix, il risquerait trop s'il s'exposait à une descente des Fatimides sur la côte andalouse. Tout ce qu'il pouvait faire dans les circonstances données, c'était d'encourager et d'aider sous main les princes qui avaient la volonté de se défendre contre les envahisseurs de leur pays.

Déjà dans l'année 917, il eut l'occasion de le faire, alors que le prince de Nécour fut attaqué par les Fatimides. D'origine arabe, la famille de ce prince avait régné sur Nécour et son territoire depuis le temps de la conquête; elle s'était toujours distinguée par son attachement à la religion, et depuis que deux de ses princesses, faites prisonnières par les pirates normands, avaient été rachetées par le sultan Mohammed, elle n'avait jamais cessé d'entretenir avec l'Espagne les relations les plus amicales. Un cadet de cette maison, qui, en pieux faqui qu'il était, avait fait quatre fois le pèlerinage de la Mecque, était même venu en Espagne, sous le règne d'Abdallâh, pour y prendre part à la guerre sainte. Attaqué par Ibn-Hafçoun après son débarquement, il était arrivé seul dans le camp du sultan, tous les hommes de son escorte ayant été tués, et à son tour il avait trouvé la mort en combattant contre Daisam, le chef de la province de Todmîr.

Le prince qui régnait sur Nécour lorsque les Fatimides portèrent leurs armes dans la Mauritanie, s'appelait Saîd II. Sommé de se soumettre, il refusa de le faire; mais lui, ou plutôt son poète lauréat, un Espagnol, eut l'imprudence de joindre l'outrage au refus. Il faut savoir qu'au bas de sa sommation le calife avait fait écrire quelques vers, dont le sens était que, si les habitants de Nécour ne voulaient pas se soumettre, il les exterminerait, mais que, s'ils obéissaient, il ferait régner la justice dans leur pays. Or le poète lauréat, Ahmas de Tolède, répondit à ces vers par ceux-ci:

Tu en as menti, j'en jure par le temple de la Mecque! Non, tu ne sais pas pratiquer la justice, et jamais l'Eternel n'a entendu de ta bouche une parole sincère ou pieuse. Tu n'es qu'un hypocrite, un mécréant; prêchant des rustres, tu mutiles la sonna qui doit être la règle de toutes nos actions. Nous mettons notre ambition dans les choses nobles et grandes, parmi lesquelles la religion de Mahomet occupe le premier rang; toi, au contraire, tu mets la tienne dans des choses basses et viles!

Piqué au vif, le calife Obaidallâh envoya aussitôt à Meççâla, le gouverneur de Tâhort, l'ordre d'aller attaquer Nécour. N'ayant point de citadelle qui pût lui offrir un asile, le vieux Saîd II alla à la rencontre de l'ennemi et l'arrêta pendant trois jours; mais, trahi par un de ses capitaines, il mourut enfin sur le champ de bataille avec presque tous les siens (917). Alors Meççâla prit possession de Nécour, où il passa les hommes au fil de l'épée, après quoi il réduisit leurs femmes et leurs enfants en servitude.

Avertis par leur père, trois fils de Saîd avaient eu le temps de s'embarquer et de faire voile vers Malaga. Dès qu'ils furent arrivés dans ce port, AbdérameIII donna les ordres nécessaires afin qu'on leur fît un accueil des plus honorables. En même temps il leur fit dire que s'ils voulaient venir à Cordoue, il serait charmé de les y recevoir, mais qu'il ne voulait les contrarier en rien et que par conséquent ils pouvaient demeurer à Malaga si tel était leur désir. Les princes lui répondirent qu'ils aimaient mieux rester aussi près que possible du théâtre des événements, parce qu'ils espéraient retourner bientôt dans leur patrie. Cette espérance n'était pas trompeuse. Ayant repris la route de Tâhort après avoir passé six mois à Nécour, Meççâla avait confié le commandement de cette dernière ville à un officier ketâmien, nommé Dhaloul. Celui-ci fut abandonné de la plupart de ses soldats, et alors les princes, que leurs partisans tenaient au courant de tout ce qui se passait, équipèrent des vaisseaux et partirent pour Nécour, après avoir arrêté entre eux que la couronne appartiendrait à celui qui y arriverait le premier. Çâlih, le plus jeune des trois, devança ses frères. Les Berbers de la côte le reçurent avec enthousiasme, et, l'ayant proclamé émir, ils marchèrent contre Nécour, où ils massacrèrent Dhaloul et ses soldats. Maître du pays, le prince, Çâlih III, s'empressa d'écrire à Abdérame III pour le remercier de son accueil et pour lui annoncer sa victoire. En même temps il fit proclamer la souveraineté de ce monarque dans toute l'étendue de ses Etats, et de son côté Abdérame lui envoya des tentes, des bannières et des armes.

Si les affaires de Nécour eussent pu faire oublier à Abdérame qu'il avait encore à venger la déroute de son armée et la mort de l'intrépide Ibn-abî-Abda, dont Ordoño avait fait clouer la tête à la muraille de San Estevan, côte à côte d'une hure de sanglier, les chrétiens auraient pris soin de le rappeler à son devoir, car dans le printemps de l'année 918, Ordoño II et son allié, Sancho de Navarre, ravagèrent les environs de Najera et de Tudèle, après quoi Sancho prit le faubourg de Valtierra et brûla la grande mosquée de cette forteresse. Abdérame confia maintenant le commandement de son armée au hâdjib Bedr, et il envoya aux habitants des frontières l'ordre de rejoindre les drapeaux, en les excitant à profiter de cette occasion pour laver la honte dont ils s'étaient couverts l'année précédente. Le 7 juillet on partit de Cordoue, et quand on fut arrivé sur le territoire léonais, on attaqua hardiment l'armée ennemie qui s'était retranchée dans les montagnes. Deux fois, le 13 et le 15 août, on se livra bataille près d'un endroit qui s'appelait Mutonia, et deux fois les musulmans remportèrent une victoire éclatante. Les Léonais, comme leurs propres chroniqueurs l'attestent, durent se consoler en disant avec David que les armes sont journalières.

Abdérame avait ainsi réparé la honte de sa défaite; mais ne croyant pas encore les Léonais suffisamment humiliés, et brûlant d'ailleurs du désir d'avoir sa part des lauriers que ses généraux cueillaient dans la guerre contre les infidèles, il prit lui-même le commandement de son armée au commencement de juin 920. Une ruse le rendit maître d'Osma. Le seigneur qui commandait dans cette place lui avait fait les promesses les plus brillantes pour le cas où il voudrait le laisser en repos et porter ses armes d'un autre côté. Abdérame profita de la lâcheté de cet homme. Feignant de prêter l'oreille à ses ouvertures, il se porta vers l'Ebre par la route de Medinaceli; mais prenant tout à coup à gauche et s'acheminant vers le Duero, il envoya en avant un corps de cavalerie avec l'ordre de piller et de ravager les environs d'Osma. Surprise de l'apparition soudaine de l'ennemi, la garnison d'Osma se hâta d'aller chercher un refuge dans les bois et dans les montagnes, de sorte que les musulmans entrèrent dans la forteresse sans coup férir. L'ayant brûlée, ils allèrent attaquer San Estevan de Gormaz. Là aussi ils ne trouvèrent point de résistance, la garnison ayant pris la fuite à leur approche. La forteresse fut détruite, de même que le château d'Alcubilla qui se trouvait dans son voisinage. Cela fait, les musulmans marchèrent contre Clunia, ville fort ancienne et dont il ne reste aujourd'hui que des ruines, mais importante alors. Il semblait que les Léonais se fussent donné le mot pour ne résister nulle part, car les musulmans trouvèrent Clunia entièrement abandonnée. Ils y détruisirent une grande partie des maisons et des églises.

Cédant aux sollicitations des musulmans de Tudèle, Abdérame résolut alors de tourner ses armes contre Sancho de Navarre. Marchant lentement afin de ne pas trop fatiguer ses troupes, il employa cinq jours pour se porter de Clunia à Tudèle; puis, ayant mis un corps de cavalerie sous les ordres de Mohammed ibn-Lope, le gouverneur de Tudèle, il lui enjoignit d'aller attaquer la forteresse de Carcar, que Sancho avait fait bâtir pour contenir les habitants de Tudèle et les vexer. Les musulmans la trouvèrent abandonnée, de même que Calahorra, d'où Sancho lui-même s'était précipitamment enfui pour aller se jeter dans Arnedo; mais quand ils eurent passé l'Ebre, Sancho vint attaquer leur avant-garde. Le combat s'étant engagé, les musulmans montrèrent qu'ils pouvaient faire autre chose encore que de prendre, de piller et de brûler des forteresses sans défenseurs: ils mirent l'ennemi en pleine déroute et le forcèrent d'aller chercher un refuge dans les montagnes. L'avant-garde avait suffi pour obtenir ce beau succès; Abdérame, qui se tenait au centre, ignorait même qu'elle eût été aux prises avec l'ennemi; les têtes coupées qu'on lui présenta, le lui apprirent.

Battu et hors d'état de résister seul aux musulmans, Sancho demanda et obtint la coopération d'Ordoño. Les deux rois résolurent alors d'attaquer, soit l'avant-garde, soit l'arrière-garde des ennemis, selon que les circonstances le leur permettraient. En attendant, les chrétiens, qui ne quittaient pas les montagnes, se tenaient sur les flancs des colonnes musulmanes qui traversaient les défilés et les vallons. Voulant effrayer leurs adversaires, ils poussaient de temps en temps de grands cris, et profitant de l'avantage que leur donnait le terrain, ils en massacraient parfois quelques-uns. L'armée musulmane se trouvait évidemment dans une situation dangereuse; elle avait affaire à des montagnards agiles et intrépides, qui se souvenaient fort bien du désastre que leurs ancêtres avaient causé à la grande armée de Charlemagne dans la vallée de Roncevaux, et qui guettaient l'occasion pour traiter celle d'Abdérame de la même manière. Le sultan ne s'aveuglait pas sur le péril qui le menaçait, et quand il fut arrivé dans la vallée qui, à cause des joncs qui la couvraient, s'appelait Junquera, il donna l'ordre de faire halte et de dresser les tentes. Alors les chrétiens commirent une faute immense: au lieu de rester sur les montagnes, ils descendirent dans la plaine et acceptèrent audacieusement le combat que les musulmans leur offraient. Ils payèrent leur témérité d'une terrible défaite. Les musulmans les poursuivirent jusqu'à ce que l'obscurité de la nuit les dérobât à leurs regards, et firent prisonniers plusieurs de leurs chefs, parmi lesquels se trouvaient deux évêques, Hermogius de Tuy et Dulcidius de Salamanque, qui, selon l'usage de cette époque, avaient endossé le harnais de guerre.

Cependant plus de mille chrétiens avaient trouvé un asile dans la forteresse de Muez. Abdérame la cerna, la prit et fit couper la tête à tous les défenseurs de la place.

Détruisant les forteresses et ne trouvant nulle part de la résistance, les musulmans parcoururent la Navarre en vainqueurs, et ils pouvaient se vanter d'avoir tout brûlé dans un espace de dix milles carrés. Le butin qu'ils firent, surtout en vivres, était prodigieux: dans leur camp le blé se vendait presque pour rien, et ne pouvant emporter toutes les provisions dont ils s'étaient emparés, ils furent obligés d'en brûler une grande partie.

Victorieux et couvert de gloire, Abdérame commença sa retraite le 8 septembre. Arrivé à Atienza, il prit congé des soldats des frontières, qui s'étaient fort bien conduits dans la bataille de Val de Junquera, et auxquels il distribua des présents. Puis il s'achemina vers Cordoue, où il arriva le 24 septembre, après une absence de trois mois.

Abdérame avait le droit de se flatter de l'espoir que cette glorieuse campagne ôterait pour longtemps aux chrétiens le désir de faire des incursions sur le territoire musulman; mais il avait affaire à des ennemis qui ne se laissaient pas aisément décourager. Dès l'année 921, Ordoño fit de nouveau une razzia, et s'il fallait en croire un chroniqueur chrétien, qui exagère peut-être les succès remportés alors par ses compatriotes, le roi de Léon se serait même avancé jusqu'à une journée de Cordoue. Deux années après, Ordoño prit Najera, tandis que son allié, Sancho de Navarre, se rendait maître de Viguera, ce dont il était si orgueilleux qu'il s'écria avec le prophète: «Je les ai dispersés, je les ai forcés d'aller chercher un refuge dans des royaumes lointains et inconnus.»

La prise de Viguera causa une grande consternation dans l'Espagne musulmane, car on y racontait que tous les défenseurs de la place, parmi lesquels il y en avait qui appartenaient aux plus illustres familles, avaient été massacrés; et lors même qu'Abdérame ne l'aurait pas désiré, il aurait été contraint par l'opinion publique à tirer vengeance de ce désastre. Mais il n'avait pas besoin d'une telle impulsion. Exaspéré et furieux, il ne voulut pas même attendre le retour de la saison où les campagnes commençaient d'ordinaire, et dès le mois d'avril de l'année 924, il quitta Cordoue à la tête de son armée, «afin d'aller venger Dieu et la religion sur la race impure des mécréants,» comme s'exprime un chroniqueur arabe. Le 10 juillet il arriva sur le territoire navarrais; mais la terreur qu'inspirait son nom était si grande, que les ennemis abandonnaient partout leurs forteresses à son approche. Il passa donc par Carcar, Peralta, Falces et Carcastillo, en pillant et brûlant tout ce qui se trouvait sur son passage; puis il s'enfonça dans l'intérieur du pays en se dirigeant vers la capitale. Sancho tenta bien de l'arrêter dans les défilés; mais chaque fois qu'il l'essaya, il fut repoussé avec perte, et Abdérame arriva sans encombre à Pampelune, dont les habitants n'avaient pas osé l'attendre. Il fit détruire une foule des maisons de la ville, de même que la cathédrale qui attirait chaque année de nombreux pèlerins. Puis il ordonna de démolir une autre église, que Sancho avait fait bâtir à grands frais sur une montagne du voisinage et pour laquelle il avait une grande vénération. Aussi fit-il des efforts inouïs pour la sauver, mais il n'y réussit pas. Plus tard il ne fut pas plus heureux. Ayant reçu des renforts de la Castille, il attaqua deux fois l'armée musulmane qui avait repris sa marche, et deux fois il fut repoussé avec perte. Les musulmans au contraire perdirent très-peu de soldats dans cette glorieuse campagne, qu'ils appelèrent celle de Pampelune.

Le roi de Navarre, naguère si orgueilleux, était maintenant humilié et réduit pour longtemps à l'impuissance. Du côté de Léon, Abdérame n'avait non plus rien à craindre pour le moment. Le brave Ordoño II était déjà mort avant le commencement de la campagne de Pampelune. Son frère Froïla II, qui lui succéda, ne régna qu'une année, pendant laquelle il n'entreprit rien contre les musulmans si ce n'est qu'il fournit quelques renforts à Sancho de Navarre. Après sa mort (925), Sancho et Alphonse, fils d'Ordoño II, se disputèrent la couronne. Soutenu par Sancho de Navarre, dont il avait épousé la fille, Alphonse, quatrième du nom, l'emporta. Mais Sancho ne se laissa pas décourager. Ayant rassemblé de nouveau une armée et s'étant fait couronner à Saint-Jacques-de-Compostelle, il vint assiéger Léon, prit cette ville et enleva le trône à son frère (926). Plus tard, en 928, Alphonse reconquit la capitale avec le secours des Navarrais; mais Sancho sut se maintenir en possession de la Galice.

Abdérame ne se mêla point de cette longue guerre civile. Laissant les chrétiens s'entr'égorger puisque tel était leur bon plaisir, il profita du répit qu'ils lui donnaient pour écraser presque partout l'insurrection dans ses propres Etats, et maintenant qu'il touchait au but de ses souhaits, il fut d'avis qu'il lui convenait de prendre un autre titre. Les Omaiyades d'Espagne s'étaient contentés jusque-là de celui de sultan, d'émir ou de fils des califes. Croyant que le nom de calife n'appartenait qu'au souverain qui avait les deux villes saintes, la Mecque et Médine, en son pouvoir, ils l'avaient laissé aux Abbâsides, tout en les considérant toujours comme leurs ennemis.

Mais à présent que les Abbâsides étaient tenus en tutelle par leurs maires du palais, les émirs al-oméra, et que leur pouvoir ne s'étendait plus que sur Bagdad et son territoire, les gouverneurs des provinces s'étant rendus indépendants, il n'y avait plus de raison qui pût empêcher les Omaiyades de prendre une qualification dont ils avaient besoin pour imposer du respect à leurs sujets et surtout aux peuplades africaines. Abdérame ordonna donc, dans l'année 929, qu'à partir du vendredi 16 janvier, on lui donnât dans les prières et dans les actes publics les titres de calife, de commandeur des croyants et de défenseur de la foi (*an-nâcir lidîni'llâh*).

En même temps il porta toute son attention sur l'Afrique. Il entama une négociation avec Mohammed ibn-Khazer, le chef de la tribu berbère de Maghrâwa, qui avait déjà mis en fuite les troupes des Fatimides et tué leur général Meççâla de sa propre main. L'alliance contractée, Mohammed ibn-Khazer expulsa les Fatimides du Maghrib central, (c'est-à-dire des provinces actuelles d'Alger et d'Oran), et fit reconnaître dans cette contrée la souveraineté du monarque espagnol. Ce dernier réussit aussi à détacher du parti des Fatimides le vaillant chef des Micnésa, Ibn-abî-'l-Afia, qui jusque-là avait été leur plus solide appui, et comme il sentait le besoin d'avoir une forteresse sur la côte d'Afrique, il se fit céder Ceuta (931).

Les chrétiens du Nord semblaient avoir pris à tâche de laisser au calife tout le loisir nécessaire, afin qu'il pût se vouer tout entier aux affaires africaines. Leur première guerre civile étant terminée par la mort de Sancho, arrivée en 929, ils en commencèrent une autre en 931. Dans cette année, Alphonse IV, plongé dans la désolation par la mort de sa femme, abdiqua la couronne en faveur de son frère Ramire, deuxième du nom, et prit le froc dans le cloître de Sahagun; mais bientôt après, s'apercevant qu'il n'était pas fait pour la monotonie de la vie monastique, il quitta son cloître et se fit proclamer roi à Simancas. Ce fut, aux yeux des prêtres, un énorme scandale; aussi menacèrent-ils Alphonse des tourments de l'enfer s'il ne reprenait pas l'habit monacal. Il le fit enfin; mais d'un caractère faible et variable, il s'en repentit aussitôt et jeta pour la seconde fois le froc aux orties. Profitant de l'absence de Ramire II, qui était allé secourir Tolède, investie alors par les troupes du calife, il se présenta devant Léon et se rendit maître de cette ville. Ramire revint en toute hâte, assiégea Léon à son tour, et s'en empara; puis, voulant mettre son frère hors d'état de lui disputer dorénavant la couronne, il lui fit crever les yeux, ainsi qu'à ses trois cousins germains, les fils de Froïla II, qui avaient pris part à cette révolte (932).

Pour Abdérame tout changea de face alors. Le temps où il n'avait pas à se préoccuper du royaume de Léon était passé. Belliqueux autant que brave, Ramire nourrissait contre les musulmans une haine farouche et implacable. Son premier soin fut de secourir Tolède, cette fière république, qui, seule dans toute l'Espagne musulmane, bravait encore les armes du calife, et qui avait été jusque-là l'alliée fidèle et le bouclier du royaume de Léon. Il se mit donc en campagne, et comme Madrid se trouvait sur sa route, il attaqua cette cité et la prit. Cependant il ne réussit pas à sauver Tolède. Une partie de l'armée qui assiégeait cette ville étant allée à sa rencontre, il fut obligé de rebrousser chemin et d'abandonner Tolède à son sort. Ayant ainsi perdu sa dernière espérance, la ville, comme nous l'avons vu dans le livre précédent, ne tarda pas à se rendre. L'année suivante (933), Ramire fut plus heureux. Informé par Ferdinand Gonzalez, le comte de Castille, que l'armée musulmane menaçait Osma, il alla à la rencontre de l'ennemi et le mit en déroute. Abdérame prit sa revanche en 934. Il aurait voulu que les plaines autour d'Osma, qui naguère avaient été témoins d'une défaite, fussent maintenant témoins d'une victoire; mais il essaya en vain de faire sortir Ramire de la forteresse; le roi de Léon jugea prudent de ne point accepter la bataille que les musulmans lui offraient. Ayant alors laissé devant Osma un corps chargé de l'investir, Abdérame continua sa marche vers le nord. En route, mainte cruauté fut commise, surtout par les régiments africains, qui, en pays ennemi, ne respectaient rien. Près de Burgos, ils massacrèrent tous les moines de Saint-Pierre-de-Cardègne, au nombre de deux cents. Burgos, la capitale de la Castille, fut détruite. Un grand nombre de forteresses eurent le même sort.

Quelque temps après, toutefois, les affaires prirent dans le Nord un aspect fort menaçant. Une ligue formidable s'y forma contre le calife, et le gouverneur de Saragosse, Mohammed ibn-Hâchim le Todjîbite, en était le plus ardent promoteur.

Les Beni-Hâchim, qui habitaient l'Aragon depuis le temps de la conquête, avaient rendu d'utiles services au sultan Mohammed à l'époque où les Beni-Casî étaient encore tout-puissants dans cette province, et depuis plus de quarante ans la dignité de gouverneur ou de vice-roi de la Frontière supérieure était héréditaire dans leur famille. Elle était à peu près la seule à laquelle Abdérame III, qui avait enlevé toute influence à la noblesse arabe, eût laissé son éclat et sa haute position. Toutefois, Mohammed ibn-Hâchim n'était pas content du calife, et soit qu'il eût à cœur de venger les injures de sa caste, soit qu'il ne vît dans la bienveillance d'Abdérame à son égard qu'un calcul dicté par la peur, soit enfin qu'il rêvât un trône pour lui et ses enfants, il s'était mis à négocier avec le roi de Léon, et lui avait promis que, s'il voulait l'aider contre le calife, il le reconnaîtrait pour son suzerain. Ramire avait prêté l'oreille à ses ouvertures, et pendant la campagne de 934, Mohammed s'était mis en rébellion ouverte en refusant de se joindre à l'armée musulmane. Trois années plus tard, il reconnut la suzeraineté de Ramire. Quelques-uns de ses généraux refusèrent de le suivre sur la route de la trahison et rompirent avec lui; mais alors Ramire arriva avec ses troupes dans la province, assiégea et prit les forteresses qui tenaient encore pour le calife, et les livra à Mohammed. Cela fait, Ramire et Mohammed conclurent une alliance avec la Navarre, où régnait alors Garcia, sous la tutelle de sa mère Tota, la veuve de Sancho-le-Grand.

Ainsi tout le Nord était ligué contre le calife. Le danger, qui semblait conjuré naguère, renaissait. Le calife y fit face avec son énergie habituelle.

S'étant mis à la tête de son armée dans l'année 957, il marcha d'abord contre Calatayud, où commandait Motarrif, un parent de Mohammed, et dont la garnison se composait en partie de chrétiens de l'Alava, envoyés par Ramire. Motarrif fut tué dans la première escarmouche. Son frère Hacam lui succéda dans le commandement; mais ayant été obligé d'évacuer la ville et de se retirer dans la citadelle, il se mit à traiter, et, ayant stipulé une amnistie pour lui et pour ses soldats musulmans, il livra la citadelle au calife. Les Alavais, qui n'étaient pas compris dans la capitulation, furent passés au fil de l'épée.

Après ce premier succès, Abdérame s'empara d'une trentaine de châteaux; puis il tourna ses armes tantôt contre la Navarre, tantôt contre Saragosse. Il fit assiéger cette ville par un prince du sang, le général en chef de la cavalerie Ahmed ibn-Ishâc, auquel il venait de conférer le titre de gouverneur de la Frontière supérieure; mais ce général ne tarda pas à lui donner de graves sujets de plainte.

Bien qu'ils eussent longtemps mené à Séville une vie obscure et pauvre, qu'ils eussent fait des mésalliances, et qu'il n'y eût entre eux et lui qu'une parenté fort éloignée, Abdérame n'avait pas rougi cependant de reconnaître les Beni-Ishâc comme des membres de sa famille et il les avait comblés de faveurs. Toutefois, ils n'étaient pas contents de leur position. Leur ambition ne connaissait pas de bornes; Ahmed, alors le chef de sa famille, ne prétendait à rien moins qu'à être nommé héritier présomptif de la couronne, et maintenant qu'il conduisait le siége de Saragosse avec une mollesse et une lenteur dont le calife s'indignait et s'irritait, il eut l'audace de lui écrire pour lui présenter sa demande. Le calife fut blessé à un tel point de cette insolence, que dans sa colère il lui répondit en ces termes:

«Ne voulant faire que ce qui te fût agréable, nous t'avons traité jusqu'ici avec une bienveillance extrême; mais nous sommes convaincu à présent qu'il est impossible de changer ton caractère. Ce qui te convient, c'est la pauvreté, car n'ayant pas connu auparavant la richesse, elle t'a rempli d'un insupportable orgueil. Ton père n'était-il pas un des moindres cavaliers d'Ibn-Haddjâdj, et est-ce que tu as oublié qu'à Séville tu n'étais toi-même qu'un marchand d'ânes? Nous avons pris ta famille sous notre protection dès qu'elle l'eut implorée; nous l'avons secourue, nous l'avons rendue riche et puissante, nous avons conféré à feu ton père la dignité de vizir, à toi-même celle de général de toute notre cavalerie et de gouverneur de la plus grande de nos provinces frontières. Et cependant tu as méprisé nos ordres, tu as négligé de prendre à cœur nos intérêts, et pour combler la mesure, tu nous demandes maintenant que nous te nommions notre héritier. Quels mérites, quels titres de noblesse peux-tu faire valoir? Ah! c'est bien à toi et à ta famille qu'on peut appliquer ces vers bien connus:

Vous êtes des hommes de rien, vous autres, et le lin ne doit pas se comparer à la soie! Si vous êtes Coraichites, comme vous l'assurez, prenez alors vos femmes dans cette illustre tribu; mais si au contraire vous n'êtes que des Coptes, vos prétentions sont d'un parfait ridicule.

«Ta mère n'était-elle pas la sorcière Hamdouna? Ton père n'était-il pas un simple soldat? Ton aïeul n'était-il pas portier dans la maison de Hauthara ibn-Abbâs? Ne faisait-il pas du cordage et de la natte sous le portique de ce seigneur?... Que Dieu te maudisse, toi et ceux qui nous ont tendu un piége en nous conseillant de te prendre à notre service! Infâme, lépreux, fils d'un chien et d'une chienne, viens t'humilier à nos pieds!»

Ayant donc été déposé de la manière la plus infamante, Ahmed, secondé par son frère Omaiya, se mit à comploter. Le calife découvrit leurs intrigues et les exila. Alors Omaiya s'empara de Santarem, y leva l'étendard de la révolte, et se mit en relation avec le roi de Léon, auquel il rendit d'utiles services en lui indiquant les endroits où l'empire musulman pouvait être attaqué avec succès; mais un jour qu'il était sorti de la ville, un de ses officiers y rétablit l'autorité du souverain. Omaiya se rendit alors auprès de Ramire. Son frère continuait à intriguer et à conspirer avec une infatigable ardeur. Il avait formé le projet de livrer l'Espagne aux Fatimides et il s'était mis en relation avec cette cour. Abdérame le déjoua. Il le fit arrêter, condamner comme chiite, et exécuter.

Sur ces entrefaites, le calife triomphait dans le Nord. Assiégé dans Saragosse, Mohammed capitula, et comme c'était, après le monarque, l'homme le plus puissant et le plus considéré de l'Etat, Abdérame jugea prudent de lui pardonner et de lui laisser son poste. De son côté, la reine Tota, après avoir essuyé revers sur revers, vint demander grâce au calife et le reconnut comme suzerain de la Navarre, de sorte qu'à l'exception du royaume de Léon et d'une partie de la Catalogne, toute l'Espagne s'était humiliée devant Abdérame.

III

Les vingt-sept premières années du règne d'Abdérame III n'avaient été qu'une suite de succès; mais la fortune est capricieuse, et le temps des revers était enfin arrivé.

Un grand changement s'était fait dans le royaume. La noblesse, qui naguère était tout, n'était plus rien: le pouvoir royal l'avait écrasée. Abdérame la détestait; il ne comprenait pas qu'un monarque pût laisser aux grands une certaine influence et un certain pouvoir. «Votre roi est un prince sage et habile, j'en conviens volontiers, dit-il un jour à l'ambassadeur qu'Otton Ier lui avait envoyé; cependant il y a dans sa politique une chose qui ne me plaît pas: c'est qu'au lieu de retenir dans ses mains l'autorité tout entière, il en laisse une partie à ses vassaux. Il leur abandonne même ses provinces, croyant se les attacher par là. C'est une grande faute. La condescendance envers les grands ne peut avoir d'autre effet que d'alimenter leur orgueil et leur penchant pour la rébellion».

Le calife à coup sûr ne tomba point dans la faute qu'il reprochait au roi d'Allemagne, mais il tomba dans une autre non moins grave: il ne ménagea pas assez la susceptibilité des grands. Gouvernant par lui-même (depuis 932 il n'avait plus de hâdjib ou premier ministre), il donna presque tous les emplois à des hommes de basse extraction, à des affranchis, à des étrangers, à des esclaves, à des hommes enfin qui dépendaient entièrement de lui et qui dans ses mains étaient des instruments souples et dociles. Ceux auxquels on donnait le nom de Slaves, jouissaient surtout de sa confiance; c'est de son règne que date l'influence de ce corps, qui était destiné à jouer un rôle important dans l'Espagne arabe et sur lequel nous devons entrer ici dans quelques détails.

Dans l'origine, le nom de Slaves s'appliquait aux prisonniers que les peuples germaniques avaient faits dans leurs guerres contre les nations slaves, et qu'ils vendaient aux Sarrasins d'Espagne; mais par laps de temps, quand on eut commencé à comprendre sous le nom de Slaves une foule de peuples qui appartenaient à d'autres races, on donna ce nom à tous les étrangers qui servaient dans le harem ou dans l'armée, quelle que fût leur origine. D'après le témoignage formel d'un voyageur arabe du Xe siècle, les Slaves que le calife d'Espagne avait à son service, étaient des Galiciens, des Francs (des Français et des Allemands), des Lombards, des Calabrais et des personnes originaires de la côte septentrionale de la mer Noire. Quelques-uns d'entre eux avaient été faits prisonniers par les pirates andalous; d'autres avaient été achetés dans les ports de l'Italie, car les juifs, spéculant sur la misère des peuples, se faisaient vendre des enfants de l'un et de l'autre sexe, et les conduisaient dans les ports de mer, où des navires grecs et vénitiens venaient les chercher, pour les transporter chez les Sarrasins. D'autres encore, à savoir les eunuques destinés au service du harem, arrivaient de France, où il y avait de grandes manufactures d'eunuques, dirigées par des juifs. Celle de Verdun était très-renommée, et l'on en trouvait d'autres dans le Midi.

Comme la plupart de ces captifs étaient encore en bas âge quand ils arrivaient en Espagne, ils adoptaient facilement la religion, la langue et les mœurs de leurs maîtres. Plusieurs d'entre eux recevaient une éducation soignée, de sorte que plus tard ils aimaient à se former des bibliothèques et à composer des vers. Ces Slaves lettrés étaient même en si grand nombre, qu'un d'entre eux, un certain Habîb, put consacrer tout un livre à leurs poésies et à leurs aventures.

Les Slaves avaient toujours été nombreux à la cour ou dans l'armée des émirs de Cordoue; mais jamais ils ne l'avaient été autant que sous Abdérame III. Leur nombre s'élevait alors à 3750 selon les uns, à 6087 selon les autres; quelques-uns le portent même à 13750. Peut-être ces chiffres se rapportent-ils à des époques différentes du règne d'Abdérame, car il est certain que ce prince augmentait sans cesse le nombre de ses Slaves. Esclaves eux-mêmes, ils avaient cependant d'autres esclaves à leur service, et possédaient des terres fort étendues. Abdérame les investit des fonctions militaires et civiles les plus importantes, et dans sa haine de l'aristocratie, il força les gens de haut parage, qui comptaient les héros du Désert parmi leurs ancêtres, à s'humilier devant ces parvenus qu'ils méprisaient souverainement.

Les nobles étaient donc fort mécontents du calife, lorsque celui-ci conçut le projet d'entreprendre contre le roi de Léon une expédition plus importante encore que celles qu'il avait faites auparavant. Il fit à cet effet des frais immenses, appela cent mille hommes sous les drapeaux, et comme il se tenait assuré de remporter une victoire éclatante et décisive, il donna d'avance à l'expédition qu'il allait entreprendre le nom de *campagne de la puissance suprême*. Malheureusement pour lui, il nomma un Slave,

Nadjda, général en chef de l'armée. Ce choix mit le comble à l'irritation des officiers arabes. Ils jurèrent dans leur fureur que le calife expierait par une honteuse déroute son mépris de la vieille noblesse.

Dans l'année 939, l'armée se mit en campagne en prenant la route de Simancas. Ramire II et son alliée Tota, la reine régente de Navarre, vinrent à sa rencontre, et le 5 août le combat s'engagea. Les officiers arabes se laissèrent battre et se retirèrent; mais il arriva ce que probablement ils n'avaient pas prévu. Les Léonais se mirent à poursuivre les musulmans. Arrivés près de la ville d'Alhandega, au sud de Salamanque, sur les bords du Tormès, ces derniers se rallièrent et firent face à l'ennemi; mais ils furent complétement battus, et le calife lui-même échappa à peine aux épées des chrétiens. Après Alhandega, ce ne fut plus une retraite, ce fut une déroute. Plus d'ordre, de discipline; on quittait ses rangs, on criait sauve qui peut! Fantassins et cavaliers avançaient pêle-mêle; les soldats et les officiers jonchaient le chemin; des régiments entiers disparaissaient.

La complète et éclatante victoire remportée par Ramire eut partout un grand retentissement. On en parla au fond de l'Allemagne aussi bien que dans les pays les plus reculés de l'Orient, mais avec des sensations bien différentes. Ici l'on s'en réjouissait, ailleurs on s'en affligeait; les uns y voyaient un sûr garant du triomphe de leur foi, les autres, une cause de sérieuses alarmes.

Le calife lui-même était fort abattu. Son général Nadjda avait été tué; le vice-roi de Saragosse, Mohammed ibn-Hâchim, qui avait été fait prisonnier dans la première bataille, celle de Simancas, gémissait dans un cachot de Léon; son armée était anéantie; lui-même, enfin, n'avait échappé à la captivité ou à la mort que par miracle, et pendant sa fuite il n'avait eu autour de lui que quarante-neuf hommes. Tout cela avait fait une telle impression sur son esprit, que dans la suite il n'accompagna plus son armée quand elle se mettait en campagne.

Heureusement pour le calife, une guerre civile qui éclata parmi les chrétiens, empêcha Ramire de profiter de l'avantage qu'il avait remporté.

La Castille aspirait à se séparer du royaume de Léon. Déjà sous le règne d'Ordoño II, le père de Ramire, elle s'était mise en rébellion ouverte. Le roi annonça alors qu'afin de terminer le différend à l'amiable, il tiendrait un plaid à Tejiare ou Teliare, sur les bords du Carrion, rivière qui séparait Léon de la Castille, et il invita les quatre comtes castillans à y assister. Ils vinrent, mais le roi les fit arrêter et décapiter. Les Léonais, tout en avouant que cette manière de se faire justice, était un peu irrégulière, admiraient la sagesse du roi; mais les Castillans en jugeaient autrement. Privés de leurs chefs, ils étaient pour le moment réduits à l'impuissance; mais ils appelaient de tous leurs vœux l'heure où ils auraient à leur tête un homme qui fût en état de les venger des perfides Léonais.

Cette heure si impatiemment attendue allait sonner enfin. La Castille trouverait un vengeur dans son comte Ferdinand Gonzalez, qui est devenu l'un des héros favoris des poètes du moyen âge, et dont aujourd'hui encore les Castillans ne prononcent le nom qu'avec un profond respect.

Tant que les redoutables armées d'Abdérame III brûlaient ses cloîtres, ses forteresses et jusqu'à sa capitale, Ferdinand, *l'excellent comte*, comme on l'appelait, n'avait pu songer à affranchir sa patrie; mais à présent que l'on n'avait plus rien à craindre du côté des Arabes, il crut le moment venu pour remplir la tâche qu'il considérait comme la sienne. Il déclara la guerre au roi. Le calife en profita pour réorganiser son armée, et dès le mois de novembre de l'année 940, il fut en état de faire ravager les frontières de Léon par le gouverneur de Badajoz, Ahmed ibn-Yila.

Vers la même époque, la fortune semblait vouloir le dédommager en Afrique du désastre qui l'avait frappé en Espagne.

Jusque-là Abdérame avait sans doute obtenu de beaux succès en Afrique; mais la médaille avait eu son revers. De temps en temps ses vassaux s'étaient laissé battre; les tentatives qu'il avait faites pour mettre de l'ensemble dans leurs opérations, n'avaient pas toujours été couronnées du succès; quelquefois, enfin, il n'avait pas été à même de les empêcher de se combattre entre eux; mais il avait du moins réussi à occuper les Fatimides en Afrique, il les avait mis hors d'état de débarquer sur les côtes d'Espagne, et c'était, au bout du compte, tout ce qu'il voulait. Il semblait maintenant sur le point d'obtenir bien davantage.

Un ennemi plus redoutable que tous leurs autres adversaires pris ensemble, avait levé contre les Fatimides l'étendard de la révolte. C'était Abou-Yézîd, de la tribu berbère d'Iforen. Fils d'un marchand, il avait fréquenté dans sa jeunesse des docteurs de la secte des non-conformistes, qui en Afrique comptait encore un nombre immense d'adhérents. Plus tard, quand la mort de son père l'eut réduit à l'indigence, il avait gagné son pain en enseignant à lire aux enfants. De maître d'école, il devint missionnaire à l'instar du fondateur de l'empire des Fatimides, souleva les Berbers au nom de la vraie religion et de la liberté, et leur promit un gouvernement républicain aussitôt qu'ils auraient pris Cairawân, la capitale. Ses succès furent aussi miraculeux que ceux de ses ennemis l'avaient été quelques années auparavant. Les armées des Fatimides fondaient comme la neige au printemps devant cet homme petit, laid, vêtu de bure et monté sur un âne gris. Les Sonnites, profondément blessés par les blasphèmes et l'intolérance des Fatimides, accouraient en foule sous ses drapeaux; même leurs faquis et leurs ermites prenaient les armes pour faire triompher le chef des non-conformistes. Celui-ci semblait avoir pris à tâche de justifier l'espoir qu'ils mettaient dans sa tolérance. Lorsque, dans l'année 944, il fit son entrée dans la capitale, il appela les bénédictions du ciel sur les deux premiers califes, que les Fatimides avaient fait maudire, et invita les habitants de la ville à se conformer au rit de Mâlic, que les Fatimides avaient proscrit. Les Sonnites respiraient enfin. Ils pouvaient de nouveau faire des processions, avec des drapeaux et des tambours, jouissance dont ils avaient été privés pendant bien des années, et Abou-Yézîd, qui, dans ces occasions solennelles, les conduisait lui-même, leur donna encore une autre preuve de sa tolérance: il conclut une alliance avec le calife d'Espagne, et, lui ayant envoyé des ambassadeurs, il le reconnut, sinon pour le chef temporel, du moins pour le chef spirituel des vastes domaines qu'il venait de conquérir.

Les Fatimides semblaient perdus. Tandis que leur calife Câyim, fils et successeur d'Obaidallâh, était étroitement bloqué dans Mahdia par le formidable Abou-Yézîd, le calife d'Espagne lui enlevait, au moyen de ses vassaux africains, presque tout le nord-ouest, et lui suscitait partout des ennemis. Il conclut une alliance avec le roi d'Italie, Hugues de Provence, qui avait à venger le désastre de Gênes, ville qu'un amiral fatimide avait pillée; il en conclut une autre avec l'empereur de Constantinople, qui brûlait du désir d'enlever la Sicile à Câyim.

En un clin d'œil tout changea de face. Enivré de ses triomphes, Abou-Yézîd eut une bouffée d'orgueil; non content de la réalité du pouvoir et oubliant à quels moyens il le devait, il voulut aussi en posséder l'apparence et la vaine pompe: il échangea son manteau de bure contre une robe de soie, son âne gris contre un superbe cheval. Cette imprudence le perdit. Blessés dans leurs convictions égalitaires et républicaines, la plupart de ses partisans l'abandonnèrent, les uns pour retourner dans leurs demeures, les autres pour passer à l'ennemi. Averti par l'expérience, Abou-Yézîd renonça aux habitudes de luxe qu'il avait contractées, et reprit, avec le manteau de bure, sa vie simple et rude d'autrefois. Mais il était trop tard; le prestige qui l'entourait naguère, avait disparu. Peut-être eût-il pu compter encore sur les Sonnites, si, dans un moment de fanatisme farouche, il ne les eût pas désabusés sur sa feinte tolérance. La veille d'un combat, il avait ordonné à ses guerriers d'abandonner les soldats de Cairawân, leurs frères d'armes, à la fureur des soldats fatimides. Cet ordre perfide n'avait été que trop bien obéi. Dès lors les Sonnites l'avaient pris en horreur; tyran pour tyran et hérésiarque pour hérésiarque, ils préféraient le calife fatimide, d'autant plus qu'al-Mançour, qui venait de succéder à son père, valait un peu mieux que ses prédécesseurs. Forcé de lever le siége de Mahdia, Abou-Yézîd arriva à Cairawân, où il n'échappa qu'avec peine à un complot que les habitants avaient ourdi contre lui. Longtemps traqué par les soldats fatimides, il tomba enfin entre leurs mains criblé de blessures. Il fut mis dans une cage de fer, et quand il fut mort (947), sa peau fut empaillée, portée à travers les rues de Cairawân, et pendue aux remparts de Mahdia, où elle resta jusqu'à ce que les vents en eussent dispersé les lambeaux.

La ruine des non-conformistes fut pour Abdérame III un échec presque aussi grave que l'avaient été les déroutes de Simancas et d'Alhandega. Dans l'Ouest, les Fatimides regagnèrent rapidement le terrain qu'ils avaient perdu, et forcèrent les vassaux d'Abdérame à aller chercher un asile à la cour de Cordoue.

Dans le Nord, au contraire, tout allait selon les souhaits d'Abdérame, ce qui revient à dire que le pays était sans cesse en proie à une violente discorde. La guerre, comme nous l'avons vu, avait éclaté entre Ramire II et Ferdinand Gonzalez. La fortune avait favorisé le premier. Ayant surpris son ennemi, il l'avait fait jeter dans un cachot de Léon; puis il avait donné le comté de Castille, d'abord au Léonais Assur Fernandez, comte de Monzon, ensuite à son propre fils Sancho, et il s'était même approprié les biens allodiaux de Ferdinand. Il est vrai qu'il ne les garda pas tous pour lui-même. Voulant se rendre populaire, il en donna quelques-uns aux chevaliers et aux ecclésiastiques les plus influents de la province. Cependant il n'atteignit pas son but. Tout en profitant de la libéralité du roi, les Castillans restèrent attachés de cœur et d'âme à leur ancien comte. Celui que le roi leur avait donné, n'était à leurs yeux qu'un intrus. Dans les actes de vente, de donation etc., où l'on notait, après la date, le nom du roi et celui du comte, ils nommaient quelquefois le comte que le roi leur avait imposé; mais ils le faisaient seulement quand ils ne pouvaient agir autrement, c'est-à-dire quand l'autorité avait l'œil sur eux; ordinairement ils nommaient Ferdinand Gonzalez. Ils montrèrent encore d'une autre façon l'amour qu'ils lui avaient voué. Ayant fait une statue à son image, ils rendirent l'hommage à ce bloc de pierre. Puis, quand ils commencèrent à s'impatienter de la longue captivité de Ferdinand, ils prirent une résolution hardie; mais ici il faut laisser parler une belle et ancienne romance:

Tous ont juré d'une seule voix de ne point retourner en Castille sans le comte, leur seigneur.

Son image de pierre, ils l'ont placée sur un char, bien résolus à ne point retourner à moins qu'il ne retourne avec eux.

Ils ont juré en élevant la main, que quiconque quitterait les rangs serait tenu pour traître.

L'hommage rendu, ils placèrent la bannière du comte à côté de la statue, et tous, depuis les jeunes gens jusqu'aux vieillards, ont baisé la main à l'image.

Ils ont laissé déserts Burgos et les endroits d'alentour; il n'y reste que des femmes et de petits enfants.

Intimidé par l'approche des Castillans, le roi céda enfin. Il rendit la liberté à Ferdinand, mais il ne le fit qu'après lui avoir imposé des conditions bien humiliantes et bien dures: Ferdinand avait été forcé de jurer fidélité et obéissance; il avait dû renoncer à tous ses biens et s'engager à donner sa fille Urraque en mariage à Ordoño, le fils aîné du roi. A ce prix il fut libre; mais il était naturel que dorénavant il ne voulût plus prêter l'appui de son bras à un roi qui lui avait fait signer un tel traité. Les Castillans, qui n'avaient pas réussi à faire réintégrer dans la possession du comté celui qu'ils continuaient à appeler leur seigneur, n'étaient pas mieux disposés. Ramire II avait donc perdu l'appui de son plus vaillant capitaine et la coopération de ses plus braves sujets. De là son impuissance. Il laissa les musulmans faire une razzia en 944, et deux autres en 947; il ne les empêcha pas de rebâtir et de fortifier la ville de Medinaceli, qui devint dès lors le boulevard de l'empire arabe contre la Castille. Le vainqueur de Simancas et d'Alhandega se tenait tout au plus sur la défensive. Ce ne fut que dans l'année 950 qu'il envahit de nouveau le territoire musulman, et alors il remporta une victoire près de Talavera; mais ce fut son dernier triomphe: dans le mois de janvier de l'année suivante il avait déjà cessé de vivre.

Après sa mort, une guerre de succession éclata. Marié deux fois, Ramire avait eu de sa première femme, une Galicienne, un fils nommé Ordoño, et de sa seconde, Urraque, la sœur de Garcia de Navarre, un autre fils nommé Sancho. En sa qualité d'aîné, Ordoño prétendait naturellement au trône; mais Sancho, qui comptait avec raison sur l'appui des Navarrais, y prétendait également, et il tâcha d'attirer dans son parti Ferdinand Gonzalez et les Castillans. Dans les circonstances données, le choix entre les deux compétiteurs n'était pas difficile pour Ferdinand. Ordoño, il est vrai, était son gendre; mais comment l'était-il devenu? Par une odieuse contrainte. Sa sympathie pour Ordoño ne pouvait donc pas être bien vive. Tout, au contraire, l'attirait vers Sancho, les liens du sang aussi bien que son intérêt. Sancho était son neveu; il avait pour lui Tota de Navarre, la belle-mère de Ferdinand, et si ce dernier eût pu hésiter encore, les offres brillantes de Sancho auraient vaincu son indécision, car ce prince promettait de lui rendre ses biens confisqués et le comté de Castille. Ferdinand se déclara donc pour lui, appela ses hommes aux armes, et, accompagné de Sancho et d'une armée navarraise, il marcha contre la ville de Léon, afin d'arracher la couronne à Ordoño III.

«L'Eternel, dit un chroniqueur arabe, avait fait naître cette guerre civile afin de donner aux musulmans l'occasion de remporter des victoires.» En effet, pendant que les chrétiens s'entr'égorgeaient sous les murs de Léon, les généraux d'Abdérame triomphaient sur tous les points de la frontière. Chaque messager qui arrivait du Nord apportait à Cordoue la nouvelle d'une heureuse razzia ou d'une belle victoire. Le calife pouvait faire montrer au peuple une foule de cloches, de croix, de têtes coupées; une fois, dans l'année 955, ces dernières étaient au nombre de cinq mille, et l'on disait qu'une fois autant de Castillans—car c'étaient eux qui avaient été battus—avaient péri dans la bataille qui s'était livrée. Il est vrai que Ferdinand Gonzalez remporta une victoire près de San Estevan de Gormaz; il est vrai aussi qu'Ordoño III, quand il eut enfin repoussé son frère et qu'il eut forcé les Galiciens, qui s'étaient révoltés aussi, à le reconnaître, usa de représailles en pillant Lisbonne; mais c'était une faible compensation pour le mal que les musulmans avaient fait aux chrétiens, et Ordoño, qui craignait de nouvelles révoltes, désirait vivement la paix. L'année 955, il envoya un ambassadeur à Cordoue pour la demander. Abdérame, qui la désirait aussi parce qu'il avait l'intention de tourner ses armes d'un autre côté, prêta l'oreille aux ouvertures d'Ordoño, et dans l'année suivante, il envoya à Léon, en qualité d'ambassadeurs, Mohammed ibn-Hosain et le savant juif Hasdaï ibn-Chabrout, le directeur général des douanes. Les négociations ne furent pas longues. Ordoño ayant déclaré qu'il était prêt à faire des concessions (il promettait probablement de livrer ou du moins de raser certaines forteresses), on arrêta les bases d'un traité, après quoi les ambassadeurs retournèrent à Cordoue pour le faire ratifier par le calife. Quoique le traité fût honorable et avantageux, Abdérame crut qu'il ne l'était pas assez; mais comme il ne pouvait plus guère compter sur le lendemain (il était presque septuagénaire), il pensa que l'affaire regardait plutôt son fils que lui-même. Il le consulta donc et s'en remit à sa décision. Hacam, qui était pacifique, déclara qu'à son avis le traité devait être ratifié, et alors le calife le signa. Peu de temps après, il en conclut un autre avec Ferdinand Gonzalez, de sorte que les musulmans n'avaient plus en Espagne d'autres ennemis que les Navarrais.

Si Abdérame avait été cette fois plus traitable qu'à l'ordinaire, c'est qu'il voulait tourner ses armes contre les Fatimides. La puissance de ces princes croissait de jour en jour. Brûlant du désir de se venger des souverains d'Europe, qui s'étaient déjà réjouis de leur perte, tant ils la croyaient certaine, ils avaient fait d'abord éprouver le poids de leur vengeance à l'empereur de Constantinople en faisant ravager la Calabre. Alors ç'avait été le tour d'Abdérame. En 955, lorsque, selon toute apparence, Moïzz, le quatrième calife fatimide, méditait déjà une descente en Espagne, il arriva qu'un très-grand navire, qu'Abdérame avait envoyé avec des marchandises à Alexandrie, rencontra en mer un vaisseau qui venait de Sicile et sur lequel se trouvait un courrier que le gouverneur de cette île avait expédié à son souverain Moïzz. Cette dernière circonstance ne semble pas avoir été inconnue au capitaine du vaisseau andalous. Il se peut même qu'Abdérame ait soupçonné que les dépêches dont le courrier était porteur, contenaient un plan d'attaque contre l'Espagne, et qu'il ait donné au capitaine l'ordre de les intercepter. Quoi qu'il en soit, le capitaine attaqua le vaisseau sicilien, le prit, le pilla et s'empara des dépêches.

Moïzz usa aussitôt de représailles. Sur son ordre, le gouverneur de la Sicile se porta avec une flotte vers Almérie, et prit ou brûla les navires qui se trouvaient dans ce port. Il s'empara aussi de celui qui avait fourni un spécieux prétexte pour cette expédition, et qui était justement de retour d'Alexandrie, d'où il avait rapporté des chanteuses pour le calife et de précieuses marchandises. Puis les troupes du gouverneur débarquèrent pour piller les environs d'Almérie, après quoi elles se remirent en mer.

Abdérame répondit d'une manière énergique à cette attaque. Il ordonna d'abord de maudire chaque jour les Fatimides dans les prières publiques; puis il chargea son amiral Ghâlib d'aller piller les côtes de l'Ifrikia. Cette expédition, toutefois, n'eut pas tout le succès que le calife s'en était promis. Les Andalous remportèrent bien quelques avantages, mais à la fin ils furent repoussés par les troupes qui gardaient la province, et forcés de se rembarquer.

Voilà où Abdérame en était de la guerre qu'il soutenait contre les Fatimides, au moment où les négociations avec le roi de Léon étaient en train. Voulant tourner toutes les forces et toutes les ressources de l'empire contre l'Afrique, il devait naturellement désirer la paix avec les chrétiens du Nord, et c'est pour cette raison qu'il ne s'était pas montré trop difficile sur les conditions auxquelles elle se faisait.

Maintenant qu'elle avait été conclue, il concentra toutes ses pensées sur l'Afrique. Une grande expédition se préparait. Les ouvriers dans les chantiers n'avaient plus un moment de repos, de tous côtés des troupes se dirigeaient vers les ports de mer, et l'on enrôlait des milliers de matelots, lorsque la mort d'Ordoño III, qui arriva dans le printemps de l'année 957, vint entraver tout à coup les projets du calife.

Nous avons vu plus haut qu'Ordoño n'avait obtenu la paix qu'en faisant des concessions, parmi lesquelles la remise ou la démolition de certaines forteresses tenait, à n'en point douter, la première place. Or Sancho, l'ancien compétiteur de son frère, auquel il succéda maintenant sans obstacle, refusa d'exécuter cette clause du traité. Abdérame se vit donc contraint d'employer contre le royaume de Léon les forces qu'il avait voulu envoyer en Afrique, et il donna des ordres dans ce sens au brave Ahmed ibn-Yila, le gouverneur de Tolède. Ce général se mit en campagne, et dans le mois de juillet, il remporta une grande victoire sur le roi de Léon. Ce triomphe était sans doute une consolation pour le calife, qui n'avait nullement désiré cette nouvelle guerre, et qui même, si l'honneur le lui eût permis, l'aurait volontiers évitée. Il en aurait bientôt une autre, plus douce encore: il verrait ses ennemis à ses pieds.

IV

«Le roi Sancho, dit un auteur arabe, était vain et orgueilleux». Cette phrase est sans doute empruntée à un chroniqueur léonais de l'époque, et dans la bouche de ces écrivains elle signifie que Sancho cherchait à briser la puissance des nobles et aspirait à rétablir l'autorité absolue que ses ancêtres avaient possédée. De là la haine que lui portaient les grands. A la haine se joignait le mépris. Sancho avait perdu les qualités qu'il avait eues autrefois et que ses sujets appréciaient le plus. Le pauvre prince avait pris un embonpoint excessif, de sorte qu'il ne pouvait plus monter à cheval et que même en marchant il devait s'appuyer sur quelqu'un. Il était donc devenu un objet de risée, et peu à peu l'on se mit à dire qu'il fallait déposer ce roi ridicule, ce roi manqué. Ferdinand Gonzalez, qui aspirait au titre de faiseur de rois, et qui avait déjà tenté une fois, mais sans succès, d'en faire un, fomenta le mécontentement des Léonais et le dirigea. Une conspiration se forma dans l'armée, et un beau jour, dans le printemps de l'année 958, on chassa Sancho du royaume.

Pendant que le roi détrôné s'acheminait tristement vers Pampelune, la résidence de son oncle Garcia, Ferdinand Gonzalez et les autres grands se réunirent pour élire un autre roi. Leur choix tomba sur Ordoño, quatrième du nom. C'était un fils d'Alphonse IV et par conséquent un cousin germain de Sancho. Rien, excepté sa naissance, ne le recommandait aux suffrages des électeurs. A une difformité de la taille (il était bossu) il joignait un caractère obséquieux, vil et méchant, de sorte que dans la suite on ne l'appela pas autrement qu'Ordoño-le-Mauvais; mais comme il n'y avait alors aucun autre adulte dans la famille royale, il fallait bien le choisir, et le comte de Castille lui fit épouser sa fille Urraque, la veuve d'Ordoño III, qui devint ainsi pour la seconde fois reine de Léon.

Au moment même où on lui donnait ainsi un successeur, Sancho racontait à Pampelune la mésaventure qui lui était arrivée. Sa grand'mère, la vieille et ambitieuse Tota, qui gouvernait encore la Navarre au nom de son fils, bien que ce fils fût depuis longtemps d'âge à régner par lui-même, prit chaudement son parti, et jura de le rétablir à quelque prix que ce fût. La chose n'était pas aisée cependant, car d'une part Sancho n'avait dans son ancien royaume aucun ami influent, et de l'autre la Navarre était trop faible pour attaquer seule Léon et la Castille. Tota devait donc chercher un allié, et encore un allié très-puissant. En outre, pour que Sancho fût à même de se soutenir sur son trône, une fois qu'il l'aurait reconquis, il fallait absolument qu'il cessât d'être un objet de risée par sa malencontreuse obésité. Cette obésité n'était pas naturelle; elle provenait d'une disposition maladive, et un médecin habile pourrait sans doute la faire disparaître; mais à Cordoue seulement, ville qui était alors le foyer de toutes les lumières, on pouvait espérer de trouver un tel médecin. Ce fut aussi à Cordoue que Tota chercha l'allié dont elle avait besoin. Elle résolut de faire demander au calife un médecin pour guérir son petit-fils, et une armée pour le rétablir sur son trône. Il en coûtait sans doute à son orgueil de faire une telle démarche; il lui était pénible d'être obligée d'implorer l'assistance d'un mécréant avec lequel elle avait été en guerre pendant plus de trente ans, et qui, il y avait à peine un an, avait encore fait ravager ses vallées et brûler ses villages; mais son amour pour son petit-fils, l'ardent désir qu'elle avait de le voir régner, la rage que lui causait sa honteuse déconfiture, tout cela fut plus fort que sa légitime répugnance, et elle envoya des ambassadeurs à Cordoue.

Ces ambassadeurs ayant exposé au calife le motif de leur venue, il leur répondit qu'il enverrait volontiers un médecin à Sancho, et qu'à certaines conditions, lesquelles seraient exposées par un de ses ministres qu'il enverrait à Pampelune, il prêterait l'appui de ses armes au roi détrôné.

Quand les ambassadeurs navarrais l'eurent quitté, Abdérame fit venir le juif Hasdaï, et, après lui avoir donné ses instructions, il le chargea de se rendre à la cour de Navarre. Il n'aurait pu faire un meilleur choix. Hasdaï réunissait en sa personne toutes les qualités requises pour une telle mission; il parlait fort bien la langue des chrétiens, et il était à la fois médecin et homme d'Etat; tout le monde vantait son esprit, ses talents, ses connaissances, sa grande capacité, et récemment encore un ambassadeur, venu du fond de la Germanie, avait déclaré qu'il n'avait jamais vu un homme doué de tant de finesse.

Arrivé à Pampelune, le juif gagna aussitôt la confiance de Sancho en se chargeant de son traitement et en lui promettant une prompte guérison. Il lui dit qu'en retour du service que le calife était prêt à lui rendre, celui-ci exigeait la cession de dix forteresses. Sancho promit de les livrer dès qu'il serait rétabli sur son trône. Mais ce n'était pas tout: Hasdaï était aussi chargé de faire en sorte que Tota vînt à Cordoue, accompagnée de son fils et de son petit-fils. Le calife, qui voulait contenter sa vanité et donner à son peuple le spectacle, jusque-là sans exemple, d'une reine et de deux rois chrétiens qui viendraient humblement se prosterner à ses pieds pour implorer l'appui de ses armes, avait particulièrement insisté sur ce point; mais on pouvait prévoir que la fière Tota s'opposerait vivement à une telle exigence. En effet, faire un voyage à Cordoue, c'était pour elle une démarche plus humiliante encore que celle à laquelle elle s'était déjà abaissée alors qu'elle était entrée en relations amicales avec son vieil ennemi. Cette partie de la mission de Hasdaï était donc la plus délicate et la plus épineuse; pour faire une telle proposition, et surtout pour la faire agréer, il fallait un tact et une habileté tout à fait extraordinaires. Mais Hasdaï avait la réputation d'être l'homme le plus adroit de son temps, et il la justifia. L'orgueilleuse Navarraise se laissa vaincre «par le charme de ses paroles, par la force de sa sagesse, par la puissance de ses ruses et de ses nombreux artifices,» pour parler avec un poète juif de l'époque, et, croyant que le rétablissement de son petit-fils ne pouvait être obtenu qu'à ce prix, elle fit un grand effort sur elle-même et donna enfin son consentement au voyage que le juif lui proposait.

L'Espagne musulmane vit alors un étrange spectacle. Suivie d'une foule de grands et de prêtres, la reine de Navarre s'achemina lentement vers Cordoue, avec Garcia et le malheureux Sancho, dont la santé ne s'était pas encore beaucoup améliorée, et qui marchait en s'appuyant sur Hasdaï. Si ce spectacle était doux pour la vanité nationale des musulmans, il l'était autant, et plus encore peut-être, pour l'amour-propre des juifs, car celui à qui on le devait, était un homme de leur religion. Aussi leurs poètes célébraient-ils son retour l'un à l'envi de l'autre. «Saluez, ô montagnes, le chef de Juda! chantait l'un d'entre eux. Que le rire soit sur toutes les bouches! Que les terres arides et les forêts chantent! Que le désert se réjouisse, qu'il fleurisse et produise des fruits, car il vient, le chef de l'Académie, il vient avec joie et chants! Tant qu'il n'était pas là, la ville célèbre, dessinée avec grâce, était morne et triste; ses pauvres, qui ne voyaient plus son visage qui brille comme les étoiles, étaient désolés; les superbes dominaient sur nous; ils nous vendaient et nous achetaient comme si nous eussions été des esclaves; ils allongeaient leurs langues pour engloutir nos richesses; ils rugissaient comme des lionceaux, et nous étions tous épouvantés, car notre défenseur n'était pas là.... Dieu nous l'a donné pour chef; il l'a placé en faveur chez le roi, qui l'a nommé prince et qui l'a élevé au-dessus de ses autres dignitaires. Quand il passe, personne n'ose ouvrir la bouche. Sans flèches et sans épées, par sa seule éloquence, il a enlevé aux abominables mangeurs de porcs des forteresses et des cités.»

Quand la reine et les deux rois furent enfin arrivés à Cordoue, le calife leur donna, dans son palais à Zahrâ, une de ces pompeuses audiences qui imposaient aux étrangers et qui étaient bien propres à leur donner une haute idée de sa puissance et de sa richesse. C'était sans doute un moment bien doux pour Abdérame que celui où il voyait à ses pieds le fils de son terrible ennemi Ramire II, le fils de l'illustre vainqueur de Simancas et d'Alhandega, et la reine aussi courageuse que fière, qui dans ces batailles mémorables avait commandé elle-même ses troupes victorieuses; mais quels que fussent ses sentiments intimes, il n'en laissa rien paraître au dehors, et il reçut ses hôtes avec une courtoisie exquise. Sancho lui répéta ce qu'il avait déjà déclaré à Hasdaï, à savoir qu'il céderait les dix forteresses que le calife exigeait, et l'on résolut que, tandis que l'armée arabe attaquerait le royaume de Léon, les Navarrais feraient une invasion en Castille, afin d'attirer les forces de Ferdinand Gonzalez de ce côté-là.

Cependant Abdérame n'avait pas perdu de vue l'Afrique. Il avait au contraire poussé ses armements avec une grande activité, et dans l'année même où la reine de Navarre arriva à Cordoue, une nombreuse armée, commandée par Ahmed ibn-Yila, s'embarqua sur soixante-dix navires. Cette expédition fut heureuse, car les Andalous incendièrent Mersâ-al-kharez, et dévastèrent les environs de Sousa ainsi que ceux de Tabarca.

Quelque temps après, l'armée musulmane marcha contre le royaume de Léon. Sancho l'accompagnait. Grâce aux remèdes de Hasdaï, il avait été débarrassé de son trop d'embonpoint, et il était maintenant aussi leste et aussi agile qu'il l'avait été auparavant. Zamora fut prise d'abord, et déjà dans le mois d'avril de l'année 959, l'autorité de Sancho était reconnue dans une grande partie du royaume. La capitale, toutefois, tenait encore pour Ordoño IV; mais ce prince ayant pris la fuite pour aller chercher un refuge dans les Asturies, elle se rendit à Sancho dans la seconde moitié de l'année 960. Ayant ainsi recouvré son royaume, Sancho envoya une ambassade au calife pour le remercier du secours qu'il lui avait prêté, et il écrivit en même temps à tous ses voisins pour leur annoncer son rétablissement sur le trône. Dans ces lettres il blâmait dans les termes les plus énergiques la déloyauté du comte de Castille. Peut-être ce dernier lui inspirait-il encore des craintes; mais s'il en était ainsi, elles se dissipèrent bientôt. D'après ce qui avait été convenu, les Navarrais avaient envahi la Castille, et dans cette même année 960, ils livrèrent au comte une bataille dans laquelle ils eurent le bonheur de le faire prisonnier. Dès lors la cause d'Ordoño était perdue. Haï et méprisé par tout le monde, il n'avait pu se soutenir jusque-là que par l'influence de Ferdinand, dont il était la créature. Les Asturiens le chassèrent maintenant de leur province, et se soumirent à Sancho. Ordoño alla chercher un asile à Burgos, et nous verrons plus tard ce qu'il devint.

Au moment où ces événements se passaient dans le Nord, le calife, qui avait eu l'imprudence de s'exposer au vent âpre du mois de mars, était déjà malade, et l'on craignait pour sa vie. Cette fois, cependant, les médecins réussirent encore à conjurer le péril, et au commencement de juillet Abdérame avait recouvré la santé au point qu'il put donner audience aux dignitaires les plus haut placés. Mais sa guérison n'était qu'apparente. Il éprouva une rechute de sa maladie, et le 16 octobre de l'année 961, il rendit le dernier soupir à l'âge de soixante-dix ans, dont quarante-neuf de règne.

Parmi les princes omaiyades qui ont régné en Espagne, la première place appartient incontestablement à Abdérame III. Ce qu'il avait fait tenait du prodige. Il avait trouvé l'empire livré à l'anarchie et à la guerre civile, déchiré par les factions, morcelé entre une foule de seigneurs de race différente, exposé aux razzias continuelles des chrétiens du Nord, et à la veille d'être englouti, soit par les Léonais, soit par les Africains. En dépit d'obstacles sans nombre, il avait sauvé l'Andalousie et d'elle-même et de la domination étrangère. Il l'avait fait renaître plus grande et plus forte qu'elle ne l'avait jamais été. Il lui avait procuré l'ordre et la prospérité au dedans, la considération et le respect au dehors. Le trésor public, qu'il avait trouvé dans un état déplorable, était dans une situation excellente. Un tiers des revenus de l'empire, qui s'élevaient chaque année à six millions deux cent quarante cinq mille pièces d'or, suffisait aux dépenses ordinaires; un autre tiers était mis en réserve, et Abdérame consacrait le reste à ses bâtiments. On calculait que dans l'année 951, il avait dans ses coffres la somme énorme de vingt millions de pièces d'or; aussi un voyageur, qui se connaissait en finances, assure-t-il qu'Abdérame et le Hamdânide qui régnait alors sur la Mésopotamie étaient les princes les plus riches de ce temps-là. L'état du pays était en harmonie avec la situation prospère du trésor public. L'agriculture, l'industrie, le commerce, les arts, les sciences, tout florissait. L'étranger admirait partout des champs bien cultivés et ce système hydraulique, coordonné avec une science profonde, qui rendait fertiles les terres en apparence les plus ingrates. Il était frappé de l'ordre parfait qui, grâce à une police vigilante, régnait même dans les districts les moins accessibles. Il s'étonnait du bas prix des denrées (les fruits les plus délicieux se vendaient presque pour rien), de la propreté des vêtements, et surtout du bien-être universel qui permettait à presque tout le monde d'aller à mulet au lieu d'aller à pied. Des industries nombreuses et diverses enrichissaient Cordoue, Almérie et d'autres villes. Le commerce avait acquis un tel développement, qu'au rapport du directeur général des douanes, les droits d'entrée et de sortie formaient la partie la plus considérable des revenus de l'Etat. Cordoue, avec son demi-million d'habitants, ses trois mille mosquées, ses superbes palais, ses cent treize mille maisons, ses trois cents maisons de bain et ses vingt-huit faubourgs, ne le cédait en étendue et en splendeur qu'à Bagdad, ville à laquelle ses habitants aimaient à la comparer. Elle était renommée jusqu'au fond de la Germanie: la religieuse saxonne Hroswitha, qui se rendit célèbre dans la dernière moitié du Xe siècle par ses poèmes et ses drames latins, l'appelait l'ornement du monde. La rivale qu'Abdérame lui avait donnée, n'était pas moins admirable. Une de ses concubines lui ayant légué une grande fortune, le monarque avait voulu se servir de cet argent pour racheter des prisonniers de guerre; mais ses employés ayant parcouru les royaumes de Léon et de Navarre sans rencontrer un seul prisonnier, sa favorite Zahrâ lui avait dit: «Employez cet argent pour bâtir une ville et donnez-lui mon nom.» Cette idée avait souri au calife, qui, comme presque tous les grands princes, aimait à bâtir, et au mois de novembre de l'année 936, il avait fait jeter, à une lieue au nord de Cordoue, les fondements d'une ville qui porterait le nom de Zahrâ. Rien n'avait été épargné pour la rendre aussi magnifique que possible. Pendant vingt-cinq ans, dix mille ouvriers, qui disposaient de quinze cents bêtes de somme, avaient été occupés à la bâtir, et cependant elle n'était pas encore achevée à l'époque de la mort de son fondateur. Une prime de quatre cents dirhems, que le calife avait promise à quiconque viendrait s'y établir, y avait attiré une foule d'habitants. Le palais califal, où toutes les merveilles de l'Orient et de l'Occident étaient réunies, était d'une énorme grandeur, à preuve que dans le harem il y avait six mille femmes.

La puissance d'Abdérame était formidable. Une superbe marine lui permettait de disputer aux Fatimides l'empire de la Méditerranée, et lui garantissait la possession de Ceuta, cette clé de la Mauritanie. Une armée nombreuse et bien disciplinée, la plus belle du monde peut-être, lui donnait la prépondérance sur les chrétiens du Nord. Les plus fiers souverains briguaient son alliance. L'empereur de Constantinople, les rois d'Allemagne, d'Italie et de France lui envoyaient des ambassadeurs.

C'étaient à coup sur de beaux résultats; mais ce qui excite l'étonnement et l'admiration quand on étudie ce règne glorieux, c'est moins l'œuvre que l'ouvrier; c'est la puissance de cette intelligence universelle à qui rien n'échappait, et qui se montrait non moins admirable dans les plus petits détails que dans les plus sublimes conceptions. Cet homme fin et sagace, qui centralise, qui fonde l'unité de la nation et celle du pouvoir, qui par ses alliances établit une sorte d'équilibre politique, qui dans sa large tolérance appelle dans ses conseils des hommes d'une autre religion, est plutôt un roi des temps modernes qu'un calife du moyen âge.

V

Malgré les grands services qu'Abdérame III leur avait rendus, la cour de Léon et celle de Pampelune ne s'affligèrent pas de sa mort; au contraire, elles crurent y voir le moyen d'éluder les traités et de se dérober à la protection musulmane, dont elles avaient commencé à se lasser dès qu'elles n'en avaient plus eu besoin. Et de fait, l'occasion semblait bonne pour ne pas tenir ce que l'on avait été obligé de promettre. Le successeur d'Abdérame, Hacam II, passait pour pacifique; on pensait peut-être qu'il n'insisterait pas trop sur l'exécution d'un traité conclu par son père, et en tout cas il faudrait voir encore si, dans la guerre, il serait aussi heureux que ce dernier l'avait été.

Hacam fut bientôt à même de s'apercevoir des intentions de ses voisins. Sancho, qu'il avait sommé de livrer enfin les forteresses nommées dans le traité, trouvait toutes sortes de raisons pour remettre cette affaire à un autre temps. Garcia, qu'il avait fait prier de lui céder son prisonnier Ferdinand Gonzalez, refusait d'accéder à cette demande. Qui plus est, il rendit la liberté à Ferdinand, après lui avoir fait promettre de rompre avec son gendre, Ordoño IV. Ferdinand tint sa promesse. Sur son ordre, Ordoño, qui se trouvait encore à Burgos, fut séparé violemment de sa femme et de ses deux filles, et transporté sous bonne escorte sur le territoire musulman. Puis Ferdinand, qui n'était pas lié par un traité, comme le roi de Navarre et celui de Léon, recommença les hostilités contre les Arabes, de sorte que dès le mois de février 962, Hacam fut obligé d'écrire à ses généraux et à ses gouverneurs qu'ils eussent à se tenir prêts pour entrer en campagne.

Sur ces entrefaites, Ordoño-le-Mauvais était arrivé à Medinaceli, accompagné de vingt seigneurs, les seuls qui lui fussent restés fidèles. Il avait vu dans cette ville les préparatifs que l'on faisait pour une expédition, et cette circonstance avait ranimé son espoir dans l'avenir. De même que son cousin avait recouvré le trône grâce à l'appui d'Abdérame, il comptait le recouvrer à son tour avec le secours de Hacam. Aussi témoigna-t-il à Ghâlib, le gouverneur de Medinaceli, son désir d'aller à Cordoue afin d'y implorer la protection du monarque. Ghâlib consulta Hacam sur la réponse qu'il avait à donner. Le calife, qui n'était pas fâché d'avoir un prétendant sous la main, mais qui ne voulait pas encore s'engager définitivement, lui fit répondre qu'il pouvait conduire Ordoño à

Cordoue, mais qu'il ne devait lui faire aucune promesse. Ghâlib partit donc pour Cordoue au commencement d'avril, accompagné d'Ordoño et de sa suite. En route on rencontra un détachement de cavalerie que Hacam avait envoyé à la rencontre de ses hôtes, et aux environs de la capitale, on en rencontra un autre, plus nombreux encore. Ordoño n'épargna rien pour gagner les bonnes grâces des officiers de l'escorte. Il leur prodigua les flatteries, et quand il fut entré dans Cordoue, il leur demanda où se trouvait le tombeau d'Abdérame III. Lorsqu'on le lui eut montré, il ôta respectueusement son bonnet, s'agenouilla en tournant la tête vers l'endroit indiqué, et récita des prières pour l'âme de celui qui naguère l'avait chassé du trône. L'espoir de ressaisir le sceptre lui faisait oublier tout le reste; pour atteindre ce but, il était bien décidé à ne reculer devant aucune bassesse.

Après avoir passé deux jours dans un palais superbement meublé, qu'on lui avait assigné pour sa demeure, Ordoño reçut la permission d'aller à Zahrâ, où le calife lui donnerait audience. Il revêtit alors une robe et un manteau de soie blancs (c'était probablement un nouvel hommage qu'il rendait aux Omaiyades, car le blanc était la couleur de cette maison), et se coiffa d'un bonnet orné de pierres précieuses. Les principaux chrétiens de l'Andalousie, tels que Walîd ibn-Khaizorân, le juge des chrétiens de Cordoue, et Obaidallâh ibn-Câsim, le métropolitain de Tolède, vinrent le chercher pour le conduire à Zahrâ et l'instruire des règles de l'étiquette, sur lesquelles la cour était fort chatouilleuse.

En passant par les rangs des soldats qui encombraient les abords de Zahrâ, Ordoño et ses compagnons léonais feignirent d'être frappés et même terrifiés par cet appareil militaire. Ils baissèrent les yeux et firent le signe de la croix. Quand on fut arrivé à la première porte du palais, tous mirent pied à terre, à l'exception d'Ordoño et de ses Léonais. A la porte dite d'*as-sodda*, ces derniers durent en faire autant; mais Ordoño et le général Ibn-Tomlos, qui était chargé de l'introduire auprès du calife, restèrent à cheval jusqu'à ce qu'ils fussent arrivés près d'un portique où l'on avait placé des siéges pour Ordoño et ses compagnons, et où Sancho avait aussi attendu le moment d'être introduit auprès du monarque, alors qu'il était venu implorer son secours. Quelque temps après, les Léonais reçurent la permission d'entrer dans la salle d'audience. A la porte Ordoño ôta son bonnet et son manteau en signe de respect; puis, quand on lui eut dit d'avancer et qu'il se trouva vis-à-vis du trône sur lequel était le calife entouré de ses frères, de ses neveux, des vizirs, du cadi et des faquis, il s'agenouilla à plusieurs reprises, et, faisant quelques pas en avant après chaque génuflexion, il arriva enfin tout près du calife. Celui-ci lui donna sa main à baiser, après quoi Ordoño retourna en arrière, mais en prenant soin de ne pas tourner le dos au calife, pour aller s'asseoir sur un sofa de brocart qui lui était destiné et qui se trouvait à quinze pieds du trône. Les seigneurs léonais s'approchèrent alors du calife en observant le même cérémonial, et, lui ayant baisé la main, ils allèrent se ranger derrière leur maître, auprès duquel se tenait aussi Walîd ibn-Khaizorân, qui, dans l'entretien qui allait avoir lieu, devait servir d'interprète.

Le calife garda quelques instants le silence pour laisser à l'ex-roi le temps de se remettre de l'émotion que la vue de cette auguste assemblée ne pouvait avoir manqué d'exciter dans son esprit. Puis il lui parla en ces termes: «Réjouissez-vous d'être venu ici et espérez beaucoup de notre bonté, car nous avons l'intention de vous accorder encore plus de faveurs que vous n'osiez l'attendre.»

Quand le sens de ces gracieuses paroles eut été expliqué à Ordoño par l'interprète, la joie éclata sur son visage. Il se leva, et, ayant baisé le tapis qui couvrait les marches du trône: «Je suis, dit-il, l'esclave du commandeur des croyants! Je me fie à sa magnanimité, je cherche mon appui dans sa haute vertu, je lui donne plein pouvoir sur moi-même et sur mes hommes. J'irai partout où il m'ordonnera d'aller, je le servirai sincèrement et loyalement. —Nous vous croyons digne de nos bontés, lui répondit le calife; vous serez content quand vous verrez jusqu'à quel point nous vous préférons à tous vos coreligionnaires; vous vous applaudirez d'avoir eu l'idée de chercher un asile auprès de nous, et de vous être abrité sous l'ombre de notre puissance.» Quand le calife eut parlé de la sorte, Ordoño s'agenouilla de nouveau, et, ayant appelé la bénédiction du ciel sur le monarque, il exposa sa requête en ces termes: «Naguère mon cousin Sancho est venu demander du secours contre moi au feu calife. Il a obtenu sa demande; il a été secouru comme on ne l'est que par les plus grands souverains de l'univers. Moi aussi, je viens demander du secours, mais il y a toutefois entre mon cousin et moi une grande différence. S'il est venu ici, c'est qu'il y a été contraint par la nécessité; ses sujets blâmaient sa conduite et le haïssaient; ils m'avaient élu à sa place sans que j'eusse ambitionné cet honneur,

Dieu m'en est témoin! Je l'avais détrôné et chassé du royaume. A force de supplications il a obtenu du feu calife une armée qui l'a rétabli; mais il n'a pas su se montrer reconnaissant pour ce service; il n'a rempli ni envers son bienfaiteur, ni envers vous, ô commandeur des croyants, mon seigneur, ce à quoi il s'était obligé. Moi au contraire, j'ai quitté mon royaume de mon plein gré, et je suis venu auprès du commandeur des croyants pour mettre à sa disposition ma personne, mes hommes et mes forteresses. J'avais donc raison de dire qu'entre mon cousin et moi il y a une grande différence, et j'ose ajouter que j'ai fait preuve de bien plus de confiance et de générosité. — Nous avons entendu votre discours et nous avons saisi votre pensée, dit alors le calife. Vous verrez bientôt de quelle manière nous vous récompenserons de vos bonnes intentions. Vous recevrez de nous une fois autant de bienfaits que votre compétiteur en a reçu de notre père d'heureuse mémoire, et quoique votre adversaire ait le mérite d'avoir imploré le premier notre protection, ce n'est pas une raison pour que nous vous estimions moins ou que nous refusions de vous donner ce que nous lui avons donné auparavant. Nous vous ferons reconduire dans votre pays, nous vous remplirons de joie, nous affermirons les bases de votre pouvoir royal, nous vous ferons régner sur tous ceux qui voudront vous reconnaître pour leur roi, et nous vous ferons remettre un traité que vous pourrez garder et dans lequel nous fixerons les limites de votre royaume et celles du royaume de votre cousin. En outre nous empêcherons ce dernier d'inquiéter le territoire qu'il aura été obligé de vous céder. En un mot, les bienfaits que vous recevrez de nous surpasseront toutes vos espérances. Dieu sait que ce que nous disons, nous le pensons!»

Quand le calife eut parlé de la sorte, Ordoño s'agenouilla encore une fois, et, s'étant répandu en remercîments, il se leva et quitta la salle à reculons. Arrivé dans une autre salle, il dit aux eunuques qui l'avaient suivi, qu'il était ébloui et stupéfait du majestueux spectacle dont il avait été témoin, et, apercevant un siége sur lequel le calife avait la coutume de s'asseoir, il s'agenouilla devant ce meuble. Ensuite on le conduisit vers Djafar, le hâdjib ou premier ministre. Du plus loin qu'il vit ce dignitaire, il lui fit une profonde révérence; il voulut aussi lui baiser la main, mais le hâdjib l'en empêcha, le serra contre sa poitrine, et l'ayant fait asseoir à ses côtés, il l'assura qu'il pouvait être certain que le calife tiendrait les promesses qu'il avait faites. Puis il lui fit donner les vêtements d'honneur que le calife lui avait destinés. Ses compagnons en reçurent aussi, chacun selon son rang, et, ayant salué le hâdjib avec le plus profond respect, ils retournèrent avec leur roi vers le portique, où Ordoño trouva un cheval superbe et richement harnaché, qui sortait des écuries du calife. Il l'enfourcha, et, le cœur plein d'espoir, il retourna avec ses Léonais et le général Ibn-Tomlos au palais qui lui servait de demeure.

Peu de temps après, on lui remit un traité à signer, en vertu duquel il s'engageait à vivre toujours en paix avec le calife, à lui livrer son fils Garcia en otage, et à ne point s'allier avec Ferdinand Gonzalez. Il le signa, et alors Hacam mit à sa disposition un corps d'armée commandé par Ghâlib. En outre il lui donna pour conseillers Walîd, le juge des chrétiens de Cordoue, Açbagh ibn-Abdallâh ibn-Nabîl, l'évêque de cette ville, et Obaidallâh ibn-Câsim, le métropolitain de Tolède, après avoir ordonné à ces personnages, auxquels Garcia devait être remis, de faire tous leurs efforts pour ramener les Léonais sous l'obéissance d'Ordoño.

On avait fait grand bruit de tous ces préparatifs, parce qu'on espérait que Sancho se laisserait intimider. Ce calcul n'était point trompeur. Sancho sentait que sa position était encore précaire et mal assurée. La Galice refusait obstinément de le reconnaître, et il était à prévoir que si Ordoño revenait avec une armée musulmane, il pourrait compter sur l'appui de cette province. Quant aux autres provinces du royaume, qui avaient subi Sancho, mais qui ne l'aimaient point, tout portait à croire qu'elles le chasseraient pour la seconde fois plutôt que de s'exposer à une invasion. Sancho prit donc bien vite son parti. Dès le mois de mai, il envoya à Cordoue des comtes et des évêques, qui devaient dire en son nom au calife qu'il était prêt à exécuter toutes les clauses du traité. Dès lors Hacam, qui avait obtenu ce qu'il voulait, ne songea plus à remplir les promesses qu'il avait faites à Ordoño, de sorte que ce malheureux prétendant s'était abaissé en pure perte aux plus honteuses flatteries. Il ne semble pas avoir survécu longtemps à la perte de ses espérances; l'histoire, du moins, ne parle plus de lui; elle dit seulement qu'il mourut à Cordoue, et tout porte à croire qu'avant la fin de l'année 962 il avait déjà cessé de vivre.

Sa mort dissipa les craintes que Sancho avait conçues. Comptant sur l'appui de ses alliés, le comte de Castille, le roi de Navarre et les comtes catalans Borrel et Miron, il prit de nouveau un ton plus hardi, et ne remplit pas mieux qu'auparavant les clauses du traité.

Hacam se vit donc obligé de déclarer la guerre aux chrétiens. Il tourna d'abord ses armes contre la Castille, prit San Estevan de Gormaz (963), et força Ferdinand Gonzalez à demander la paix; mais elle fut rompue presque aussitôt que conclue. Ensuite Ghâlib gagna la bataille d'Atienza. Yahyâ ibn-Mohammed Todjîbî, le gouverneur de Saragosse, battit Garcia, et ce roi perdit en outre la ville importante de Calahorra, que Hacam fit entourer de fortifications nouvelles, en même temps qu'il faisait rebâtir en Castille la forteresse ruinée de Gormaz. En un mot, quoiqu'il n'aimât pas la guerre et qu'il la fît contre son gré, il la fit si bien qu'il força ses ennemis à demander la paix. Sancho de Léon la sollicita en 966. Les comtes Borrel et Miron, qui avaient aussi subi plusieurs échecs, suivirent son exemple, et s'engagèrent à démanteler celles de leurs forteresses qui étaient les plus rapprochées des frontières musulmanes. Garcia de Navarre envoya aussi des comtes et des évêques à Cordoue, et un puissant comte galicien, Rodrigue Velasquez, fit demander la paix par sa mère, que Hacam reçut avec les plus grands égards et à laquelle il fit de superbes cadeaux.

La paix que le calife avait conclue avec presque tous ses voisins, fut durable. Hacam était trop pacifique pour la rompre, et quant aux chrétiens, ils furent bientôt après plongés dans une telle anarchie, qu'ils ne purent pas songer à tourner de nouveau leurs armes contre les musulmans. Pendant qu'il négociait encore avec le calife, Sancho avait attaqué la Galice qui jusque-là lui avait toujours été rebelle, et il avait réussi à soumettre tout le pays au nord du Duero, lorsque le comte Gonzalve, qui avait réuni contre lui une grande armée au sud de ce fleuve, lui fit demander une entrevue. Elle eut lieu; mais le perfide Gonzalve fit servir au roi un fruit empoisonné auquel celui-ci n'eut pas plutôt goûté qu'il se sentit défaillir. L'effet du poison le saisit au cœur, mais sans le tuer à l'heure même. Moitié par gestes, moitié par des paroles entrecoupées, Sancho exprima le désir d'être sur-le-champ ramené à Léon; mais le troisième jour il mourut en chemin.

Son fils Ramire, troisième du nom, qui ne comptait encore que cinq ans, lui succéda sous la tutelle de sa tante Elvire, une religieuse du couvent de San Salvador de Léon; mais les grands du royaume, qui ne voulaient pas obéir à une femme et à un enfant, se hâtèrent de se déclarer indépendants. L'Etat se trouva donc morcelé entre une foule de petits princes; il était réduit à une impuissance complète. Une armée de huit mille Danois, qui avaient servi d'abord sous Richard Ier de Normandie et que ce duc avait envoyés en Espagne alors qu'il n'avait plus besoin d'eux, ravagèrent impunément la Galice durant trois ans. La régente Elvire ne pouvait donc songer à renouveler la guerre contre les Arabes.

Les razzias contre la Castille continuèrent encore quelque temps; mais en 970, la mort de Ferdinand Gonzalez procura au calife la paix avec ce comté. Dès lors il put se livrer tout entier à son goût pour les lettres et au développement de la prospérité du pays.

Jamais un prince aussi savant n'avait encore régné en Espagne, et quoique tous ses prédécesseurs eussent été des esprits cultivés, qui aimaient à enrichir leurs bibliothèques, aucun d'entre eux n'avait cependant recherché avec tant de passion les livres précieux et rares. Au Caire, à Bagdad, à Damas, à Alexandrie, il avait des agents chargés de copier ou d'acheter pour lui, à quelque prix que ce fût, les livres anciens et modernes. Son palais en était rempli; c'était un atelier où l'on ne rencontrait que copistes, relieurs, enlumineurs. Le catalogue de sa bibliothèque formait à lui seul quarante-quatre cahiers, dont chacun avait vingt feuilles selon les uns, cinquante selon les autres, et encore n'y trouvait-on que les titres des livres et non pas une description. Quelques écrivains racontent que le nombre des volumes montait jusqu'à quatre cent mille. Et tous ces volumes, Hacam les avait lus; qui plus est, il en avait annoté la plupart. Il écrivait d'ailleurs au commencement ou à la fin de chaque livre le nom, le surnom, le nom patronymique de l'auteur, sa famille, sa tribu, l'année de sa naissance et de sa mort, et les anecdotes qui couraient sur son compte. Ces notices étaient précieuses. Hacam connaissait mieux que personne l'histoire littéraire; aussi ses notes ont toujours fait autorité parmi les savants andalous. Les livres composés en Perse et en Syrie lui étaient souvent connus avant que personne les eût lus en Orient. Sachant qu'un savant de l'Irâc, Abou-'l-Faradj Isfahânî, s'occupait à rassembler des renseignements sur les poètes et les chanteurs arabes, il lui envoya mille pièces d'or en le priant de lui faire parvenir un exemplaire de son ouvrage dès qu'il l'aurait terminé. Plein de reconnaissance, Abou-'l-Faradj se hâta de satisfaire à ce désir. Avant de publier son magnifique recueil, qui aujourd'hui encore fait l'admiration des savants, il en envoya au calife d'Espagne un exemplaire soigné, accompagné d'un poème en son honneur et d'un ouvrage sur la généalogie des Omaiyades. Un nouveau présent l'en récompensa. En général, la libéralité de Hacam envers les savants espagnols et étrangers ne connaissait point de bornes; aussi affluaient-ils à sa cour. Le monarque les encourageait et les protégeait tous, même les philosophes, qui purent enfin se livrer à leurs études sans avoir à craindre d'être massacrés par les bigots.

Toutes les branches de l'enseignement devaient fleurir sous un prince aussi éclairé. Les écoles primaires étaient déjà bonnes et nombreuses. En Andalousie presque tout le monde savait lire et écrire, tandis que dans l'Europe chrétienne les personnes les plus haut placées, à moins qu'elles n'appartinssent au clergé, ne le savaient pas. La grammaire et la rhétorique étaient aussi enseignées dans les écoles. Hacam, toutefois, fut d'avis que l'instruction n'était pas encore assez répandue, et dans sa bienveillante sollicitude pour les classes pauvres, il fonda dans la capitale vingt-sept écoles où les enfants de parents sans fortune recevraient une éducation gratuite, les maîtres étant payés par lui. Quant à l'université de Cordoue, elle était alors une des plus renommées du monde. Dans la mosquée principale (car c'est là que se donnaient les leçons), Abou-Becr ibn-Moâwia le Coraichite traitait les traditions relatives à Mahomet. Abou-Alî Câlî, de Bagdad, y dictait un grand et beau recueil qui contenait une immense quantité de renseignements curieux sur les anciens Arabes, leurs proverbes, leur langue et leur poésie; recueil qu'il publia plus tard sous le titre d'*Amâlî* ou *Dictées*. La grammaire était enseignée par Ibn-al-Coutîa, qui, au jugement d'Abou-Alî Câlî, était le plus savant grammairien de l'Espagne. D'autres sciences avaient des représentants non moins illustres. Aussi les étudiants qui fréquentaient les cours se comptaient-ils par milliers. La plupart d'entre eux étudiaient ce qu'on appelait le *fikh*, c'est-à-dire la théologie et le droit, car cette science menait alors aux postes les plus lucratifs.

C'est du sein de cette jeunesse universitaire que sortit un homme dont la renommée remplira bientôt, non-seulement l'Espagne, mais le monde entier, et que nous devons à présent faire connaître à nos lecteurs.

VI

Dans une des premières années du règne de Hacam II, cinq étudiants dînaient dans un jardin aux environs de Cordoue. Au dessert il régnait une grande gaîté parmi les convives; un seul, cependant, était silencieux et rêveur. Ce jeune homme était grand et bien fait; l'expression de sa physionomie était noble, fière, presque hautaine, et son attitude annonçait un homme né pour le pouvoir.

Sortant enfin de sa rêverie, il s'écria tout à coup:

—N'en doutez pas, un jour je serai le maître de ce pays!

Ses amis se mirent à rire de cette exclamation; mais sans se déconcerter:

—Que chacun de vous, poursuivit le jeune homme, me dise quel poste il désire; je le lui donnerai quand je régnerai.

—Eh bien! dit alors un des étudiants, je trouve ces beignets délicieux, et puisque cela vous est égal, j'aimerais d'être nommé inspecteur du marché; alors j'aurai toujours des beignets à foison et sans qu'il m'en coûte rien.

—Moi, dit un autre, je suis très-friand de ces figues qui viennent de Malaga, mon pays natal. Nommez-moi donc cadi de cette province.

—La vue de tous ces superbes jardins me plaît extrêmement, dit le troisième; je voudrais donc être nommé préfet de la capitale.

Mais le quatrième gardait le silence, indigné des pensées présomptueuses de son condisciple.

—A votre tour, lui dit ce dernier; demandez ce que vous voudrez.

Celui auquel il venait d'adresser la parole se leva alors, et, lui tirant la barbe:

—Lorsque tu gouverneras l'Espagne, dit-il, misérable fanfaron que tu es, ordonne alors qu'après m'avoir frotté avec du miel, afin que les mouches et les abeilles viennent me piquer, on me place à rebours sur un âne, et qu'on me promène à travers les rues de Cordoue.

L'autre lui lança un regard furieux; mais, tâchant de maîtriser sa colère:

—C'est bien, dit-il, chacun de vous sera traité selon ses souhaits. Un jour je me souviendrai de tout ce que vous avez dit.

Le dîner fini, on se sépara, et l'étudiant aux pensées bizarres et extravagantes retourna vers la maison d'un de ses parents du côté de sa mère, où il logeait. Son hôte le conduisit à sa petite chambre qui se trouvait au dernier étage, et tâcha de lier conversation avec lui; mais le jeune homme, absorbé par ses réflexions, ne lui répondit que par des monosyllabes. Voyant qu'il n'y avait pas moyen de rien tirer de lui, l'autre le quitta en lui souhaitant une bonne nuit. Le lendemain matin, ne le voyant pas paraître au déjeuner et croyant qu'il dormait encore, il remonta vers sa chambre pour le réveiller; mais à sa grande surprise il trouva le lit intact et l'étudiant assis sur le sofa, la tête penchée sur la poitrine.

— Il paraît que tu ne t'es pas couché cette nuit, lui dit-il.

— Non, c'est vrai, lui répondit l'étudiant.

— Et pourquoi as-tu veillé?

— J'avais une pensée étrange.

— A quoi songeais-tu donc?

— A l'homme que je nommerai cadi lorsque je gouvernerai l'Espagne et que le cadi que nous avons à présent aura cessé de vivre. J'ai parcouru en penséetoute l'Espagne et je n'ai trouvé qu'un seul homme qui mérite de remplir ce poste.

— C'est peut-être Mohammed ibn-as-Salîm que tu as en vue?

— Mon Dieu, oui, c'est lui; voyez comme nous nous rencontrons!

Ce jeune homme, on le voit, avait une idée fixe, idée à laquelle il rêvait le jour, et qui la nuit l'empêchait de dormir. Qui était-il donc, lui qui, perdu dans la foule qui encombre une capitale, sentait fermenter en lui de si grandes espérances, et qui, bien qu'il n'eût aucune relation avec la cour, s'était mis dans la tête qu'un jour il serait premier ministre?

Il s'appelait Abou-Amir Mohammed. Sa famille, celle des Beni-Abî-Amir, qui appartenait à la tribu yéménite de Moâfir, était noble, mais non illustre. Son septième aïeul, Abdalmélic, un des rares Arabes qui se trouvaient dans l'armée berbère avec laquelle Târic débarqua en Espagne, s'était distingué en commandant la division qui prit Carteya, la première ville espagnole qui tombât au pouvoir des musulmans. Pour prix de ses services, il avait reçu le château de Torrox, situé sur le Guadiaro, dans la province d'Algéziras, avec les terres qui en dépendaient. Ses descendants, toutefois, n'habitaient ce manoir qu'à de rares intervalles. D'ordinaire ils allaient dans leur jeunesse à Cordoue, pour y chercher un emploi à la cour ou dans la magistrature. C'est ce que firent, par exemple, Abou-Amir Mohammed ibn-al-Walîd, l'arrière-petit-fils d'Abdalmélic, et son fils Amir. Ce dernier, qui remplit plusieurs postes, était le favori du sultan Mohammed, au point que ce dernier fit placer son nom sur les monnaies et sur les drapeaux. Abdallâh, le père de notre étudiant, était un théologien-jurisconsulte distingué et fort pieux, qui fit le pèlerinage de la Mecque. De tout temps, d'ailleurs, cette famille avait pu aspirer à des alliances honorables: le grand-père de Mohammed avait épousé la fille du renégat Yahyâ, fils d'Isaäc le chrétien, qui, après avoir été médecin d'Abdérame III, avait été nommé vizir et gouverneur de Badajoz; sa propre mère était Boraiha, la fille du magistrat Ibn-Bartâl, de la tribu de Temîm. Mais bien qu'ancienne et respectable, la famille des Beni-Abî-Amir n'appartenait pas à la haute noblesse; c'était, s'il nous est permis de nous servir de ce terme, une bonne noblesse de robe, mais non pas une noblesse d'épée. Aucun Amiride, si l'on en excepte Abdalmélic, le compagnon de Târic, n'avait suivi la carrière des armes, alors la plus noble de toutes; tous avaient été des magistrats ou des employés de la cour. Mohammed avait aussi été destiné à la judicature, et un beau jour il avait dit adieu aux tourelles lézardées du manoir héréditaire pour aller étudier dans la capitale, où il suivait maintenant les cours d'Abou-Becr ibn-Moâwia le Coraichite, d'Abou-Alî Câlî et d'Ibn-al-Coutîa. Quant à son caractère, c'était un jeune homme rempli de cœur et d'intelligence, mais d'une nature exaltée, d'une imagination ardente, d'un tempérament de feu, et dominé par une passion unique, mais d'une violence singulière. Les livres qu'il lisait de préférence, c'étaient les vieilles chroniques de sa nation, et ce qui le captivait surtout dans ces pages poudreuses, c'étaient les aventures de ceux qui, partis souvent de bien plus bas que lui, s'étaient élevés successivement aux premières dignités de l'Etat. Ces hommes, il les prenait pour modèles, et comme il ne cachait nullement ses pensées ambitieuses, ses camarades le regardaient parfois comme un cerveau détraqué. Il ne l'était pas cependant. Il est vrai qu'une seule idée semblait absorber toutes les facultés de son intelligence; mais ce n'était pas là une espèce d'aliénation mentale, c'était la divination du génie. Doué de grands talents, fécond en ressources, ferme et audacieux quand il fallait l'être, souple, prudent et adroit quand les circonstances l'exigeaient, peu scrupuleux d'ailleurs sur les moyens qui pouvaient le conduire à un but éclatant, il pouvait, sans présomption, prétendre à tout. Nul n'avait au même degré l'énergie, l'action lente, continue de l'idée fixe; le but une fois marqué, sa volonté se dressait, se roidissait et poussait droit.

Pourtant ses débuts ne furent pas brillants. Ses études achevées, il fut obligé, pour gagner sa vie, d'ouvrir un bureau près de la porte du palais et d'y écrire des requêtes pour ceux qui avaient à demander quelque chose au calife. Dans la suite il obtint un emploi subalterne dans le tribunal de Cordoue; mais il ne sut pas se concilier les bonnes grâces de son chef, le cadi. Celui qui remplissait alors ce poste était cependant cet Ibn-as-Salîm que Mohammed estimait tant, et non sans raison, car c'était un homme fort savant, fort honorable, un des meilleurs cadis qu'il y ait eu à Cordoue; mais c'était en même temps un esprit froid et positif, qui avait une antipathie innée pour ceux dont le caractère ne ressemblait pas au sien. Les idées bizarres de son jeune employé et ses distractions habituelles le choquaient au plus haut degré; il ne demandait pas mieux que d'être débarrassé de lui, et par un singulier hasard, l'aversion que le cadi avait contre Mohammed procura à ce dernier ce qu'il souhaitait le plus, à savoir un emploi à la cour. Le cadi s'était plaint de lui au vizir Moçhafî, en le priant de donner un autre emploi à ce jeune homme. Moçhafî lui avait promis d'y songer, et peu de temps après, lorsque Hacam II chercha un intendant capable d'administrer les biens de son fils aîné Abdérame, qui comptait alors cinq ans, il lui recommanda Mohammed ibn-abî-Amir. Cependant le choix de cet intendant ne dépendait pas du calife seul; il dépendait surtout de la sultane favorite Aurore, une Basque de naissance, qui exerçait un grand empire sur l'esprit de son époux. Plusieurs personnes lui furent présentées; mais Ibn-abî-Amir la charma par sa bonne mine et la courtoisie de ses manières. Il fut préféré à tous ses compétiteurs, et le samedi 23 février de l'année 967, il fut nommé intendant des biens d'Abdérame, avec un traitement de quinze pièces d'or par mois. Il comptait alors vingt-six ans.

Il ne négligea rien pour s'insinuer encore davantage dans la faveur d'Aurore, et il y réussit si parfaitement qu'elle le nomma aussi intendant de ses propres biens, et que sept mois après son entrée à la cour, il fut nommé inspecteur de la monnaie. Grâce à ce dernier poste, il avait toujours des sommes très-considérables à sa disposition, et il en profita pour se faire des amis parmi les grands. Chaque fois qu'un d'entre eux était à bout de ressources (ce qui, au train qu'ils menaient, ne pouvait manquer de leur arriver souvent), il le trouvait prêt à lui venir en aide. On raconte, par exemple, que Mohammed ibn-Aflah, un client du calife et un employé de la cour, qui s'était fort endetté par les énormes dépenses qu'il avait faites à l'occasion du mariage de sa fille, lui apporta, dans l'hôtel de la monnaie, une bride enrichie de pierreries, en le priant de lui prêter quelque argent sur cet objet, qui, disait-il, était la seule chose de valeur qui lui restât. A peine eut-il fini de parler qu'Ibn-abî-Amir enjoignit à un de ses employés de peser la bride et de donner à Ibn-Aflah le poids de cet objet en pièces d'argent. Stupéfait d'une telle générosité (car le fer et le cuir de la bride étaient fort lourds), Ibn-Aflah eut peine à en croire ses oreilles quand il entendit l'inspecteur donner cet ordre; mais il fut forcé de se rendre à l'évidence, car peu d'instants après on le pria de soulever sa robe, dans laquelle on versa un véritable torrent de pièces d'argent, de sorte qu'il ne fut pas seulement en état de payer ses dettes, mais qu'il lui resta encore une somme considérable. Aussi avait-il plus tard la coutume de dire: «J'aime Ibn-abî-Amir de toute mon âme, et dût-il m'ordonner de me révolter contre mon souverain, je n'hésiterais pas à lui obéir.»

C'est de cette manière qu'Ibn-abî-Amir se créa un parti dévoué à ses intérêts; mais ce qu'il considérait comme son premier devoir, c'était de satisfaire tous les caprices de la sultane et de la combler de présents tels qu'elle n'en avait jamais reçu. Ses inventions étaient souvent ingénieuses. Une fois, par exemple, il fit fabriquer à grands frais un petit palais d'argent, et quand ce superbe joujou fut achevé, il le fit porter par ses esclaves au palais califal, au grand étonnement des habitants de la capitale, qui n'avaient jamais vu un travail d'orfèvrerie aussi magnifique. C'était un cadeau pour Aurore. Elle ne se lassa pas de l'admirer, et dans la suite elle ne négligea aucune occasion pour vanter le mérite de son protégé et pour avancer sa fortune. L'intimité qui régnait entre elle et lui devint même telle, qu'elle donna à jaser aux médisants. Les autres dames du harem recevaient aussi des cadeaux d'Ibn-abî-Amir. Elles s'extasiaient toutes sur sa générosité, la suavité de son langage et la suprême distinction de ses manières. Le vieux calife n'y comprenait rien. «Je ne conçois pas, dit-il un jour à un de ses plus intimes amis, quels moyens ce jeune homme emploie pour régner sur les cœurs des dames de mon harem. Je leur donne tout ce qu'elles peuvent désirer; mais aucun présent ne leur plaît à moins qu'il ne vienne de lui. Je ne sais si je dois voir seulement en lui un serviteur d'une rare intelligence, ou bien un grand magicien. Toujours est-il que je ne suis pas sans inquiétude pour l'argent public qui se trouve entre ses mains.»

En effet, le jeune inspecteur courait de grands dangers de ce côté-là. Il avait été fort généreux envers ses amis, mais il l'avait été aux dépens du trésor, et comme sa fortune rapide n'avait pas manqué de faire des envieux, ses ennemis l'accusèrent un jour de malversation auprès du calife. Il fut sommé de se rendre sans retard au palais afin de montrer ses comptes et l'argent qui lui avait été confié. Il promit de venir; mais il se hâta d'aller trouver le vizir Ibn-Hodair, son ami, et, lui ayant exposé franchement la difficile et périlleuse situation dans laquelle il se trouvait, il le pria de lui prêter l'argent qu'il lui fallait pour combler son déficit. Ibn-Hodair lui donna à l'instant même la somme demandée. Alors Ibn-abî-Amir se rendit auprès du calife, et, lui montrant ses comptes ainsi que l'argent qui devait se trouver entre ses mains, il confondit ses accusateurs. Croyant le faire tomber en disgrâce, ceux-ci lui avaient au contraire préparé un éclatant triomphe. Le calife les traita de calomniateurs, et se répandit en éloges sur la capacité et la probité de l'inspecteur de la monnaie. Il le combla de dignités nouvelles. Au commencement de décembre de l'année 968, il lui donna le poste de curateur aux successions vacantes, et, onze mois plus tard, celui de cadi de Séville et de Niébla; puis, le jeune Abdérame étant venu à mourir, il le nomma intendant des biens de Hichâm, qui était désormais l'héritier présomptif du trône (juillet 970). Ce n'était pas tout encore. En février 972, Ibn-abî-Amir fut nommé commandant du deuxième régiment du corps qui portait le nom de *Chorta* et qui était chargé d'exercer la police dans la capitale. A l'âge de trente et un ans, il cumulait donc cinq ou six postes importants et fort lucratifs. Aussi vivait-il dans un luxe grandiose et presque princier. Le palais qu'il avait fait bâtir à Roçâfa était d'une incomparable magnificence. Une armée de secrétaires et d'autres employés, choisis dans les rangs les plus élevés de la société, y mettait la vie et le mouvement. On y tenait table ouverte. La porte était sans cesse encombrée de solliciteurs. Au reste Ibn-abî-Amir saisissait chaque occasion qui pouvait servir à le rendre populaire, et il y réussissait complétement. Tout le monde vantait sa complaisance, sa courtoisie, sa générosité, la noblesse de son caractère; il n'y avait à ce sujet qu'une seule opinion.

L'étudiant de Torrox était donc déjà parvenu à une haute fortune, mais il voulait monter plus haut encore, et ce qu'il jugeait surtout nécessaire pour atteindre ce but, c'était de se faire des amis parmi les généraux. Les affaires de la Mauritanie lui en fournirent les moyens.

Dans ce pays la guerre entre les partisans des Fatimides et ceux des Omaiyades n'avait pas discontinué un seul instant, mais elle avait pris un autre caractère. Abdérame III avait combattu les Fatimides pour préserver sa patrie d'une invasion étrangère. A l'époque dont nous parlons, ce péril n'existait plus. Les Fatimides avaient tourné leurs armes contre l'Egypte. Dans l'année 969, ils avaient conquis ce pays, et trois années plus tard leur calife Moïzz avait quitté Mançourîa, la capitale de son empire, pour aller fixer sa résidence sur les bords du Nil, après avoir confié la vice-royauté de l'Ifrikia et de la Mauritanie au prince Cinhédjite Abou-'l-Fotouh Yousof ibn-Zîrî. Dès lors l'Espagne n'avait plus rien à craindre des prétendus descendants d'Alî, et comme les possessions africaines lui coûtaient bien plus qu'elles ne lui rapportaient, Hacam aurait peut-être agi sagement de les abandonner. Mais en le faisant, il aurait cru manquer à l'honneur, et au lieu de renoncer à ces domaines, il tâchait au contraire d'en reculer les frontières. Il faisait donc une guerre de conquête contre les princes de la dynastie d'Edris, qui tenaient pour les Fatimides.

Hasan ibn-Kennoun, qui régnait sur Tanger, Arzilla et d'autres places du littoral, était de ce nombre. Il s'était déclaré tantôt pour les Omaiyades, tantôt pour les Fatimides, selon que les uns ou les autres étaient les plus puissants; cependant il avait plus de penchant pour les derniers, qui lui paraissaient moins à craindre que les Omaiyades dont les possessions touchaient aux siennes. Aussi s'était-il déclaré le premier de tous pour Abou-'l-Fotouh, lorsque ce vice-roi fut venu dans la Mauritanie, qu'il parcourut en vainqueur. Hacam lui gardait rancune à cause de sa défection, et après le départ d'Abou'l-Fotouh, il ordonna au général Ibn-Tomlos d'aller punir Ibn-Kennoun et le réduire à l'obéissance. Au commencement du mois d'août de l'année 972, Ibn-Tomlos s'embarqua donc avec une nombreuse armée, et, ayant tiré à soi une grande partie de la garnison de Ceuta, il marcha contre Tanger. Ibn-Kennoun, qui se trouvait dans cette ville, alla à sa rencontre; mais il essuya une déroute si complète, qu'il ne put pas même songer à rentrer dans Tanger. Abandonnée ainsi à elle même, cette ville se vit bientôt forcée de capituler avec l'amiral omaiyade qui bloquait son port, et de son côté, l'armée de terre s'empara de Deloul et d'Arzilla.

Jusque-là les troupes omaiyades avaient été victorieuses; mais la fortune changea pour elles. Ayant appelé de nouvelles levées sous ses drapeaux, Ibn-Kennoun reprit l'offensive et marcha sur Tanger. Il battit Ibn-Tomlos qui était allé à sa rencontre et qui trouva la mort sur le champ de bataille. Alors tous les autres princes édrisides levèrent l'étendard de la révolte, et les officiers de Hacam, qui s'étaient retirés dans Tanger, lui écrivirent que, s'ils ne recevaient pas sans retard des renforts, c'en était fait de la domination omaiyade en Mauritanie.

Sentant la gravité du péril, Hacam résolut aussitôt d'envoyer en Afrique ses meilleures troupes et son meilleur général, le vaillant Ghâlib. L'ayant fait venir à Cordoue: «Pars, Ghâlib, lui dit-il; prends soin de ne revenir ici que comme vainqueur, et sache que tu ne pourras te faire pardonner une défaite qu'en mourant sur le champ de bataille. N'épargne pas l'argent; répands-le à pleines mains entre les partisans des rebelles. Détrône tous les Edrisides et envoie-les en Espagne.»

Ghâlib traversa le Détroit avec l'élite des troupes espagnoles. Il débarqua à Caçr-Maçmouda, entre Ceuta et Tanger, et se porta aussitôt en avant. Ibn-Kennoun tenta de l'arrêter; cependant il n'y eut pas de bataille proprement dite, mais seulement des escarmouches qui durèrent plusieurs jours, et pendant lesquelles Ghâlib tâcha de corrompre les chefs de l'armée ennemie. Il y réussit. Séduits par l'or qu'on leur offrait, ainsi que par les superbes vêtements et les épées ornées de pierreries que l'on faisait briller à leurs yeux, les officiers d'Ibn-Kennoun passèrent presque tous sous le drapeau omaiyade. L'Edriside n'eut d'autre parti à prendre que de se jeter dans une forteresse qui se trouvait sur la crête d'une montagne, non loin de Ceuta, et qui portait le nom fort bien choisi de *Rocher des aigles*.

Le calife reçut avec beaucoup de joie la nouvelle de ce premier succès; mais quand il apprit combien d'argent Ghâlib avait dépensé pour acheter les chefs berbers, il trouva que ce général avait pris un peu trop à la lettre la recommandation qu'il lui avait faite. En effet, soit qu'on gaspillât en Mauritanie les trésors de l'Etat, soit qu'on les volât, les dépenses que l'on portait au compte du calife passaient toute mesure. Voulant mettre un terme à ces prodigalités ou à ces brigandages, Hacam résolut d'envoyer en Mauritanie, en qualité de contrôleur général des finances, un homme d'une probité éprouvée. Son choix tomba sur Ibn-abî-Amir. Il le nomma cadi suprême de la Mauritanie, en lui enjoignant de surveiller toutes les actions des généraux et particulièrement leurs opérations financières. En même temps il fit parvenir à ses officiers militaires et civils l'ordre de ne rien entreprendre sans avoir consulté préalablement Ibn-abî-Amir et de s'être assurés qu'il approuvait leurs plans.

Pour la première fois de sa vie, Ibn-abî-Amir se trouva ainsi mis en rapport avec l'armée et ses chefs. C'était justement ce qu'il désirait; mais il aurait préféré sans doute que la chose eût eu lieu dans d'autres circonstances et à d'autres conditions. La tâche qu'il avait à remplir était extrêmement difficile et délicate. Son propre intérêt lui commandait de s'attacher les généraux, et cependant il avait été envoyé dans le camp pour exercer sur eux une surveillance toujours plus ou moins odieuse. Grâce à la rare adresse dont lui seul possédait le secret, il sut toutefois se tirer d'affaire et concilier son intérêt avec son devoir. Il s'acquitta de sa mission à l'entière satisfaction du calife; mais il le fit avec tant de ménagements pour les officiers, que ceux-ci, au lieu de le prendre en haine, comme on aurait pu le craindre, ne tarissaient pas sur son éloge. En même temps il forma des liaisons avec les princes africains et les chefs des tribus berbères, liaisons qui dans la suite lui furent fort utiles. Il s'accoutuma aussi à la vie des camps, et il gagna l'affection des soldats auxquels un instinct secret disait peut-être qu'il y avait dans ce cadi l'étoffe d'un guerrier.

Cependant Ghâlib, après avoir soumis tous les autres Edrisides, était allé assiéger Ibn-Kennoun dans son Rocher des aigles, et comme ce château était, sinon inexpugnable, du moins fort difficile à prendre, le calife avait envoyé en Mauritanie des troupes nouvelles, tirées des garnisons qui couvraient les frontières septentrionales de l'empire, et commandées par le vizir Yahyâ ibn-Mohammed Todjîbî, le vice-roi de la Frontière supérieure. Ce renfort étant arrivé en octobre 973, le siége fut poussé avec tant de vigueur qu'Ibn-Kennoun fut obligé de capituler (vers la fin de février 974). Il demanda et obtint que lui, sa famille et ses soldats auraient la vie sauve, et qu'on leur laisserait leurs biens; mais il dut consentir à livrer sa forteresse et s'engager à se rendre à Cordoue.

La Mauritanie pacifiée, Ghâlib repassa le Détroit, accompagné de tous les princes édrisides. Le calife et les notables de Cordoue allèrent au-devant du vainqueur, et l'entrée triomphale de Ghâlib fut une des plus belles dont la capitale des Omaiyades eût jamais été témoin (21 septembre 974). Au reste, le calife se montra fort généreux envers les vaincus et surtout envers Ibn-Kennoun. Il lui prodigua des cadeaux de toute sorte, et comme ses soldats, qui étaient au nombre de sept cents, étaient renommés par leur bravoure, il les prit à son service et fit inscrire leurs noms sur les rôles de l'armée.

L'entrée de Ghâlib dans la capitale avait été le dernier beau jour dans la vie du calife. Peu de temps après, vers le mois de décembre, il eut une grave attaque d'apoplexie. Sentant lui-même que sa fin approchait, il ne s'occupa plus que de bonnes œuvres. Il affranchit une centaine de ses esclaves, réduisitd'un sixième les contributions royales dans les provinces espagnoles de l'empire, et ordonna que le loyer des boutiques des selliers de Cordoue, lesquelles lui appartenaient, fût remis régulièrement et à perpétuité aux maîtres chargés de l'instruction des enfants pauvres. Quant aux affaires d'Etat, dont il ne pouvait plus s'occuper qu'à de rares intervalles, il en abandonna la direction au vizir Moçhafî, et l'on fut bientôt à même de s'apercevoir qu'une autre main tenait le gouvernail. Plus économe que son maître, Moçhafî trouva que l'administration des provinces africaines et l'entretien des princes édrisides coûtaient trop à l'Etat. Par conséquent, après avoir fait prendre à ces derniers l'engagement de ne plus rentrer en Mauritanie, il les fit partir pour Tunis, d'où ils se rendirent à Alexandrie, et, ayant rappelé en Espagne le vizir Yahyâ ibn-Mohammed le Todjîbide, qui depuis le départ de Ghâlib avait été vice-roi des possessions africaines, il confia le gouvernement de ces dernières aux deux princes indigènes Djafar et Yahyâ, fils d'Alî ibn-Hamdoun. Cette dernière mesure lui était dictée non-seulement par une sage économie, mais aussi par la crainte que lui inspiraient les chrétiens du Nord. Enhardis par la maladie du calife et par l'absence de ses meilleures troupes, ceux-ci avaient recommencé les hostilités dans le printemps de l'année 975, et, aidés par Abou-'l-Ahwaç Man, de la famille des Todjîbides de Saragosse, ils avaient mis le siège devant plusieurs forteresses musulmanes. Moçhafî jugea avec raison que dans ces circonstances il devait avant tout pourvoir à la défense du pays, et quand le brave Yahyâ ibn-Mohammed fut de retour, il se hâta de le nommer de nouveau vice-roi de la Frontière supérieure.

Quant au calife, une seule pensée l'occupait entièrement pendant les derniers mois de sa vie: celle d'assurer le trône à son fils encore enfant. Avant son avénement au trône, il n'avait pas vu se réaliser son vœu le plus cher, celui d'être père, et comme il était déjà assez avancé en âge, il désespérait presque de le devenir, lorsque, dans l'année 962, Aurore lui donna un fils qui reçut le nom d'Abdérame. Trois années plus tard, elle lui en donna un autre, Hichâm. La joie que la naissance de ces deux enfants causa au calife fut immense, et c'est de cette époque que datait l'influence presque illimitée qu'Aurore exerçait sur l'esprit de son époux. Mais sa joie fut bientôt troublée. Son fils aîné, l'espoir de sa vieillesse, mourut en bas âge. Il ne lui restait maintenant que Hichâm, et il se demandait avec anxiété si ses sujets, au lieu de reconnaître cet enfant pour leur souverain, ne donneraient pas plutôt la couronne à un de ses oncles. Cette inquiétude était assez naturelle. Jamais encore un roi mineur ne s'était assis sur le trône de Cordoue, et l'idée d'une régence répugnait extrêmement aux Arabes. Pourtant Hacam n'aurait voulu pour rien au monde qu'un autre que son fils lui succédât, et d'ailleurs une vieille prophétie disait que la dynastie omaiyade tomberait aussitôt que la succession sortirait de la ligne directe.

Pour assurer le trône à son fils, le calife ne voyait d'autre moyen que de lui faire prêter serment le plus tôt possible. Par conséquent, il convoqua les grands du royaume à une séance solennelle qui aurait lieu le 5 février 976. Au jour fixé il annonça son intention à l'assemblée, en invitant tous ceux qui en faisaient partie à signer un acte par lequel Hichâm était déclaré héritier du trône. Personne n'osa refuser sa signature, et alors le calife chargea Ibn-abî-Amir et le secrétaire d'Etat Maisour, un affranchi d'Aurore, de faire faire plusieurs copies de cet acte, de les envoyer dans les provinces espagnoles et africaines, et d'inviter, non-seulement les notables, mais encore les hommes du peuple, à y apposer leurs signatures. Cet ordre fut exécuté sur-le-champ, et comme on craignait trop le calife pour oser lui désobéir, les signatures ne firent défaut nulle part. En outre, le nom de Hichâm fut prononcé désormais dans les prières publiques, et quand Hacam mourut (1er octobre 976), il emporta dans la tombe la ferme conviction que son fils lui succéderait, et qu'au besoin Moçhafî et Ibn-abî-Amir, lequel venait d'être nommé majordome, sauraient faire respecter par les Andalous le serment qu'ils avaient prêté.

VII

Hacam avait rendu le dernier soupir entre les bras de ses deux principaux eunuques, Fâyic et Djaudhar. Eux exceptés, tout le monde ignorait encore qu'il avait cessé de vivre. Ils résolurent de tenir sa mort secrète, et se consultèrent sur le parti à prendre.

Quoique esclaves, ces deux eunuques, dont l'un portait le titre de maître de la garde-robe, l'autre celui de grand fauconnier, étaient des grands seigneurs, des hommes puissants. Ils avaient à leur service une foule de serviteurs armés qu'ils payaient, et qui n'étaient ni eunuques ni esclaves. En outre ils avaient sous leurs ordres un corps de mille eunuques slaves, tous esclaves du calife, mais en même temps fort riches, car ils possédaient de grosses terres et des palais. Ce corps, qui passait pour le plus bel ornement de la cour, jouissait de priviléges énormes. Ses membres opprimaient et maltraitaient les Cordouans de toutes les manières, et le calife, malgré son amour pour la justice, avait toujours fermé les yeux sur leurs délits et même sur leurs crimes. A ceux qui appelaient son attention sur les violences dont ils se rendaient coupables, il avait répondu invariablement: «Ces hommes sont les gardiens de mon harem; ils ont toute ma confiance et il m'est impossible de les réprimander sans cesse; mais je me tiens convaincu que si mes sujets les traitent avec douceur et avec respect, comme il est de leur devoir, ils n'auront pas à se plaindre d'eux.» Un tel excès de bonté avait rendu les Slaves vains et orgueilleux. Ils se considéraient comme le corps le plus puissant de l'Etat, et leurs chefs, Fâyic et Djaudhar, s'imaginaient que le choix du nouveau calife dépendait d'eux seuls.

Or, ni l'un ni l'autre ne voulaient de Hichâm. Si cet enfant montait sur le trône, le ministre Moçhafî, qu'ils n'aimaient pas, régnerait de fait, et leur influence serait à peu près nulle. La nation, il est vrai, avait déjà prêté serment à Hichâm; mais les deux eunuques appréciaient un serment politique à sa juste valeur, et ils savaient que la plupart de ceux qui avaient juré, l'avaient fait à contre-cœur. Ils n'ignoraient pas non plus que l'opinion publique repoussait l'idée d'une régence, et que bien peu de gens aimeraient à voir monter sur le trône un chef temporel et spirituel qui n'avait pas encore atteint sa douzième année. D'un autre côté, ils espéraient regagner facilement une popularité fort compromise, si, répondant au vœu général, ils donnaient la couronne à un prince d'un âge plus mûr. Joignez-y que ce prince, qui leur devrait son élévation, leur serait attaché par les liens de la reconnaissance, et qu'ils pouvaient se flatter de l'espoir de gouverner l'Etat sous son nom.

Ils résolurent donc bien vite d'écarter Hichâm. Ils tombèrent aussi d'accord de donner la couronne à son oncle Moghîra, qui comptait alors vingt-sept ans, à la condition toutefois que celui-ci nommerait son neveu son successeur, car ils ne voulaient pas avoir l'air de mettre tout à fait de côté les dernières volontés de leur ancien maître.

Ces points arrêtés: «Il faut maintenant faire venir Moçhafî, dit Djaudhar; nous lui couperons la tête, après quoi nous pourrons exécuter nos projets.» Mais l'idée de ce meurtre fit frémir Fâyic, qui, moins prévoyant que son collègue, était en revanche plus humain. «Bon Dieu! s'écria-t-il; comment, mon frère, vous voulez tuer le secrétaire de notre maître sans qu'il ait fait rien qui mérite la mort? Gardons-nous de commencer par répandre un sang innocent! A mon avis Moçhafî n'est pas dangereux, et je crois qu'il n'entravera pas nos projets.» Djaudhar ne fut pas de cette opinion; mais comme Fâyic était son supérieur, il fut obligé de lui céder. On résolut donc de gagner Moçhafî par la douceur, et on le fit venir au palais.

Quand il y fut arrivé, les deux eunuques l'informèrent de la mort du calife, et, lui ayant communiqué le projet qu'ils avaient formé, ils lui demandèrent son concours.

Le plan des eunuques répugnait extrêmement au ministre; mais comme il les connaissait et qu'il savait ce dont ils étaient capables, il feignit de l'approuver. «Votre projet, leur dit-il, est sans doute le meilleur que l'on puisse former. Exécutez-le; moi et mes amis, nous vous aiderons de tout notre pouvoir. Vous feriez bien, toutefois, de vous assurer de l'assentiment des grands du royaume; ce serait le meilleur moyen pour empêcher une révolte. Quant à moi, ma conduite est toute tracée: je garderai la porte du palais et j'attendrai vos ordres.»

Ayant réussi de cette manière à inspirer aux eunuques une fausse sécurité, Moçhafî convoqua ses amis, à savoir son neveu Hichâm, Ibn-abî-Amir, Ziyâd ibn-Aflah (un client de Hacam II), Câsim ibn-Mohammed (le fils du général Ibn-Tomlos qui avait péri en Afrique en combattant contre Ibn-Kennoun), et quelques autres hommes influents. Il fit venir aussi les capitaines des troupes espagnoles et les chefs du régiment africain sur lequel il comptait le plus, celui des Béni-Birzél. Puis, tous ses partisans étant réunis, il les instruisit de la mort du calife et du projet des eunuques; après quoi il continua en ces termes: «Si Hichâm monte sur le trône, nous n'aurons rien à redouter et nous pourrons faire tout ce que nous voudrons; mais si Moghîra l'emporte, nous perdrons nos postes et peut-être la vie, car ce prince nous hait.»

Toute l'assemblée fut de son avis, et on lui conseilla de faire échouer le projet des eunuques en faisant tuer Moghîra avant que celui-ci eût été instruit de la mort de son frère. Moçhafî approuva ce projet; mais quand il demanda qui se chargerait de l'exécuter, il ne reçut point de réponse. Personne ne voulait se souiller d'un tel assassinat.

Ibn-abî-Amir prit alors la parole. «Je crains, dit-il, que nos affaires ne tournent à mal. Nous sommes les amis du chef que voici; ce qu'il commande, il faut le faire, et puisque personne d'entre vous ne veut se charger de cette entreprise, je m'en charge, moi, pourvu toutefois que notre chef y consente. Ne craignez donc rien et ayez confiance en moi.»

Ces paroles excitèrent une surprise générale. On ne s'attendait pas à voir un fonctionnaire civil se présenter pour accomplir un meurtre que des guerriers accoutumés à la vue du sang et du carnage n'osaient pas commettre. On accepta toutefois son offre avec empressement, et on lui dit: «Vous avez raison, après tout, de vous charger de l'exécution de ce projet. Comme vous avez l'honneur d'être admis dans l'intimité du calife Hichâm et que vous jouissez aussi de l'estime de plusieurs autres membres de la famille royale, personne ne pourrait remplir aussi bien que vous une tâche aussi délicate.»

Ibn-abî-Amir monta donc à cheval, et, accompagné du général Bedr (un client d'Abdérame III), de cent gardes du corps et de quelques escadrons espagnols, il se rendit vers le palais de Moghîra. Quand il y fut arrivé, il posta les gardes du corps à la porte, fit cerner le palais par les autres troupes, et, pénétrant seul dans la salle où se trouvait le prince, il lui dit que le calife n'était plus et que Hichâm lui avait succédé. «Cependant, ajouta-t-il, les vizirs craignent que vous ne soyez mécontent d'un tel arrangement, et ils m'ont envoyé auprès de vous pour vous demander ce que vous en pensez.»

Le prince pâlit à ces paroles. Il ne comprenait que trop bien ce qu'elles signifiaient, et, voyant déjà le glaive suspendu sur sa tête, il dit d'une voix tremblante: «La mort de mon frère m'afflige plus que je ne puis vous le dire; mais j'apprends avec satisfaction que mon neveu lui a succédé. Que son règne soit long et heureux! Quant à ceux qui vous ont envoyé vers moi, dites-leur que je leur obéirai en toutes choses et que je tiendrai le serment que j'ai déjà prêté à Hichâm. Exigez de moi toutes les garanties que vous voudrez; mais si vous êtes venu pour autre chose encore, je vous supplie d'avoir pitié de moi. Ah! je vous en conjure par l'Eternel, épargnez mes jours et réfléchissez mûrement à ce que vous allez faire!»

Ibn-abî-Amir eut pitié de la jeunesse du prince, et, se laissant gagner par son air candide, il crut à la sincérité de ses protestations. Il n'avait pas reculé devant l'idée d'un meurtre qu'il jugeait nécessaire au bien de l'Etat et à ses propres intérêts, mais il ne voulait pas souiller ses mains du sang d'un homme qu'il ne croyait pas à craindre. Il écrivit donc à Moçhafî pour lui dire qu'il avait trouvé le prince dans les meilleures dispositions, qu'il n'y avait rien à redouter de sa part, et que par conséquent il demandait l'autorisation de lui laisser la vie. Il chargea un soldat d'aller porter ce billet au ministre. Bientôt après, ce soldat revint avec la réponse de Moçhafî. Elle était conçue en ces termes: «Tu gâtes tout par tes scrupules, et je commence à croire que tu nous as trompés. Fais ton devoir, sinon nous enverrons un autre à ta place.»

Ibn-abî-Amir montra au prince ce billet qui contenait son arrêt de mort; puis, ne voulant pas être témoin de l'acte horrible qui allait s'accomplir, il quitta la salle et ordonna aux soldats d'y entrer. Sachant ce qu'ils avaient à faire, ceux-ci étranglèrent le prince, et, ayant suspendu son cadavre dans un cabinet contigu, ils dirent aux domestiques que le prince s'était pendu alors qu'ils voulaient le forcer d'aller rendre hommage à son neveu. Bientôt après, ils reçurent d'Ibn-abî-Amir l'ordre d'enterrer le cadavre dans la salle et d'en murer les portes.

Sa tâche accomplie, Ibn-abî-Amir retourna auprès du ministre, et lui dit que ses ordres avaient été exécutés. Moçhafî le remercia avec effusion, et pour lui montrer sa reconnaissance, il le fit asseoir à ses côtés.

Fâyic et Djaudhar ne tardèrent pas à apprendre que Moçhafî les avait trompés et qu'il avait déjoué leur projet. L'un et l'autre, mais Djaudhar surtout, étaient furieux. «Vous voyez maintenant, dit-il à son collègue, que j'avais raison lorsque je soutenais qu'avant tout il fallait nous débarrasser de Moçhafî; mais vous n'avez pas voulu me croire.» Cependant ils furent obligés de faire bonne mine à mauvais jeu, et, étant venus trouver Moçhafî, ils lui firent leurs excuses en disant qu'ils avaient été mal inspirés et que son plan valait beaucoup mieux que le leur. Le ministre, qui les haïssait autant qu'il était haï par eux, mais qui en ce moment ne pouvait pas encore songer à les punir, fit semblant d'agréer leurs explications, de sorte qu'en apparence du moins, la paix était rétablie entre eux et lui.

Dans la matinée du lendemain, lundi 2 octobre, les habitants de Cordoue reçurent l'ordre de se rendre au palais. Quand ils y furent arrivés, ils trouvèrent le jeune calife dans la salle du trône. Près de lui se tenait Moçhafî, qui avait Fâyic à sa droite et Djaudhar à sa gauche. Les autres dignitaires étaient aussi à leurs places. Le cadi Ibn-as-Salîm fit d'abord prêter le serment par les oncles et les cousins du monarque, puis par les vizirs, les serviteurs de la cour, les principaux Coraichites et les notables de la capitale. Cela fait, Ibn-abî-Amir fut chargé de le faire prêter par le reste de l'assemblée. La chose n'était pas aisée, car il y avait des réfractaires; mais grâce à son éloquence et à son talent de persuasion, Ibn-abî-Amir réussit à la mener à bonne fin, de sorte qu'il y eut à peine deux ou trois personnes qui persistèrent dans leur refus. Aussi tout le monde fut d'accord pour louer le tact et l'habileté dont l'inspecteur de la monnaie avait fait preuve à cette occasion.

Jusque-là tout avait réussi à Moçhafî et ses partisans, et l'avenir semblait sans nuages. Le peuple, à en juger par son attitude calme et résignée, s'était accoutumé à l'idée d'une régence, qui naguère lui inspirait tant d'aversion et d'effroi. Mais ces apparences étaient trompeuses; le feu couvait sous la cendre. On maudissait en secret les grands seigneurs avides et ambitieux qui s'étaient emparés du pouvoir, et qui avaient inauguré leur règne par le meurtre de l'infortuné Moghîra. Les eunuques slaves prirent grand soin de fomenter le mécontentement des habitants de la capitale, et en peu de temps il devint tel que d'un instant à l'autre il pouvait se changer en révolte. Ibn-abî-Amir, qui ne se faisait pas illusion sur cette disposition des esprits, conseilla alors à Moçhafî d'intimider le peuple par une promenade militaire, de réveiller chez lui l'amour qu'il avait toujours eu pour ses monarques en lui montrant le jeune calife, et de le contenter par l'abolition de quelque impôt. Le ministre ayant approuvé ces propositions, on résolut que le calife se montrerait au peuple le samedi 7 octobre. Dans la matinée de ce jour, Moçhafî, qui jusque-là n'avait porté que le titre de vizir, fut nommé, ou plutôt se nomma lui-même, hâdjib ou premier ministre, tandis qu'Ibn-abî-Amir, conformément à la volonté expresse d'Aurore, fut promu à la dignité de vizir, à la charge de gouverner l'Etat conjointement avec Moçhafî. Ensuite Hichâm II parcourut à cheval les rues de la capitale, entouré d'un nombre immense de soldats et accompagné d'Ibn-abî-Amir. En même temps on publia un décret en vertu duquel l'impôt sur l'huile, l'un des plus odieux et qui pesait principalement sur les classes inférieures, fut aboli. Ces mesures, la dernière surtout, produisirent l'effet qu'on s'en était promis, et comme Ibn-abî-Amir prit soin de faire dire par ses amis que c'était lui qui avait conseillé l'abolition de l'impôt sur l'huile, le peuple des rues, celui qui fait les émeutes, le proclama un véritable ami des pauvres.

Les eunuques, toutefois, continuaient à ourdir des complots, et Moçhafî fut informé par ses espions que des personnes fort suspectes et qui semblaient servir d'intermédiaires entre les eunuques et leurs amis du dehors, passaient et repassaient sans cesse par la porte de Fer. Afin de rendre la surveillance plus facile, le premier ministre fit murer cette porte, de manière qu'on ne pouvait plus entrer dans le palais que par celle de la Sodda. En outre il pria Ibn-abî-Amir de faire tous ses efforts pour enlever à Fâyic et Djaudhar leurs serviteurs armés qui n'étaient ni eunuques ni esclaves. Ibn-abî-Amir le lui promit, et à force d'argent et de promesses il y réussit si bien, que cinq cents hommes quittèrent le service des deux eunuques pour le sien. Comme il pouvait compter en outre sur l'appui du régiment africain des Beni-Birzél, sa puissance était bien plus grande que celle de ses adversaires. Djaudhar le comprit, et fort mécontent de ce qui se passait, il offrit sa démission comme grand fauconnier et demanda la permission de quitter le palais califal. Ce n'était qu'une ruse. Croyant qu'on ne pouvait se passer de ses services, il se tenait assuré que sa demande lui serait refusée, et qu'alors il aurait l'occasion de dicter à ses adversaires les conditions auxquelles il consentait à rester à son poste. Son espoir fut trompé. Contre son attente, sa démission fut acceptée. Ses partisans en furent exaspérés outre mesure; ils se répandirent en invectives et en menaces contre Moçhafî et contre Ibn-abî-Amir. Un de leurs chefs, Dorrî, le majordome en second, se signala surtout par la violence de ses discours. Alors Moçhafî chargea Ibn-abî-Amir de chercher un moyen quelconque pour le débarrasser de cet homme. Ce moyen n'était pas difficile à trouver. Dorrî était seigneur de Baéza, et les habitants de ce district avaient fort à souffrir de la tyrannie et de la rapacité des intendants de leur maître. Ibn-abî-Amir profita de cette circonstance. Il fit dire secrètement aux habitants de Baéza que s'ils voulaient venir porter plainte contre leur seigneur et ses employés, ils pouvaient être assurés que le gouvernement leur donnerait raison. Ils ne manquèrent pas de le faire, et Dorrî fut sommé par un ordre du calife de se rendre à l'hôtel du vizirat afin d'y être confronté avec ses sujets. Il obéit; mais arrivé à l'hôtel et voyant qu'on y avait déployé un grand appareil militaire, il craignit pour sa vie et voulut retourner sur ses pas. Ibn-abî-Amir l'en empêcha en le saisissant au collet. Une lutte s'ensuivit, pendant laquelle Dorrî tira son adversaire par la barbe. Alors Ibn-abî-Amir appela les soldats à son secours. Les troupes espagnoles ne bougèrent pas; elles respectaient trop Dorrî pour oser porter la main sur lui; mais les Beni-Birzél, qui ne partageaient pas leurs scrupules, accoururent en toute hâte, arrêtèrent Dorrî, et se mirent à le maltraiter. Un coup de plat de sabre lui enleva ses facultés intellectuelles. On le porta aussitôt à sa demeure, où on l'acheva pendant la nuit.

Sentant que par ce meurtre ils s'étaient brouillés irréparablement avec les Slaves, les deux ministres prirent à l'instant même une mesure décisive. Fâyic et ses amis reçurent l'ordre, de la part du calife, de quitter sur-le-champ le palais; puis on leur intenta des procès à cause de malversation, et ils furent condamnés à des amendes fort considérables, qui, en les appauvrissant, les mirent hors d'état de nuire désormais aux ministres. A l'égard de Fâyic, que l'on jugeait le plus dangereux de tous, l'on montra encore plus de rigueur. Il fut exilé dans une des îles Baléares, où il mourut quelque temps après. Quant aux eunuques qui s'étaient moins compromis, on leur laissa leurs emplois, et l'un d'entre eux, Socr, fut nommé chef du palais et des gardes du corps.

Ces mesures, quoique prises par les duumvirs dans leur propre intérêt, les rendaient cependant populaires. La haine que les Cordouans portaient aux Slaves dont ils avaient eu tant à souffrir, était immense, et ils se réjouirent fort de leur ruine.

D'un autre côté, toutefois, le gouvernement excitait de violents murmures par son inaction vis-à-vis des chrétiens du Nord. Ces derniers, qui, comme nous l'avons dit, avaient recommencé les hostilités à l'époque où Hacam II était tombé malade, devenaient de plus en plus audacieux et poussaient même des expéditions hardies jusqu'aux portes de Cordoue. Moçhafî ne manquait, pour les repousser, ni d'argent ni de troupes; mais ne comprenant rien à la guerre, il ne faisait presque rien pour la défense du pays. La sultane Aurore s'alarmait avec raison et des progrès des chrétiens et du mécontentement des Andalous qui en était la suite. Elle communiqua ses craintes à Ibn-abî-Amir, qui de son côté s'indignait depuis longtemps de la faiblesse et de l'incapacité de son collègue, mais qui rassura la sultane en lui disant que s'il réussissait à obtenir de l'argent et le commandement de l'armée, il était certain de battre l'ennemi. A la suite de cet entretien il montra clairement à son collègue que s'il persistait dans son inaction, le pouvoir lui échapperait sous peu, et qu'il était non-seulement de son devoir, mais encore de son intérêt, de prendre sans retard des mesures énergiques. Moçhafî, qui sentait qu'il avait raison, rassembla alors les vizirs et leur proposa d'envoyer une armée contre les chrétiens. Cette proposition, combattue par quelques-uns, fut approuvée par la majorité; il s'agissait seulement de savoir qui commanderait l'armée, et la responsabilité dans cette circonstance paraissait si grande aux vizirs qu'aucun d'entre eux ne voulait la prendre sur lui. «Je me charge de commander les troupes, dit alors Ibn-abî-Amir, mais à la condition que j'aurai la liberté de les choisir moi-même, et qu'on me donnera un subside de cent mille pièces d'or.» Cette somme parut exorbitante à un vizir et il le dit. «Eh bien! s'écria alors Ibn-abî-Amir, prenez-en deux cent mille, vous, et mettez-vous à la tête de l'armée si vous l'osez!» L'autre ne l'osa pas, et l'on résolut de confier le commandement à Ibn-abî-Amir et de lui donner l'argent qu'il demandait.

Ayant choisi pour l'accompagner les meilleures troupes de l'empire, le vizir se mit en campagne vers la fin du mois de février de l'année 977. Il franchit la frontière et mit le siége devant la forteresse de los Baños, une de celles que Ramire II avait fait rebâtir après sa glorieuse victoire de Simancas. S'étant rendu maître du faubourg, il fit un ample butin, et vers le milieu d'avril il retourna à Cordoue avec un grand nombre de prisonniers.

Le résultat de cette campagne, bien que peu important au fond, causa cependant une grande joie dans la capitale, ce qui, dans les circonstances données, était assez naturel. Pour la première fois depuis le commencement de la guerre, l'armée musulmane avait repris l'offensive et donné une leçon à l'ennemi, leçon dont celui-ci se souvint si bien que dans la suite il ne s'avisa plus de venir troubler le sommeil des Cordouans. C'était beaucoup aux yeux de ces derniers, et pour le moment ils ne demandaient rien de plus; mais s'ils s'exagéraient peut-être les succès obtenus, il est impossible de méconnaître la grande importance que cette campagne avait eue pour Ibn-abî-Amir lui-même. Voulant gagner l'affection de l'armée, qui peut-être avait encore une certaine défiance pour cet ex-cadi transformé en général, il lui avait prodigué l'or qu'il avait reçu à titre de subside, et pendant toute la durée de la campagne il avait tenu table ouverte. Son projet lui avait pleinement réussi. Officiers et soldats s'extasiaient sur l'affabilité du vizir, sur sa libéralité et jusque sur les talents de ses cuisiniers. Dorénavant il pouvait compter sur leur dévoûment; pourvu qu'il continuât à récompenser largement leurs services, ils étaient à lui de corps et d'âme.

VIII

Au fur et à mesure que la puissance d'Ibn-abî-Amir augmentait, Moçhafî perdait de son crédit. Cet homme avait peu de mérite. Il était d'humble naissance, mais comme son père, un Berber du pays valencien, avait été le précepteur de Hacam, ce prince avait de bonne heure reporté sur le fils l'affection et l'estime qu'il avait eues pour le père. Moçhafî avait d'ailleurs les talents que Hacam appréciait le plus: il était homme de lettres et poète. Sa fortune avait été merveilleuse. D'abord secrétaire intime de Hacam, il était devenu successivement colonel du deuxième régiment de la *Chorta*, gouverneur de Majorque et premier secrétaire d'Etat. Mais il n'avait pas su se faire des amis. Il avait toute la morgue d'un parvenu; son insupportable orgueil blessait les nobles qui le méprisaient à cause de sa basse extraction. Devenu premier ministre, il avait semblé d'abord vouloir se corriger de ce défaut; mais bientôt après il avait repris ses manières hautaines. Sa probité était plus que suspecte. Peu de fonctionnaires, il est vrai, étaient alors à l'abri d'un tel reproche; aussi lui eût-on pardonné peut-être ses concussions manifestes, s'il eût consenti à partager ses dépouilles avec d'autres; mais il gardait tout pour lui, et c'est ce qu'on ne lui pardonnait pas. On l'accusait en outre de népotisme; presque tous les postes importants étaient entre les mains de ses fils et de ses neveux. Quant aux talents requis dans un homme d'Etat, Moçhafî n'en possédait aucun. Dans toutes les circonstances qui sortaient du commun des choses, il ne savait jamais que résoudre ou que faire; d'autres personnes devaient alors penser et agir pour lui, et ordinairement il s'adressait à Ibn-abî-Amir. Ce dernier se contenterait-il longtemps du rôle de confident et de conseiller que Moçhafî lui faisait jouer? Des esprits clairvoyants en doutaient; ils croyaient s'apercevoir que le moment n'était pas loin où Ibn-abî-Amir voudrait être premier ministre de nom, comme il l'était de fait.

Ils ne se trompaient pas. Ibn-abî-Amir avait déjà résolu de faire tomber Moçhafî; il y travaillait activement mais sourdement. Il ne changea rien à sa conduite envers son collègue; il continua à lui témoigner le même respect que par le passé; mais en secret il le contrariait en toutes choses et ne perdait aucune occasion pour appeler l'attention d'Aurore sur son incapacité et sur les fautes qu'il commettait. Moçhafî ne se doutait de rien; ce n'était pas Ibn-abî-Amir qui lui inspirait des craintes, il le croyait au contraire son meilleur ami, mais c'était Ghâlib, le gouverneur de la Frontière inférieure, qui exerçait sur les troupes une influence illimitée. En effet, Ghâlib haïssait et méprisait Moçhafî, et il ne s'en cachait pas. Justement fier des lauriers qu'il avait cueillis sur je ne sais combien de champs de bataille, il s'indignait de ce qu'un homme de rien et qui n'avait jamais tiré l'épée fût premier ministre. Il disait hautement que ce poste lui appartenait. En apparence il obéissait encore à Moçhafî; mais par sa conduite tout au moins ambiguë il montrait assez que le gouvernement n'avait pas à compter sur lui. Depuis la mort de Hacam il faisait la guerre contre les chrétiens avec une mollesse qui formait un bizarre contraste avec l'énergie bien connue de son caractère. Il ne trahissait pas encore, il ne s'était pas encore mis en révolte ouverte, il n'avait pas encore appelé les chrétiens à son aide, mais sa conduite donnait à penser qu'avant peu il ferait tout cela, et s'il le faisait, la chute du premier ministre était inévitable. Comment celui-ci aurait-il pu résister au meilleur général et aux meilleurs soldats de l'empire, qui seraient secondés par les Léonais et les Castillans? D'ailleurs, au moindre échec qu'il éprouverait, ses nombreux ennemis saisiraient l'occasion aux cheveux pour lui faire perdre son poste, ses richesses, sa tête peut-être.

Moçhafî avait assez de perspicacité pour ne pas s'aveugler sur le péril qui le menaçait, et dans son angoisse il demanda conseil à ses vizirs et surtout à Ibn-abî-Amir. On lui répondit qu'il devait se concilier l'amitié de Ghâlib à quelque prix que ce fût. Il y consentit, et alors Ibn-abî-Amir s'offrit pour médiateur. La campagne qui allait s'ouvrir, disait-il, lui fournirait l'occasion de s'aboucher avec le gouverneur de la Frontière inférieure, et ce cas échéant, il se faisait fort d'amener la réconciliation que Moçhafî désirait.

Telles étaient ses paroles, mais il méditait un tout autre projet. Dans l'espoir d'arriver à un but éclatant, les voies tortueuses ne répugnaient pas à son ambition, et au lieu de tâcher de rapprocher les deux rivaux, il songeait au contraire au moyen de les brouiller encore davantage. Il agit en conséquence. Assurant toujours Moçhafî de son entier dévoûment à ses intérêts, il vantait à Aurore les grands talents de Ghâlib; il lui répétait à chaque instant qu'on ne pouvait se passer des services de ce général, et qu'il fallait se l'attacher en lui donnant un plus haut titre que ceux qu'il avait déjà. Ses menées portèrent leur fruit. Grâce à l'influence d'Aurore, Ghâlib fut promu à la dignité de Dhou-'l-vizâratain (chef de l'administration militaire et civile) et de généralissime de toute l'armée de la Frontière; mais Moçhafî ne s'était pas opposé à cette mesure, il y avait concouru au contraire, car Ibn-abî-Amir lui avait dit que ce serait un premier pas vers une réconciliation.

Le 23 mai, un mois seulement après son retour à Cordoue, Ibn-abî-Amir, qui venait d'être nommé généralissime de l'armée de la capitale, entreprit sa seconde expédition. A Madrid il eut une entrevue avec Ghâlib. Il se montra envers lui plein d'égards et de déférence, et gagna son cœur en lui disant qu'il considérait Moçhafî comme tout à fait indigne du poste élevé qu'il occupait. Bientôt une alliance étroite s'établit entre les deux généraux, qui résolurent de travailler de concert à la chute de Moçhafî. Puis, ayant franchi la frontière, ils prirent la forteresse de Mola, où ils firent beaucoup de butin et de prisonniers. La campagne finie, ils prirent congé l'un de l'autre; mais au moment où ils allaient se séparer, Ghâlib dit encore à son nouvel ami: «Cette expédition a été couronnée d'un plein succès; elle vous procurera une grande renommée, et la cour s'en réjouira tant qu'elle ne songera pas à scruter vos intentions ultérieures. Profitez de cette circonstance; ne quittez pas le palais avant d'avoir été nommé préfet de la capitale à la place du fils de Moçhafî.» Ibn-abî-Amir ayant promis de se souvenir de ce conseil, il reprit la route de Cordoue, tandis que Ghâlib retournait dans son gouvernement.

A vrai dire l'honneur de la campagne revenait à Ghâlib. C'est lui qui avait tout dirigé, tout ordonné, et Ibn-abî-Amir, qui n'en était encore qu'à son apprentissage en fait d'expéditions militaires, s'était bien gardé de contredire en quoi que ce fût ce général expérimenté et vieilli dans le métier des armes. Mais Ghâlib lui-même, qui voulait pousser son jeune allié, présenta les choses sous un tout autre jour. Il s'empressa d'écrire au calife qu'Ibn-abî-Amir avait fait des merveilles; que c'était à lui seul qu'on était redevable des succès obtenus, et qu'il avait droit à une récompense éclatante. Cette lettre, que la cour avait déjà reçue avant le retour d'Ibn-abî-Amir, l'avait disposée en sa faveur. Aussi obtint-il sans trop de peine d'être nommé préfet de la capitale en remplacement du fils de Moçhafî. Comment pouvait-on refuser quelque chose à un général qui revenait vainqueur pour la seconde fois, et dont le plus grand guerrier de l'époque vantait les talents et la bravoure? Et puis, l'on faisait bon marché du fils de Moçhafî, qui ne devait son élévation qu'au crédit de son père, et qui, loin de la justifier par sa conduite, s'en était montré tout à fait indigne. En effet, son avidité était telle que, pour peu qu'on lui donnât de l'argent, il fermait volontiers les yeux sur toutes choses, même sur les crimes les plus abominables. On disait avec raison qu'il n'y avait plus de police à Cordoue, que les brigands de haut et de bas étage pouvaient tout oser, qu'il fallait veiller toute la nuit pour ne pas être dépouillé ou massacré dans sa demeure, en un mot, que les habitants d'une ville frontière couraient moins de périls que les habitants de la résidence du calife.

Muni de son diplôme de préfet et vêtu de la pelisse d'honneur dont on l'avait gratifié, Ibn-abî-Amir se rendit sur-le-champ à l'hôtel de la préfecture. Mohammed-Moçhafî y siégeait entouré de toute la pompe qui appartenait à son rang. Son successeur lui montra l'ordre du calife et lui dit qu'il pouvait se retirer. Il obéit en soupirant.

A peine installé dans son nouvel emploi, Ibn-abî-Amir prit les mesures les plus énergiques pour rétablir la sécurité dans la capitale. Il annonça aux agents de police qu'il avait la ferme intention de sévir contre tous les malfaiteurs sans acception de personnes, et il les menaça des peines les plus sévères s'ils se laissaient corrompre. Intimidés par sa fermeté et sachant d'ailleurs qu'il exerçait sur eux la surveillance la plus active, les agents firent désormais leur devoir. On s'en aperçut bientôt dans la capitale. Les vols et les meurtres devenaient de plus en plus rares; l'ordre et la sécurité renaissaient; les honnêtes gens pouvaient dormir tranquilles, la police était là et veillait. Au reste, le préfet montra par un éclatant exemple qu'il avait parlé sérieusement alors qu'il avait dit qu'il n'épargnerait personne. Son propre fils ayant commis un forfait et étant tombé entre les mains de la police, il lui fit donner tant de coups de courroie que le jeune homme expira peu de temps après le châtiment qu'il avait subi.

Cependant Moçhafî avait enfin ouvert les yeux. La destitution de son fils, résolue en son absence et à son insu, ne lui permettait plus de douter de la duplicité d'Ibn-abî-Amir. Mais que pouvait-il contre lui? Son rival était déjà beaucoup plus puissant. Il s'appuyait sur la sultane, dont on le disait l'amant, et sur les grandes familles qui, attachées aux Omaiyades par les liens de la clientèle, se transmettaient de père en fils les emplois de la cour, et qui aimaient beaucoup mieux voir à la tête des affaires un homme de bonne maison, tel qu'Ibn-abî-Amir, qu'un parvenu qui les avait blessés par un orgueil ridicule et que rien ne justifiait. Il pouvait compter d'ailleurs sur l'armée, qui s'attachait de plus en plus à lui, et sur la population de la capitale, qui lui était profondément reconnaissante à cause de la sécurité qu'il lui avait rendue. Qu'est-ce que Moçhafî pouvait opposer à tout cela? Rien, si ce n'était l'appui de quelques individus isolés qui lui devaient leur fortune, mais sur la gratitude desquels il n'y avait pas beaucoup à compter. Dans cette lutte de la médiocrité contre le génie, les forces étaient par trop inégales. Moçhafî le comprit; il sentit qu'il ne lui restait qu'un seul moyen de salut, et il résolut de gagner Ghâlib, n'importe à quel prix.

Il lui écrivit donc; il lui fit les promesses les plus brillantes, les plus propres à le séduire, et, pour sceller leur alliance, il lui demanda la main de sa fille Asmâ pour son propre fils Othmân. Le général se laissa éblouir. Oubliant sa haine, il répondit au ministre qu'il acceptait ses offres et qu'il consentait au mariage proposé. Moçhafî se hâta de le prendre au mot, et le contrat de mariage était déjà dressé et signé, lorsqu'Ibn-abî-Amir eut vent de ces menées qui contrariaient tous ses projets. Sans perdre un instant, il fit jouer, pour faire échouer les plans de son collègue, tous les ressorts qu'il pouvait mettre en mouvement. A sa demande les personnages les plus influents de la cour écrivirent à Ghâlib; il lui écrivit lui-même pour lui dire que Moçhafî lui tendait un piége, pour lui rappeler tous les griefs qu'il avait contre ce ministre, pour le conjurer de rester fidèle aux promesses qu'il lui avait faites pendant la dernière campagne. Quant au mariage projeté, il disait que si Ghâlib désirait pour sa fille une alliance honorable, il ne devait pas la donner au fils d'un parvenu, mais à lui, Ibn-abî-Amir.

Ghâlib se laissa persuader qu'il avait eu tort. Il fit savoir à Moçhafî que le mariage dont il avait été question ne pouvait pas avoir lieu, et dans le mois d'août ou de septembre un nouveau contrat fut dressé et signé en vertu duquel Asmâ deviendrait l'épouse d'Ibn-abî-Amir.

Peu de temps après, le 18 septembre, ce dernier se mit de nouveau en campagne. Il prit le chemin de Tolède, et, ayant réuni ses forces à celles de son futur beau-père, il enleva aux chrétiens deux châteaux ainsi que les faubourgs de Salamanque. Après son retour il reçut le titre de Dhou-'l-vizâratain avec un traitement de quatre-vingts pièces d'or par mois. Le hâdjib lui-même ne touchait pas davantage.

Cependant le temps fixé pour son mariage approchait, et le calife, ou plutôt sa mère, laquelle, si elle était réellement l'amante d'Ibn-abî-Amir, n'était pas jalouse du moins, envoya à Ghâlib l'invitation de venir à Cordoue avec sa fille. Quand il y fut arrivé, il fut comblé d'honneurs. On lui donna le titre de hâdjib, et comme il était Dhou-'l-vizâratain et que Moçhafî ne l'était pas, il était dorénavant le premier dignitaire de l'empire. Aussi occupait-il la première place dans les séances solennelles, et alors il avait Moçhafî à sa droite et Ibn-abî-Amir à sa gauche.

Le mariage de ce dernier et d'Asmâ fut célébré le jour de l'an, fête chrétienne, mais à laquelle les musulmans prenaient part aussi. Le calife s'étant chargé de tous les frais, les festins furent d'une incomparable magnificence, et les Cordouans ne se rappelaient pas d'avoir jamais vu un cortége aussi superbe que celui qui entourait Asmâ au moment où elle sortait du palais califal pour se rendre à celui de son fiancé.

Ajoutons que ce mariage, bien que l'intérêt en eût été le motif, fut cependant heureux. Asmâ joignait un esprit fort cultivé à une beauté attrayante; elle sut captiver le cœur de son époux, et celui-ci lui donna toujours la préférence sur ses autres femmes.

Quant à Moçhafî, depuis que Ghâlib avait repoussé son alliance, il se sentait perdu. Le vide se faisait autour de lui. Ses créatures le quittaient pour aller encenser son rival. Autrefois, quand il se rendait au palais, on se disputait l'honneur de l'accompagner; maintenant il y allait seul. Son pouvoir était nul. Les mesures les plus importantes se prenaient à son insu. L'infortuné vieillard voyait approcher l'orage, et il l'attendait avec une morne résignation. L'affreuse catastrophe arriva plus tôt encore qu'il ne l'avait cru. Le lundi 26 mars de l'année 978, lui, ainsi que ses fils et ses neveux, furent destitués de toutes leurs fonctions et dignités. L'ordre fut donné de les arrêter et de mettre leurs biens sous le séquestre, jusqu'à ce qu'ils eussent été reconnus innocents du crime de malversation dont on les accusait.

Bien qu'un tel événement ne put le surprendre, Moçhafî en fut cependant profondément ému. Sa conscience n'était pas tranquille. Mainte injustice qu'il avait commise pendant sa longue carrière lui revenait à l'esprit et l'oppressait. Quand il prit congé de sa famille:

«Vous ne me reverrez pas vivant, dit-il; la terrible prière a été exaucée; depuis quarante ans j'attends ce moment!» Interrogé sur le sens de ces paroles énigmatiques: «Quand Abdérame régnait encore, dit-il, je fus chargé d'informer contre un accusé et de le juger. Je le trouvai innocent; mais j'avais mes raisons pour dire qu'il ne l'était pas, de sorte qu'il dut subir une peine infamante, qu'il perdit ses biens et qu'il resta longtemps en prison. Or une nuit que je dormais j'entendis une voix qui me criait: «Rends la liberté à cet homme! Sa prière a été exaucée, et un jour le sort qui l'a frappé te frappera aussi.» Je m'éveillai en sursaut et plein de frayeur. Je fis venir cet homme et je le priai de me pardonner. Il refusa de le faire. Alors je le conjurai de me dire au moins s'il avait adressé à l'Eternel une prière qui me concernait. — Oui, me répondit-il; j'ai prié Dieu de te faire mourir dans un cachot aussi étroit que celui où tu m'as fait gémir si longtemps. — Je me repentis alors de mon injustice et je rendis la liberté à celui qui en avait été la victime. Mais le remords venait trop tard!»

Les accusés furent conduits à Zahrâ, où se trouvait la prison d'Etat. Le général Hichâm-Moçhafî, un neveu du ministre, qui avait blessé Ibn-abî-Amir en s'attribuant l'honneur des succès remportés dans la dernière campagne, fut la première victime du ressentiment de cet homme puissant. A peine arrivé dans la prison, il fut mis à mort.

Le conseil d'Etat fut chargé d'instruire le procès de Moçhafî. Il dura fort longtemps. Les preuves ne manquaient pas pour établir que pendant son ministère Moçhafî s'était rendu coupable de malversation; par conséquent ses biens furent confisqués en partie, et son magnifique palais dans le quartier de Roçâfa fut vendu au plus offrant. Mais des accusations nouvelles surgissaient sans cesse contre lui, et les vizirs, qui voulaient par là plaire à Ibn-abî-Amir, les accueillaient avec empressement. Condamné ainsi à différentes reprises et pour plusieurs forfaits, Moçhafî fut dépouillé peu à peu de tout ce qu'il possédait, et cependant les vizirs, qui croyaient qu'il avait encore quelque chose qu'on pût lui extorquer, continuaient à le vexer et à l'accabler d'outrages. La dernière fois qu'il fut assigné à comparaître par-devant ses juges, il était tellement affaibli par l'âge, la captivité et le chagrin, qu'il avait de la peine à faire le long trajet de Zahrâ à l'hôtel du vizirat, et cependant son impitoyable gardien ne cessait de lui répéter d'un ton bourru qu'il lui fallait presser le pas et ne pas faire attendre le conseil. «Doucement, mon fils, lui dit alors le vieillard; tu veux que je meure et tu obtiendras ton désir. Ah! je voudrais pouvoir acheter la mort, mais Dieu y a mis un prix excessif!» Puis il improvisa ces vers:

Ne te fie jamais à la fortune, car elle est variable! Naguère encore les lions me craignaient, et maintenant je tremble à la vue d'un renard. Ah! quelle honte pour un homme de cœur que d'être obligé d'implorer la clémence d'un scélérat!

Quand il fut arrivé devant ses juges, il s'assit dans un coin de la salle sans saluer personne, ce que voyant: «Ton éducation a-t-elle donc été si mauvaise, lui cria le vizir Ibn-Djâbir, un complaisant d'Ibn-abî-Amir, que tu ignores même les lois les plus simples de la politesse?» Moçhafî garda le silence; mais comme Ibn-Djâbir continuait à lui lancer des injures: «Toi-même, dit-il enfin, tu manques aux égards que tu me dois; tu paies mes bienfaits d'ingratitude, et tu oses encore me dire que je manque aux lois de la politesse?» Un peu déconcerté par ces paroles, mais recouvrant aussitôt son audace: «Tu mens! lui cria Ibn-Djâbir; je te devrais des bienfaits, moi? Bien au contraire,» et il se mit à énumérer les griefs qu'il avait contre lui. Quand il eut fini: «Ce n'est pas pour ces choses-là que je te demande de la reconnaissance, lui répliqua Moçhafî; mais il n'en est pas moins vrai que lorsque tu t'étais approprié des sommes qui t'avaient été confiées et que le feu calife (Dieu aie son âme!) voulait te faire couper la main droite, j'ai demandé et obtenu ta grâce.» Ibn-Djâbir nia le fait et jura que c'était une calomnie infâme. «Je conjure tous ceux qui savent quelque chose là-dessus, s'écria alors le vieillard dans son indignation, de déclarer si j'ai dit vrai ou non. Oui, il y a du vrai dans ce que vous dites, lui répliqua le vizir Ibn-Iyâch; cependant, dans les circonstances où vous êtes, vous auriez mieux fait de ne pas rappeler cette vieille histoire.—Vous avez raison peut-être, lui répondit Moçhafî; mais cet homme m'a fait perdre patience, et j'ai dû dire ce que j'avais sur le cœur.»

Un autre vizir, Ibn-Djahwar, avait écouté cette discussion avec une répugnance croissante. Quoiqu'il n'aimât pas Moçhafî et qu'il eût même concouru à sa chute, il savait cependant qu'on doit des égards même à ses ennemis, et surtout à ses ennemis vaincus. Prenant maintenant la parole, il dit à Ibn-Djâbir d'un ton d'autorité que justifiaient de longs services et un nom aussi ancien et presque aussi illustre que celui de la dynastie elle-même: «Ne savez-vous donc pas, Ibn-Djâbir, que celui qui a eu le malheur d'encourir la disgrâce du monarque ne doit pas saluer les grands dignitaires de l'Etat? La raison en est évidente, car si ces dignitaires lui rendent son salut, ils manquent à leur devoir envers le sultan, et s'ils ne le lui rendent pas, ils manquent à leur devoir envers l'Eternel. Un homme qui est tombé en disgrâce ne doit donc pas saluer, Moçhafî sait cela.»

Tout honteux de la leçon qu'il venait de recevoir, Ibn-Djâbir garda le silence, tandis qu'un faible rayon de joie brilla dans les yeux presque éteints du malheureux vieillard.

On procéda ensuite à l'interrogatoire. Comme on produisait contre Moçhafî de nouvelles charges afin de lui extorquer encore une fois de l'argent: «Je jure par tout ce qu'il y a de plus sacré, s'écria-t-il, que je ne possède plus rien! Dussé-je être coupé par morceaux, je ne pourrais vous donner un seul dirhem!» On le crut, et on donna l'ordre de le reconduire à la prison.

A partir de cette époque, il fut tour à tour libre et prisonnier, mais toujours malheureux. Ibn-abî-Amir semblait prendre un barbare plaisir à le tourmenter, et l'on s'explique difficilement la haine implacable qu'il avait vouée à cet homme médiocre et qui n'était plus en état de lui nuire. Tout ce que l'on peut conjecturer à ce sujet, c'est qu'il ne pouvait lui pardonner le crime inutile qu'il l'avait forcé de commettre alors qu'il lui avait ordonné de tuer Moghîra. Quoi qu'il en soit, il le traînait à sa suite partout où il allait, sans même lui fournir de quoi pourvoir à ses besoins. Un secrétaire du ministre racontait que pendant une campagne il vit une nuit Moçhafî à côté de la tente de son maître, tandis que son fils Othmân lui donnait à boire, faute de mieux, un mauvais mélange d'eau et de farine. Le chagrin et le désespoir le minaient et le rongeaient, et il exhalait sa douleur dans des poèmes aussi harmonieux que touchants. Mais quoiqu'il eût dit un jour à son gardien qu'il désirait la mort, il se cramponnait à la vie avec une ténacité singulière, et de même qu'il avait manqué de perspicacité et d'énergie alors qu'il était encore au pouvoir, il manquait de dignité dans son malheur. Pour fléchir *le renard*, il s'abaissait aux demandes les plus humiliantes. Une fois il le supplia de lui confier l'éducation de ses enfants. Ibn-abî-Amir, qui ne concevait pas que l'on pût perdre jusqu'à ce point le respect de soi-même, ne vit qu'une ruse dans cette prière. «Il veut flétrir ma réputation et me faire passer pour un nigaud, dit-il. Bien des gens m'ont vu jadis à la porte de son palais, et pour le leur rappeler, il veut qu'on le voie à présent dans la cour du mien.»

Pendant cinq ans Moçhafî traîna ainsi une triste et pénible existence. Comme il semblait s'obstiner, en dépit de son grand âge et des nombreux dégoûts dont on l'abreuvait, à ne pas mourir, on lui ôta enfin la vie, soit en l'étranglant, soit en l'empoisonnant, car les auteurs arabes ne sont pas d'accord là-dessus.Quand il eut appris que son ancien rival avait cessé de vivre, Ibn-abî-Amir chargea deux de ses employés de prendre soin de l'inhumation. L'un d'eux, le secrétaire Mohammed ibn-Ismâîl, raconte ainsi la scène dont il avait été témoin: «Je trouvai que le cadavre ne présentait aucune trace de violence. Il était couvert seulement d'un vieux manteau qui appartenait à un porte-clefs. Un laveur que mon collègue, Mohammed ibn-Maslama, avait fait venir, lava le corps (je n'exagère rien) sur le battant d'une vieille porte qui avait été arrachée de ses gonds. Ensuite nous portâmes le brancard au tombeau, accompagnés seulement de l'imâm de la mosquée que nous avions chargé de réciter les prières des morts. Aucun passant n'osa jeter les yeux sur le cadavre. C'était pour moi une frappante leçon. Que l'on se figure que dans le temps où Moçhafî était encore tout-puissant, j'avais à lui remettre une requête destinée à lui seul. Je m'étais placé sur son passage; mais son cortége était si nombreux et les rues étaient d'ailleurs tellement encombrées de gens qui désiraient le voir et le saluer, qu'il me fut impossible, quelques efforts que je fisse, de m'approcher de lui, et que je fus obligé de confier ma requête à un de ses secrétaires qui chevauchaient à côté de l'escorte et qui étaient chargés de recevoir les écrits de ce genre. Au retour je comparais cette scène à celle dont je venais d'être témoin, et, réfléchissant à l'inconstance de la fortune, je sentais quelque chose qui m'oppressait et qui m'empêchait de respirer.»

IX

Le jour même où Moçhafî avait été destitué et arrêté, Ibn-abî-Amir avait été promu à la dignité de hâdjib. Dorénavant il partageait donc l'autorité suprême avec son beau-père, et sa puissance était si grande qu'il pouvait sembler téméraire de lui résister. On l'osa cependant. Le parti qui avait voulu donner la couronne à un autre qu'au jeune fils de Hacam II et dont l'eunuque Djaudhar était l'âme, existait encore, les vers satiriques que l'on chantait dans les rues de Cordoue en dépit de la police, ne l'attestaient que trop. Ibn-abî-Amir ne tolérait pas la moindre allusion à la liaison trop étroite peut-être qui existait entre lui et la sultane; il fit même mettre à mort une chanteuse à laquelle son maître, qui voulait la vendre au ministre, avait appris un chant d'amour sur Aurore; et cependant on fredonnait dans la rue des vers tels que ceux-ci:

Le monde touche à sa fin; tout va périr, car les choses les plus détestables se passent. Le calife est à l'école et sa mère est grosse du fait de ses deux amants.

Tant qu'on se bornait à chansonner la cour, le péril n'était pas fort grand; mais Djaudhar osa aller plus loin. De concert avec le président du tribunal d'appel, Abdalmélic ibn-Mondhir, il ourdit un complot dont le but était d'assassiner le jeune calife et de placer sur le trône un autre petit-fils d'Abdérame III, à savoir Abdérame ibn-Obaidallâh. Une foule de cadis, de faquis et d'hommes de lettres, parmi lesquels on remarquait l'ingénieux poète Ramâdî, trempèrent dans cette conspiration. Ramâdî portait à Ibn-abî-Amir une haine mortelle. Il avait été l'ami de Moçhafî et il était du petit nombre de ceux qui lui étaient restés fidèles alors même que la fortune lui eut tourné le dos. Il brûlait maintenant du désir de le venger, et il avait composé contre Ibn-abî-Amir des satires virulentes.

Les conjurés comptaient sur le succès de leur entreprise, d'autant plus que le vizir Ziyâd ibn-Aflah, qui remplissait alors le poste de préfet de la capitale, y connivait. Aussi étaient-ils convenus avec lui du jour et de l'heure où ils exécuteraient leur dessein. Djaudhar, qui n'était plus à la cour, mais qui, grâce à l'emploi qu'il avait eu, pouvait encore facilement approcher du souverain, s'était chargé d'assassiner ce dernier, et immédiatement après, ses complices proclameraient Abdérame IV.

Au jour fixé, lorsque le préfet eut quitté le palais califal pour retourner vers sa demeure qui était située à l'extrémité de la ville, et qu'en partant il eut emmené tous ses agents avec lui, Djaudhar demanda et obtint une audience. Arrivé en présence du calife, il tâcha de le poignarder; mais un certain Ibn-Arous, qui se trouvait dans la salle, se jeta sur lui avant qu'il eût pu accomplir son projet. Une lutte s'engagea pendant laquelle Djaudhar eut ses vêtements déchirés; mais Ibn-Arous ayant appelé les gardes à son secours, ceux-ci arrêtèrent l'eunuque. Peu de temps après, Ziyâd ibn-Aflah, qui avait entendu dire que le complot avait échoué, arriva en toute hâte au palais. Ibn-Arous lui reprocha sa nonchalance, et lui donna assez clairement à entendre qu'il le croyait complice du crime que Djaudhar avait voulu commettre; mais le préfet s'excusa de son mieux, protesta de sa fidélité au monarque, et, voulant démentir par son zèle les soupçons qui pesaient sur lui, il fit arrêter sur-le-champ les personnes suspectes, en ordonnant de les conduire, de même que Djaudhar, à la prison de Zahrâ.

On instruisit aussitôt le procès des conspirateurs, et le jugement ne se fit pas attendre. Le président du tribunal d'appel fut déclaré coupable du crime de haute trahison; mais ses juges n'indiquèrent pas avec précision la peine qu'il devrait subir; ils déclarèrent seulement qu'il tombait dans les termes de ce verset du Coran: «Voici quelle sera la récompense de ceux qui combattent Dieu et son apôtre, et qui emploient toutes leurs forces à commettre des désordres sur la terre: vous les mettrez à mort ou vous leur ferez subir le supplice de la croix; vous leur couperez les mains et les pieds alternés; ils seront chassés de leur pays.» Dans ce verset, on le voit, l'énonciation des peines est fort vague; aussi le tribunal laissa-t-il au calife le choix de celle qu'il fallait appliquer. Dans les circonstances données, c'était donc au conseil d'Etat de prononcer, et dans cette assemblée, dont il était membre, Ziyâd ibn-Aflah, qui faisait tous ses efforts pour regagner la faveur d'Ibn-abî-Amir, opina le premier à appliquer la peine la plus grave. Son avis prévalut, et Abdalmélic ibn-Mondhir subit le suplice de la croix. Le prétendant Abdérame fut aussi mis à mort. Quant à Djaudhar, nous ignorons ce que l'on décida à son égard; mais tout porte à croire qu'il fut crucifié. Le sort de Ramâdî, quoique nullement enviable, fut cependant moins dur. Ibn-abî-Amir, qui voulait l'exiler, se laissa fléchir par les prières des amis du poète; mais tout en lui permettant de rester à Cordoue, il mit à cette grâce une restriction cruelle: il fit proclamer par des hérauts que quiconque lui adresserait la parole serait sévèrement puni. Condamné ainsi à un mutisme perpétuel, le pauvre poète errait dorénavant *comme un mort* (c'est l'expression d'un auteur arabe) au milieu de la foule qui encombrait les rues de la capitale.

Cette conspiration avait prouvé au ministre que ses ennemis les plus acharnés se trouvaient précisément dans les rangs de ceux qui avaient étudié à ses côtés les belles-lettres, la théologie et le droit. Etait-ce un effet de la jalousie? En partie, oui; naguère encore leur égal et leur condisciple, Ibn-abî-Amir était monté trop haut pour que les faquis et les hommes de loi ne lui portassent pas envie. Mais ce n'était pas là le seul, ni même le principal motif de l'aversion qu'il leur inspirait: ils le haïssaient surtout à cause des principes religieux qu'ils lui attribuaient. Si l'on en excepte quelques penseurs hardis et quelques poètes esprits forts, les hommes élevés à l'école des professeurs de Cordoue étaient très-attachés à l'islamisme. Or Ibn-abî-Amir passait, à tort ou à raison, pour un musulman assez tiède. On ne pouvait lui adresser le reproche d'afficher des sentiments libéraux en matière de foi, il était trop prudent pour le faire; mais on disait qu'il aimait la philosophie et qu'en secret il cultivait beaucoup cette science. C'était en ce temps-là une accusation terrible. Ibn-abî-Amir le sentait. Philosophe ou non, il était avant tout homme d'Etat, et voulant ôter à ses ennemis l'arme redoutable dont ils se servaient contre lui, il résolut de montrer, par un acte éclatant d'orthodoxie, qu'il était bon musulman. Ayant donc fait venir les ulémas les plus considérés, tels qu'Acîlî, Ibn-Dhacwân et Zobaidî, il les conduisit dans la grande bibliothèque de Hacam II, où il leur dit qu'ayant formé le dessein d'anéantir les livres qui traitaient de philosophie, d'astronomie ou d'autres sciences prohibées par la religion, il les priait de faire eux-mêmes le triage. Ils se mirent aussitôt à l'œuvre; puis, quand ils eurent rempli leur tâche, le ministre fit jeter les livres condamnés dans un grand feu, et, afin de montrer son zèle pour la foi, il en brûla quelques-uns de ses propres mains.

C'était à coup sûr un acte de vandalisme, Ibn-abî-Amir était trop éclairé pour ne pas en juger ainsi lui-même, mais il n'en produisit pas moins un excellent effet parmi les ulémas et le bas peuple, d'autant plus que le ministre se montra depuis lors l'ennemi des philosophes et le soutien de la religion. Il entourait les ulémas d'égards et d'hommages, les comblait de faveurs, et écoutait leurs pieuses exhortations, si longues qu'elles fussent parfois, avec une attention et une patience tout à fait édifiantes. Il fit plus encore: il se mit à copier le Coran de ses propres mains, et désormais, quand il se mettait en voyage, il prenait toujours cette copie avec lui.

S'étant créé ainsi une réputation d'orthodoxie, réputation que bientôt on n'osa plus contester, tant elle était bien établie, il tourna son attention sur le calife, qui, à mesure qu'il avançait en âge, devenait plus à craindre pour lui.

Selon le témoignage de son précepteur Zobaidî, Hichâm II avait annoncé dans son enfance les dispositions les plus heureuses; tout ce qu'on lui enseignait, il l'apprenait avec une étonnante facilité, et il avait le jugement plus solide que la plupart des enfants de son âge. Mais quand tout jeune encore il fut monté sur le trône, sa mère et Ibn-abî-Amir s'appliquèrent à étouffer systématiquement ses facultés. Nous n'oserions affirmer qu'ils lui aient fait goûter prématurément les jouissances du harem, car, bien que la circonstance que Hichâm n'eut jamais d'enfants donne un certain degré de vraisemblance à une telle supposition, elle ne s'appuie cependant sur aucun témoignage; mais ce qui est certain, c'est qu'ils s'efforcèrent d'obscurcir son intelligence en le surchargeant d'exercices de dévotion, et qu'ils tâchèrent de lui persuader que, s'il régnait par lui-même, les affaires le distrairaient de la contemplation des choses divines et l'empêcheraient de travailler à son salut. Jusqu'à un certain point, ils avaient réussi en leur dessein: Hichâm faisait des bonnes œuvres, il lisait assidument le Coran, il priait, il jeûnait; cependant son intelligence n'était pas encore assez matée pour qu'Ibn-abî-Amir fût tout à fait rassuré sur son compte, et ce qu'il redoutait surtout, c'est que tôt ou tard une autre personne ne s'emparât de l'esprit du jeune monarque et ne lui ouvrît les yeux sur sa véritable situation. Tant que les affaires d'Etat se traiteraient dans le palais califal, un tel péril était à craindre; pendant les allées et venues de tant de généraux et d'employés, un simple hasard pouvait mettre le calife en rapport avec un d'entre eux, et pour peu que cet individu fût ambitieux et adroit, il pourrait faire tomber le ministre en un clin d'œil. Un tel danger, il fallait le rendre impossible. Ibn-abî-Amir résolut donc que les affaires d'Etat se traiteraient ailleurs, et à cet effet il fit bâtir, à l'est de Cordoue, sur le Guadalquivir, une nouvelle ville avec un grand palais pour lui-même et d'autres palais pour les hauts dignitaires. En deux années cette ville, qui reçut le nom de Zâhira, fut achevée, et alors le ministre y fit transporter les bureaux du gouvernement. Zâhira reçut bientôt dans son enceinte une population fort nombreuse. Les hautes classes de la société quittèrent Cordoue ou Zahrâ pour se rapprocher de la source d'où découlaient toutes les faveurs; les marchands y affluèrent aussi, et en peu de temps l'étendue de Zâhira devint telle, que ses faubourgs touchaient ceux de Cordoue.

Dorénavant il était facile de surveiller le calife et de l'exclure de toute participation aux affaires; cependant le ministre ne négligea rien pour rendre son isolement aussi complet que possible. Non content de l'entourer de gardes et d'espions, il fit d'ailleurs environner le palais califal d'une muraille et d'un fossé, et si quelqu'un osait en approcher, il le punissait de la façon la plus sévère. Hichâm était réellement prisonnier: il ne lui était pas permis de sortir de son palais, il ne pouvait prononcer une parole ni faire un mouvement sans que le ministre en fût instruit aussitôt, et il n'apprenait des affaires d'Etat que ce que celui-ci voulait bien lui en dire. Tant qu'il eut encore quelques ménagements à garder, Ibn-abî-Amir prétendit que le jeune monarque lui avait abandonné la conduite des affaires afin de pouvoir se livrer tout entier à ses exercices spirituels; mais plus tard, quand il se crut sûr de son fait, il ne se soucia plus de lui et défendit même de prononcer son nom.

A toutes ces mesures Ibn-abî-Amir voulut en joindre une autre, non moins importante: il résolut de réorganiser l'armée.

Deux motifs l'y poussaient, l'un patriotique, l'autre entièrement personnel: il voulait faire de l'Espagne l'un des premiers Etats de l'Europe et se débarrasser de son collègue Ghâlib. Or l'armée telle qu'elle était, c'est-à-dire composée en majorité d'Arabes d'Espagne, ne semblait propre ni à l'un ni à l'autre de ces deux projets.

L'organisation militaire était sans doute défectueuse. Elle laissait trop de pouvoir aux chefs des *djond*, et elle mettait trop peu de soldats à la disposition du souverain. Il est vrai que celui-ci pouvait disposer, non-seulement des troupes tirées des *djond*, mais encore de celles des frontières, qui semblent avoir été les meilleures; toutefois la coutume voulait que celles-ci ne fussent appelées aux armes qu'en cas de besoin; elles ne faisaient pas partie de l'armée permanente. Quant à cette dernière, elle était peu nombreuse. On n'y comptait que cinq mille cavaliers, quoique la cavalerie fût alors l'arme la plus considérée et celle dont dépendait le sort des batailles. D'ailleurs, ces troupes laissaient à désirer. Le voyageur Ibn-Haucal atteste du moins que les cavaliers andalous avaient mauvaise grâce, puisque, n'osant ou ne pouvant se servir de leurs étriers, ils laissaient pendre et flotter les jambes; et il ajoute qu'en général l'armée espagnole devait la plupart de ses victoires, non pas à la bravoure, mais à la ruse. Il est vrai que le témoignage de ce voyageur est un peu suspect. Comme il désirait que son souverain, le calife fatimide, entreprît la conquête de la Péninsule, il a peut-être parlé avec trop de dénigrement des troupes de ce pays; cependant il y a sans doute quelque chose de vrai dans ses assertions, et il est incontestable que les Arabes, amollis par le luxe et par un beau climat, avaient perdu peu à peu leur esprit martial. Ibn-abî-Amir ne pouvait donc espérer de faire avec une telle armée des conquêtes brillantes. D'ailleurs, il n'avait point de confiance en elle au cas où il voudrait la faire combattre contre Ghâlib, et cependant il prévoyait qu'une lutte entre lui et son collègue était inévitable. Ghâlib, il est vrai, lui avait été fort utile alors qu'il s'agissait de faire tomber Moçhafî; mais maintenant il ne pouvait plus lui servir à rien, et qui pis est, il l'incommodait. Ghâlib n'approuvait pas toujours les mesures qu'il jugeait convenable de prendre, et il le contrariait surtout au sujet de la réclusion du calife. Client d'Abdérame III et ardent royaliste, il s'affligeait et s'indignait en voyant que le petit-fils de son patron était gardé et enfermé comme un captif, comme un criminel. Ibn-abî-Amir, qui n'aimait pas la contradiction, était donc bien décidé à se débarrasser de son beau-père; mais comment y parvenir? Ghâlib n'était pas un homme comme Moçhafî, un homme que l'on pût renverser par une intrigue de cour: c'était un général illustre, et s'il déclarait qu'il voulait soustraire le souverain à la tyrannie de son ministre, il aurait pour lui presque toute l'armée, dont il était l'idole. Ibn-abî-Amir ne se faisait pas illusion à cet égard; il sentait que pour atteindre son but, il luifallait d'autres troupes, des troupes qui fussent attachées à lui seul. En d'autres termes, il avait besoin de soldats étrangers. La Mauritanie et l'Espagne chrétienne les lui fournirent.

Jusque-là il s'était peu occupé de la Mauritanie. Par le séjour qu'il y avait fait en qualité de cadi suprême, il s'était convaincu que la possession de ces contrées lointaines et pauvres était pour l'Espagne plus onéreuse qu'utile, et, se conformant en ceci à la politique suivie par Moçhafî, il s'était borné à entretenir la garnison de Ceuta au complet. Quant au reste du pays, il en avait confié l'administration aux princes indigènes, en prenant soin toutefois de se les attacher par des largesses de tout genre. Au point de vue espagnol, cette politique était sans doute bonne et sensée, mais pour la Mauritanie elle eut des suites funestes. Voyant ce pays abandonné à ses propres forces, Bologguîn, le vice-roi de l'Ifrîkia, l'envahit dans l'année 979. Il remporta victoire sur victoire, et, chassant devant lui les princes qui reconnaissaient le calife omaiyade pour leur suzerain, il les contraignit à aller chercher un refuge derrière les remparts de Ceuta. Mais les triomphes de Bologguîn, loin de faire obstacle aux desseins d'Ibn-abî-Amir, les favorisaient au contraire. Les Berbers, accumulés dans Ceuta, s'y trouvaient fort à l'étroit, et comme le vainqueur leur avait enlevé presque tout ce qu'ils possédaient, ils ne savaient comment faire pour subsister. C'était pour le ministre espagnol une excellente occasion pour se procurer d'un seul coup un grand nombre d'excellents cavaliers; aussi ne la laissa-t-il pas échapper. Il écrivit aux Berbers pour leur dire que s'ils voulaient venir servir en Espagne, ils pouvaient être certains de ne manquer de rien et de recevoir une haute paye. Ils répondirent en foule à son appel. Un prince du Zâb, Djafar, que ses exploits avaient depuis longtemps rendu célèbre, se laissa gagner aussi par les brillantes promesses du ministre, et arriva en Espagne avec un corps de six cents cavaliers. Les Berbers n'eurent qu'à se louer de la résolution qu'ils avaient prise. Rien n'égalait la générosité d'Ibn-abî-Amir à leur égard. «Au moment où ces Africains arrivaient en Espagne, dit un historien arabe, leurs vêtements tombaient en lambeaux, et chacun d'eux ne possédait qu'une méchante haridelle; mais bientôt après, on les vit caracoler dans les rues revêtus des plus précieuses étoffes et montés sur les plus beaux coursiers, tandis qu'ils habitaient des palais dont ils n'avaient jamais vu les pareils, même dans leurs rêves.» Ils étaient très-avides; mais s'ils ne se lassaient pas de demander, Ibn-abî-Amir ne se lassait pas non plus de donner, et il était fort sensible à la reconnaissance qu'ils lui en témoignaient. Les protégeant envers et contre tous, il ne souffrait pas qu'on les offensât, ni même qu'on se moquât du jargon qu'ils parlaient lorsque parfois ils essayaient de s'exprimer en arabe, car ordinairement ils parlaient leur langue maternelle à laquelle les Arabes ne comprenaient pas un mot. Un jour qu'il passait ses soldats en revue, un officier berber, nommé Wânzemâr, s'approcha de lui, et, écorchant l'arabe d'une terrible manière: «Ah, seigneur! lui dit-il, donnez-moi une demeure, je vous en prie, car je suis obligé de coucher à la belle étoile. — Comment, Wânzemâr, lui répondit le ministre, n'as-tu donc plus la grande maison que je t'ai donnée? — Vous m'en avez chassé, seigneur, vous m'en avez chassé par les bontés dont vous m'avez comblé. Vous m'avez fait cadeau d'un si grand nombre de terres, que toutes mes chambres sont en ce moment remplies de blé et qu'il n'y a plus de place pour moi. Peut-être me direz-vous que, si mon blé m'embarrasse, je n'ai qu'à le jeter par les fenêtres; mais veuillez vous rappeler, seigneur, que je suis un Berber, c'est-à-dire un homme qui naguère encore était obligé de supporter la misère et qui maintefois a été sur le point de mourir de faim. Un tel homme, vous le concevez, y regarde à deux fois avant qu'il jette son blé par les fenêtres. — Je ne dirai pas que tu sois un brillant orateur, répliqua le ministre en souriant, et cependant ton langage me semble plus disert et plus touchant que les discours les mieux tournés de mes savants académiciens.» Puis, s'adressant aux Andalous qui l'entouraient et qui avaient étouffé de rire tant que le Berber parlait: «Voilà, leur dit-il, la vraie manière de montrer sa reconnaissance, voilà le moyen d'obtenir des faveurs nouvelles! Cet homme dont vous riez vaut mieux que vous, mes beaux parleurs: il n'oublie pas les bienfaits qu'il a reçus, il ne prétend pas qu'on ne lui ait pas donné assez, comme vous le faites toujours.» Et il fit donner aussitôt à Wânzemâr un superbe hôtel.

L'Espagne chrétienne le pourvut aussi d'excellents soldats. Pauvres, avides et mauvais patriotes, les Léonais, les Castillans et les Navarrais se laissèrent facilement séduire par la haute paye que l'Arabe leur offrait, et une fois qu'ils avaient pris du service sous son drapeau, sa bienveillance, sa générosité et l'esprit de justice qui présidait à ses décisions envers eux le leur rendaient cher, d'autant plus que dans leur patrie ils n'étaient pas habitués à tant d'équité. Ibn-abî-Amir avait pour eux des attentions infinies. Dans son armée le dimanche était un jour de repos pour tous les soldats, quelle que fût leur religion, et s'il s'élevait quelque contestation entre un chrétien et un musulman, il favorisait toujours le chrétien. Il n'est donc pas étonnant que les chrétiens lui fussent aussi attachés que les Berbers. Les uns et les autres étaient, pour ainsi dire, sa propriété. Ils avaient renié, oublié leur patrie, et l'Andalousie n'était pas devenue pour eux une patrie nouvelle; ils en comprenaient à peine la langue. Leur patrie, à eux, c'était le camp, et quoique payés par le trésor public, ils n'étaient pas au service de l'Etat, mais à celui d'Ibn-abî-Amir. C'est à lui qu'ils devaient leur fortune, c'est de lui qu'ils dépendaient, et ils se laissaient employer par lui contre qui que ce fût.

En même temps qu'il donnait ainsi aux étrangers la prépondérance dans l'armée, l'habile ministre changea l'organisation des troupes espagnoles, qui jadis avait fait leur force vis-à-vis du gouvernement. Depuis un temps immémorial, les tribus, avec leurs divisions et subdivisions, formaient autant de régiments, de compagnies et d'escouades. Ibn-abî-Amir abolit cet usage; il fit incorporer les Arabes dans les différents régiments, sans avoir égard à la tribu à laquelle ils appartenaient. Un siècle auparavant, quand les Arabes étaient encore animés de l'esprit de corps, une telle mesure, qui impliquait un changement radical dans la loi du recrutement et qui ôtait à la noblesse les derniers débris de son pouvoir, aurait sans doute provoqué de violents murmures, et peut-être aurait-elle été le motif d'un soulèvement général; à présent elle s'exécuta sans obstacle, tant les temps étaient changés. L'ancienne division en tribus n'existait plus qu'à l'état de souvenir. Une foule d'Arabes ignoraient à quelle tribu ils appartenaient, et il régnait à cet égard une confusion qui faisait le désespoir des généalogistes. Hacam II, qui admirait et qui aimait le passé qu'il connaissait si bien, avait tâché, il est vrai, de faire renaître cette réminiscence d'un autre âge; il avait fait examiner les généalogies par des savants, et il avait voulu que chaque Arabe reprît sa place dans sa tribu; mais ses efforts, contraires à la saine politique, avaient échoué contre l'esprit du siècle, car il y avait partout, sauf de rares exceptions, tendance à l'unité, à la fusion des races. En portant le dernier coup à l'ancienne division en tribus, Ibn-abî-Amir ne fit qu'achever le travail d'assimilation qu'Abdérame III avait entrepris et que le sentiment national approuvait.

Pendant qu'il se préparait ainsi à la guerre, Ibn-abî-Amir semblait encore vivre en bonne intelligence avec son beau-père. Mais celui-ci avait trop de pénétration pour se tromper sur le but des grands changements que son gendre opérait dans l'armée, et il était bien décidé à rompre avec lui. Or, un jour qu'ils se trouvaient ensemble sur la tour d'un château de la frontière, il se mit à l'accabler de reproches. Ibn-abî-Amir lui répondit avec non moins de vivacité, et leur altercation prit un tel caractère d'amertume, que Ghâlib s'écria dans sa fureur: «Chien que tu es! En t'arrogeant l'autorité suprême, tu prépares la chute de la dynastie!» Puis, tirant son épée, il se précipita sur lui en écumant de rage. Quelques officiers tâchèrent de le retenir; ils n'y réussirent qu'à moitié; Ghâlib blessa Ibn-abî-Amir, et dans sa frayeur celui-ci se jeta du haut de la tour. Heureusement pour lui, il put s'accrocher pendant sa chute à quelque chose de saillant, et c'est ce qui le sauva.

Après une telle scène la guerre était inévitable; aussi ne tarda-t-elle pas à éclater. Ghâlib se déclara le champion des droits du calife; une partie des troupes se rangea sous son drapeau, et il obtint d'ailleurs du secours des Léonais. On se livra plusieurs combats dans lesquels quelques-uns des personnages les plus marquants de la cour perdirent la vie. La dernière fois qu'on en fut venu aux mains, l'armée d'Ibn-abî-Amir était sur le point d'être mise en déroute, lorsque Ghâlib, qui chargeait à la tête de sa cavalerie, eut le malheur de heurter de la tête contre l'arçon de sa selle. Grièvement blessé, il tomba aussitôt de cheval, et ne le voyant plus, ses soldats et ses alliés chrétiens prirent la fuite, de sorte qu'Ibn-abî-Amir remporta une éclatante victoire. Parmi les cadavres on trouva celui de Ghâlib (981).

Mais Ibn-abî-Amir ne se contenta pas de ce succès, si grand qu'il fût. Il voulait à la fois punir les Léonais de l'appui qu'ils avaient prêté à son rival, et montrer à ses compatriotes que, s'il avait créé une armée superbe, il l'avait fait non-seulement dans son propre intérêt, mais encore dans celui du pays. Il envahit donc le royaume de Léon, et lui fit éprouver un châtiment terrible. Son avant-garde, commandée par un prince du sang nommé Abdallâh, mais plus connu sous le sobriquet de *Pierre Sèche*, prit et saccagea Zamora (juillet 981). Il est vrai que les musulmans ne purent contraindre la citadelle à se rendre; mais ils s'en vengèrent en mettant à feu et à sang tout le pays d'alentour. Ils passèrent quatre mille chrétiens au fil de l'épée, firent un nombre égal de prisonniers, et dans un seul district ils détruisirent un millier de villages ou de hameaux, presque tous bien peuplés et remplis de cloîtres et d'églises. Ramire III, qui à cette époque comptait à peine vingt ans, conclut alors une alliance avec Garcia Fernandez, comte de Castille, et avec le roi de Navarre. Les trois princes marchèrent ensemble contre Ibn-abî-Amir, et lui livrèrent bataille à la Rueda, au sud-ouest de Simancas; mais ils furent battus, et l'importante forteresse de Simancas tomba au pouvoir des musulmans. Ils n'y firent que peu de prisonniers; la plupart des habitants et des soldats furent égorgés. Puis Ibn-Amir, quoique la saison fût déjà bien avancée, marcha contre la ville de Léon. Ramire alla à sa rencontre et tâcha de l'arrêter. La fortune sembla vouloir favoriser son audace: il repoussa les ennemis et les contraignit à se retirer dans leur camp. C'est là que se trouvait Ibn-abî-Amir. Assis sur une espèce de trône assez élevé, il observait la bataille et donnait ses ordres. La fuite de ses soldats le fit frémir de dépit et de rage, et, sautant à bas de son siége, il ôta son casque d'or et s'assit par terre. Ses soldats savaient ce que cela signifiait. Leur général en agissait ainsi quand il voulait leur témoigner son mécontentement, quand il jugeait qu'ils se battaient mal. Aussi la vue de sa tête nue produisit sur eux un effet extraordinaire: honteux de leur échec, ils se dirent qu'il fallait le réparer à tout prix, et, poussant des cris sauvages, ils se jetèrent sur l'ennemi avec tant d'impétuosité qu'ils lui firent tourner le dos; puis, le poursuivant l'épée dans les reins, ils entrèrent avec lui dans les portes de Léon, et ils auraient pris la ville, si une bourrasque qui survint tout à coup, mêlée de neige et de grêle, ne les eût obligés à suspendre le combat.

Quand Ibn-abî-Amir fut de retour à Cordoue (car l'approche de l'hiver l'avait forcé à la retraite), il prit un de ces surnoms qui jusque-là n'avaient été portés que par les califes, et ce surnom, par lequel nous devrons le désigner désormais, était celui d'Almanzor. Il voulut aussi qu'on lui rendît tous les honneurs auxquels la royauté seule donnait des droits. Il exigea, par exemple, que quiconque venait en sa présence, sans en excepter les vizirs et les princes du sang, lui baisât la main, comme on le faisait au monarque. On lui obéit, et le désir de lui plaire était si grand, que l'on baisait aussi la main à ses enfants, même à ceux qui sortaient à peine du berceau.

Il semblait tout-puissant et l'on eût dit qu'il n'avait plus de rival. Lui-même, cependant, n'en jugeait pas ainsi. A son avis il y avait encore un homme qui, s'il n'était pas alors dangereux, pouvait le devenir, et cet homme était le général Djafar, le prince du Zâb. Djafar lui avait rendu de grands services dans la guerre contre Ghâlib; mais par le double éclat de sa naissance et de sa renommée, il avait excité la jalousie du ministre et de la noblesse de cour. Almanzor prit donc à son égard une résolution qui jette sur sa gloire une tache indélébile. Ayant donné des ordres secrets aux deux Todjîbides Abou-'l-Ahwaç Man et Abdérame ibn-Motarrif, il invita Djafar à un festin. Djafar accepta l'invitation. La fête fut magnifique, et grâce aux vins généreux elle était déjà fort gaie, lorsque l'échanson présenta une nouvelle coupe au ministre. «Donne-la, dit alors ce dernier, à celui que j'honore le plus.» L'échanson demeura tout interdit, ne sachant lequel parmi tous ces nobles convives son maître voulait désigner. «Maudit échanson, s'écria alors Almanzor, donne-la au vizir Djafar!» Flatté de ce témoignage d'estime, Djafar se leva aussitôt, et prenant la coupe, il la vida tout d'un trait jusqu'à la dernière goutte; puis, oubliant toute étiquette, il se mit à danser. Les autres convives se laissèrent gagner par sa folle gaîté, et suivirent son exemple.

La fête se prolongea bien avant dans la nuit, et quand on se sépara, Djafar était complétement ivre. Il retournait vers sa demeure accompagné seulement de quelques pages, lorsque tout à coup il se vit assailli par les soldats des deux Todjîbides, et avant qu'il eût eu le temps de se défendre, il avait déjà cessé de vivre (22 janvier 983).

Sa tête et sa main droite furent envoyées en secret à Almanzor, qui feignit de ne pas connaître les auteurs de cet assassinat, et qui en témoigna une profonde tristesse.

X

Si le peuple connaissait ou soupçonnait la vérité au sujet du meurtre de Djafar, il oublia bientôt ce crime pour ne s'occuper que des nouvelles victoires du ministre. Les affaires du royaume de Léon avaient pris pour ce dernier une tournure extrêmement favorable. Les désastres qui avaient frappé Ramire III dans la campagne de 981, lui étaient devenus fatals. Les grands du royaume ne voulaient plus d'un prince que le malheur semblait poursuivre, et qui d'ailleurs les avait blessés dans leur orgueil par ses prétentions à l'autorité absolue. Une révolte éclata en Galice. Les nobles de cette province résolurent de donner le trône à Bermude, un cousin germain de Ramire, et le 15 octobre 982, ce prince fut sacré dans l'église de Saint-Jacques-de-Compostelle. Ramire marcha aussitôt contre lui, et il se livra une bataille à Portilla de Arenas, sur les frontières de Léon et de la Galice; mais quoique acharnée, elle resta indécise. Plus tard, la fortune favorisa de plus en plus les armes de Bermude II, et vers le mois de mars de l'année 984, il enleva la ville de Léon à son compétiteur. Pour ne pas succomber tout à fait, ce dernier, qui avait cherché un refuge dans les environs d'Astorga, se vit alors obligé d'implorer l'assistance d'Almanzor et de le reconnaître pour son suzerain. Il mourut peu de temps après (26 juin 984). Sa mère tenta de régner à sa place en s'appuyant sur les musulmans; mais elle se vit bientôt privée de leur secours. Bermude avait compris qu'à moins qu'il ne s'abaissât à la démarche que Ramire avait faite, il aurait bien de la peine à réduire les grands qui refusaient de le reconnaître. Il s'adressa donc à Almanzor, et les promesses qu'il lui fit semblent avoir été plus brillantes que celles de son ennemie, car Almanzor se déclara pour lui et mit une grande armée musulmane à sa disposition. Grâce à ce secours, Bermude réussit à soumettre tout le royaume à son autorité; mais aussi ne fut-il dès lors qu'un lieutenant d'Almanzor, et une grande partie des troupes musulmanes resta dans son pays, autant pour le surveiller que pour l'aider.

Ayant fait ainsi du royaume de Léon une province tributaire, Almanzor résolut de tourner ses armes contre la Catalogne. Comme ce pays était un fief qui relevait du roi de France, les califes l'avaient ménagé jusque-là, de peur que, s'ils l'attaquaient, ils n'eussent aussi les Français à combattre. Mais Almanzor ne partageait pas cette crainte; il savait que la France était en proie à l'anarchie féodale et que les comtes catalans n'avaient aucun secours à attendre de ce côté-là. Ayant donc rassemblé un grand nombre de troupes, il partit de Cordoue le 5 mai de l'année 985, en emmenant avec lui une quarantaine de ses poètes salariés qui devraient chanter ses victoires. Passant par Elvira, Baza et Lorca, il arriva à Murcie, où il alla loger chez Ibn-Khattâb. C'était un simple particulier qui n'avait aucune charge publique, mais ses propriétés étaient extrêmement considérables, et les revenus qu'il en tirait étaient énormes. Client des Omaiyades, il était probablement d'origine visigothe, et peut-être descendait-il de Théodemir, qui, du temps de la conquête, avait conclu avec les musulmans une capitulation si avantageuse, que lui et son fils Athanagild régnaient en princes presque indépendants sur la province de Murcie. Quoi qu'il en soit, Ibn-Khattâb était généreux autant que riche. Durant treize jours consécutifs, il défraya non-seulement Almanzor avec sa suite, mais toute l'armée, depuis les vizirs jusqu'au moindre soldat. Il prit soin que la table du ministre fût toujours somptueusement servie; jamais il ne lui fit présenter pour la seconde fois les mets dont il avait déjà goûté, ni la vaisselle qu'il avait déjà vue, et un jour il poussa la prodigalité jusqu'à lui offrir un bain apprêté avec de l'eau rose. Si accoutumé qu'il fût au luxe, Almanzor était cependant stupéfait de celui que déployait son hôte. Aussi ne tarissait-il pas sur son éloge, et voulant lui donner une preuve de sa reconnaissance, il le tint quitte d'une partie de l'impôt territorial. Il enjoignit d'ailleurs aux magistrats chargés de l'administration de la province, d'avoir pour lui les plus grands égards, et de se conformer autant que possible à ses désirs.

A près avoir quitté Murcie, Almanzor continua sa marche vers la Catalogne, et, ayant battu le comte Borrel, il arriva le mercredi 1er juillet devant la ville de Barcelone. Le lundi suivant il la prit d'assaut. La plupart des soldats et des habitants furent passés au fil de l'épée; les autres furent mis en servitude. La ville même fut pillée et brûlée.

A peine de retour de cette campagne, la vingt-troisième qu'il avait faite, Almanzor, toujours infatigable, toujours avide de conquêtes nouvelles, tourna son attention du côté de la Mauritanie.

Pendant plusieurs années ce pays avait été au pouvoir de Bologguîn, le vice-roi de l'Ifrîkia; mais dans les derniers temps du règne de ce prince, et surtout après sa mort (arrivée en mai 984), le parti omaiyade avait commencé à relever la tête. Aussi plusieurs villes, telles que Fez et Sidjilmésa, avaient déjà secoué le joug des Fatimides, lorsqu'un prince africain, qu'on avait presque oublié, reparut sur la scène. C'était l'Edriside Ibn-Kennoun. Du temps de Hacam II, Ibn-Kennoun, comme nous l'avons raconté, avait dû se rendre à Ghâlib, et, amené à Cordoue, il y était resté jusqu'à ce que Moçhafî l'envoyât à Tunis, après lui avoir fait prendre l'engagement de ne plus rentrer en Mauritanie. Mais Ibn-Kennoun n'avait nullement l'intention de tenir sa promesse. S'étant rendu à la cour du calife fatimide, il avait obsédé ce prince durant dix ans en le suppliant de le rétablir. Ayant enfin obtenu des troupes et de l'argent, il était retourné dans son pays natal, et comme il avait acheté l'appui de plusieurs chefs berbers, il était maintenant sur la voie d'en devenir le maître. C'est ce qu'Almanzor voulait empêcher, et il prit à cet effet les mesures nécessaires. Il envoya en Mauritanie un grand nombre de troupes sous le commandement de son cousin germain Askelédja. La guerre ne fut pas de longue durée: trop faible pour résister à ses ennemis, Ibn-Kennoun se rendit, après avoir obtenu d'Askelédja la promesse que ses jours seraient respectés et qu'il pourrait habiter Cordoue comme par le passé.

Une telle promesse, faite à un homme très-ambitieux et très-perfide, était à coup sûr une imprudence, et l'on se demande si Askelédja avait été autorisé à la faire. Les chroniqueurs arabes nous laissent dans le doute à cet égard; mais la conduite d'Almanzor nous porte à croire qu'Askelédja avait outre-passé ses pouvoirs. Le ministre déclara que le traité était de nulle valeur, et, ayant fait transporter Ibn-Kennoun en Espagne, il le fit décapiter de nuit sur la route qui mène d'Algéziras à Cordoue (septembre ou octobre 985).

Bien qu'Ibn-Kennoun eût été un tyran cruel, qui prenait un féroce plaisir à précipiter ses prisonniers du haut de son Rocher des Aigles, la manière dont il était mort excita cependant en sa faveur une sympathie qui semble avoir été assez universelle. Joignez-y qu'il était un chérif, un descendant du gendre du Prophète. Attenter à la vie d'un tel homme, c'était un sacrilége aux yeux des masses ignorantes et superstitieuses. Même les rudes troupiers qui, obéissant à l'ordre qu'ils avaient reçu, l'avaient mis à mort, en jugeaient ainsi, et une bourrasque qui était survenue tout d'un coup et qui les avait jetés à terre, leur avait paru un miracle, un châtiment du ciel. Les uns disaient donc qu'Almanzor avait commis une action impie, les autres qu'il avait fait une perfidie puisqu'il aurait dû respecter comme sienne la parole donnée par son lieutenant. Cela se disait assez haut, malgré la crainte qu'inspirait le ministre, et le mécontentement se montra d'une manière si évidente, qu'Almanzor ne pouvait se tromper sur la disposition des esprits et qu'il commençait à s'en alarmer sérieusement. Que l'on juge donc quelle fut sa colère quand il apprit qu'Askelédja était plus indigné que qui que ce fût, et que même devant ses troupes il avait osé appeler son cousin un perfide. Une telle audace nécessitait une punition exemplaire. Aussi Almanzor s'empressa-t-il d'envoyer à son cousin l'ordre de revenir immédiatement en Espagne; puis il le mit en accusation, et l'ayant fait condamner à cause de malversation et de haute trahison, il le fit mettre à mort (octobre ou novembre 985).

Alors les clameurs redoublèrent. On s'apitoyait maintenant, non-seulement sur le sort du malheureux chérif, mais encore sur celui d'Askelédja, et l'on demandait si Almanzor n'avait pas donné une nouvelle preuve de sa politique atroce, de son mépris de tous les liens, même de ceux du sang, en faisant décapiter son propre cousin. Les parents d'Ibn-Kennoun, trompés dans les espérances qu'ils avaient conçues alors que ce prince semblait sur le point de conquérir toute la Mauritanie, fomentaient le mécontentement autant qu'ils pouvaient. Instruit de leurs menées, Almanzor les frappa tous d'une sentence d'exil. Ils quittèrent alors l'Espagne et la Mauritanie; mais avant de partir, l'un d'entre eux, Ibrahim ibn-Edrîs, décocha encore une flèche contre le ministre en composant un long poème qui eut beaucoup de vogue et dans lequel se trouvaient ces vers:

L'exil, voilà toujours mon triste sort! Le malheur me poursuit sans cesse; il est mon créancier; au temps précis de l'échéance du terme, il se présente devant moi....

Ce que je vois arriver me frappe de stupeur; notre infortune est immense et il est presque impossible d'y remédier. J'ai peine à en croire mes yeux, et je suis tenté de dire que je me trompe. Quoi! la famille d'Omaiya existe encore, et cependant un bossu gouverne ce vaste empire! Et voilà les soldats qui marchent autour d'un palanquin dans lequel se trouve un singe roux!... Fils d'Omaiya, vous qui brilliez naguère comme des étoiles au milieu de la nuit, comment se fait-il qu'à présent on ne vous voie plus? Autrefois vous étiez des lions, mais vous avez cessé de l'être, et voilà pourquoi ce renard s'est rendu maître du pouvoir.

Renard ou non—on voit que ce sobriquet, que l'on a déjà rencontré dans un vers de Moçhafî, lui était resté—, Almanzor était convaincu de la nécessité de faire quelque chose pour se réhabiliter dans l'opinion. Par conséquent, il résolut d'agrandir la mosquée qui était trop étroite pour contenir et les habitants de la capitale et les innombrables soldats venus de l'Afrique. Il fallait commencer par exproprier les possesseurs des maisons qui occupaient le terrain sur lequel on voulait bâtir. C'était une mesure qui, pour ne pas être odieuse, demandait beaucoup de tact et de délicatesse; mais Almanzor avait dans ces sortes de choses un savoir-faire admirable. Faisant venir un à un chaque propriétaire en sa présence (ce qui était déjà un grand honneur): «Mon ami, lui disait-il, comme j'ai formé le projet d'agrandir la mosquée, ce saint endroit où nous adressons nos prières au ciel, je voudrais acheter ta maison dans l'intérêt de la communauté musulmane et aux frais du trésor, lequel est bien rempli grâce aux richesses que j'ai enlevées aux mécréants. Dis-moi donc à combien tu l'évalues; ne te gêne pas, dis hardiment ce que tu en veux!» Puis, quand son interlocuteur avait nommé une somme qu'il croyait bien exorbitante: «Mais c'est trop peu, s'écriait le ministre; vraiment, tu es d'une discrétion exagérée! Tiens, je te donne une fois autant.» Et non-seulement il le payait rubis sur l'ongle, mais encore faisait-il acheter pour lui une autre demeure. Il se trouva néanmoins une dame qui refusa longtemps de céder la sienne. Elle avait dans son jardin un beau palmier auquel elle tenait fort, et quand elle consentit enfin à se dessaisir de son immeuble, elle y mit la condition qu'on lui en achèterait un autre qui eût aussi un palmier dans son jardin. C'était difficile à trouver; mais le ministre, quand on l'informa de la demande de la dame, s'écria aussitôt: «Eh bien! nous lui achèterons ce qu'elle désire, dussions-nous vider à cet effet tous les coffres de l'Etat!» Après bien des recherches inutiles, on trouva enfin une maison telle qu'on la désirait, et on l'acheta à un prix excessif.

Tant de générosité porta ses fruits. Quelques griefs que l'on eût contre le ministre, on ne pouvait nier qu'il ne fît les choses noblement et grandement, et d'un autre côté, les personnes dévotes étaient forcées d'avouer que l'agrandissement de la mosquée était une œuvre fort méritoire. Mais ce fut bien autre chose encore lorsque, les travaux ayant commencé, on vit déblayer le terrain par une foule de prisonniers chrétiens qui avaient des fers aux pieds. On se dit alors qu'après tout l'islamisme n'avait pas encore brillé d'un tel éclat, et que jamais les mécréants n'avaient été humiliés à un tel point. Et puis l'on vit Almanzor lui-même, le maître tout-puissant, le plus grand général du siècle, manier, pour plaire à l'Eternel, la pioche, la truelle ou la scie, comme s'il eût été un simple ouvrier! Devant un tel spectacle, toutes les haines devenaient muettes.

Pendant qu'on travaillait encore à l'agrandissement de la mosquée, la guerre contre Léon recommença. Les troupes musulmanes qui étaient restées dans ce royaume, s'y conduisaient comme dans un pays conquis, et quand Bermude II s'en plaignait à Almanzor, il ne recevait de lui que des réponses hautaines et dédaigneuses. Il perdit patience enfin, et, prenant une résolution hardie, il chassa les musulmans. Almanzor fut donc forcé de lui faire sentir encore une fois la supériorité de ses armes, et au fond du cœur il n'était pas fâché de cette nouvelle guerre, car maintenant les habitants de la capitale, au lieu de parler de choses qui, à son avis, ne les regardaient pas, pourraient de nouveau s'entretenir de ses batailles, de ses victoires, de ses conquêtes. Et il prit soin de fournir matière à leur conversation. S'étant emparé de Coïmbre en juin 987, il ruina cette ville à un tel point, que pendant sept ans elle resta déserte. L'année suivante il passa le Duero, et alors l'armée musulmane se répandit comme un torrent dans le royaume de Léon, en tuant ou en détruisant tout ce qui se trouvait sur son passage. Villes, châteaux, cloîtres, églises, villages, hameaux, rien ne fut épargné. Bermude s'était jeté dans Zamora, probablement parce qu'il croyait que cette ville serait attaquée la première; mais Almanzor la laissa de côté et marcha droit sur Léon. Une fois déjà il avait été sur le point de prendre cette ville; mais grâce à sa bonne citadelle, ses grosses tours, ses quatre portes de marbre, et ses murailles romaines, qui avaient plus de vingt pieds d'épaisseur, elle était très-forte, et elle résista longtemps aux efforts des ennemis. A la fin ces derniers réussirent à ouvrir une brèche près de la porte occidentale, au moment où le commandant de la garnison, Gonsalve Gonzalez, un comte galicien, était alité par suite d'une grave maladie. Le péril était extrême; aussi le comte, tout malade qu'il était, se fit revêtir sur-le-champ de son armure et transporter en litière vers la brèche. Par sa présence et par ses paroles il releva le courage abattu de ses soldats, et pendant trois jours ceux-ci réussirent encore à repousser l'ennemi; mais le quatrième jour les musulmans pénétrèrent dans la ville par la porte méridionale. Alors commença une boucherie horrible. Le comte lui-même, dont l'héroïsme aurait dû inspirer du respect, fut tué dans sa litière. Après avoir massacré, on se mit à détruire. On ne laissa pas une pierre sur l'autre. Les portes, les tours, les murailles, la citadelle, les maisons, tout fut démoli de fond en comble. On ne laissa debout qu'une seule tour qui se trouvait près de la porte septentrionale et qui avait à peu près la même hauteur que les autres. Almanzor avait ordonné de l'épargner; il voulait qu'elle montrât aux générations futures combien elle avait été forte, cette ville qu'il avait fait disparaître de la face de la terre.

Les musulmans rétrogradèrent ensuite vers Zamora, et après avoir brûlé les superbes couvents de Saint-Pierre-d'Eslonça et de Sahagun qui se trouvaient sur leur route, ils vinrent mettre le siége devant cette ville. Bermude se montra moins courageux que son lieutenant à Léon. Il s'échappa furtivement, et, lui parti, les habitants rendirent la place à Almanzor, qui la fit piller. Presque tous les comtes le reconnurent alors pour leur souverain, et Bermude ne conserva que les districts voisins de la mer.

De retour à Zâhira après cette campagne glorieuse, Almanzor eut bientôt à s'occuper de choses très-graves: il découvrit que les grands conspiraient contre lui et que son propre fils Abdallâh, un jeune homme de vingt-deux ans, se trouvait parmi les conjurés.

Brave et brillant cavalier, Abdallâh n'était cependant pas aimé de son père. Celui-ci avait des raisons pour croire que ce fils n'était pas le sien; mais c'est ce que le jeune homme ignorait, et comme il se voyait toujours préférer son frère Abdalmélic, qui comptait six ans de moins que lui et auquel il se croyait bien supérieur en talents et en bravoure, il avait déjà conçu contre son père un mécontentement très-vif, lorsqu'il arriva à Saragosse, la résidence du vice-roi de la Frontière supérieure, Abdérame ibn-Motarrif le Todjîbide. L'air de cette cour lui devint fatal. Son hôte était le chef d'une illustre famille dans laquelle la vice-royauté de cette province avait été héréditaire pendant tout un siècle, et comme Almanzor avait renversé successivement les hommes les plus puissants de l'empire, il craignait avec raison qu'étant le dernier des nobles qui restait debout, il ne tombât bientôt, à son tour, victime de l'ambition du ministre. Il avait donc l'intention de le prévenir, et il n'attendait, pour se soulever, qu'une occasion favorable. Il crut l'avoir trouvée maintenant; le jeune Abdallâh lui parut un instrument fort propre à réaliser ses projets. Il fomenta son mécontentement, et lui inspira peu à peu l'idée de se révolter contre son père. Ils résolurent donc de prendre les armes dès que les circonstances le leur permettraient, et ils convinrent entre eux que, s'ils sortaient vainqueurs de la lutte, ils partageraient l'Espagne, de sorte qu'Abdallâh régnerait sur le Midi et Abdérame sur le Nord. Plusieurs fonctionnaires haut placés, tant dans l'armée que dans le pouvoir civil, entrèrent dans cette conjuration, et entre autres le prince du sang Abdallâh Pierre-sèche, qui était alors gouverneur de Tolède. C'était un complot formidable, mais dont les ramifications s'étendaient trop loin pour qu'il pût rester longtemps caché à l'œil vigilant du premier ministre. Des bruits vagues d'abord, mais qui prirent peu à peu de la consistance, en parvinrent à ses oreilles, et il prit aussitôt des mesures efficaces pour déjouer les projets de ses ennemis. Ayant rappelé son fils auprès de lui, il lui inspira une fausse confiance en le comblant d'égards et de témoignages d'affection. Il fit venir aussi Abdallâh Pierre-sèche et lui ôta le gouvernement de Tolède; mais il le fit sous un prétexte fort plausible et d'une manière courtoise, de sorte que d'abord ce prince ne se doutait de rien. Peu de temps après, cependant, Almanzor le priva de son titre de vizir et lui défendit de quitter son hôtel.

Ayant ainsi réduit deux des principaux conspirateurs à l'impuissance de lui nuire, le ministre se mit en campagne pour aller combattre les Castillans, après avoir envoyé aux généraux de la Frontière l'ordre de venir le joindre. Abdérame obéit, de même que les autres généraux. Alors Almanzor excita sous main les soldats de Saragosse à former des plaintes contre lui. Ils le firent, et quand ils eurent accusé Abdérame d'avoir retenu leur solde pour se l'approprier, Almanzor le destitua (8 juin 989). Cependant, comme il ne voulait pas se brouiller avec toute la famille des Beni-Hâchim, il nomma au gouvernement de la Frontière supérieure le fils d'Abdérame, Yahyâ-Simédja. Peu de jours après, il fit arrêter Abdérame, mais sans laisser apercevoir qu'il avait connaissance du complot; il ordonna seulement qu'on procédât à une enquête sur la manière dont Abdérame avait employé les sommes qui lui avaient été confiées pour payer les troupes.

Quelque temps après, Abdallâh rejoignit l'armée sur l'ordre qu'il en avait reçu. Almanzor tâcha de regagner son affection à force de bontés, mais tous ses efforts échouèrent. Abdallâh avait résolu de rompre définitivement avec son père, et pendant le siége de San

Estevan de Gormaz, il quitta le camp en secret, accompagné seulement de six de ses pages, pour aller chercher un asile auprès de Garcia Fernandez, le comte de Castille. Ce dernier lui promit sa protection, et malgré les menaces d'Almanzor, il tint sa parole pendant plus d'un an. Mais dans cet intervalle il éprouva revers sur revers; il fut défait en rase campagne; en août 989 il perdit Osma, ville dans laquelle Almanzor mit une garnison musulmane; en octobre Alcoba lui fut enlevée aussi, et à la fin il se vit forcé d'implorer la paix et de livrer Abdallâh.

Une escorte castillane conduisit le rebelle au camp de son père. Il était monté sur un mulet magnifiquement équipé, dont le comte lui avait fait cadeau, et comme il se tenait convaincu que son père lui pardonnerait, il n'était nullement inquiet sur son sort. En route il rencontra un détachement musulman commandé par Sad. Après lui avoir baisé la main, cet officier lui dit qu'il n'avait rien à craindre, attendu que son père considérait ce qu'il avait fait comme une étourderie qui pouvait être pardonnée à un jeune homme. Il tint ce langage tant que les Castillans étaient là; mais quand ceux-ci se furent éloignés et que la cavalcade fut arrivée sur les bords du Duero, Sad demeura en arrière, et alors les soldats signifièrent à Abdallâh qu'il devait mettre pied à terre et se préparer à la mort. Si inattendues qu'elles fussent, ces paroles n'émurent pas le vaillant Amiride. Il sauta lestement à bas de son mulet, et conservant un visage serein, il présenta sans sourciller la tête au coup mortel (9 septembre 990).

Avant lui, son complice Abdérame avait déjà cessé de vivre. Condamné à cause de malversation, il avait été décapité à Zâhira. Quant à Abdallâh Pierre-sèche, il avait réussi à s'évader et il s'était mis sous la protection de Bermude.

Cependant Almanzor ne se contenta pas d'avoir déjoué ce complot. Il n'avait pas pardonné au comte de Castille l'appui que celui-ci avait accordé à Abdallâh, et, usant de représailles, il excita Sancho, le fils du comte, à se révolter à son tour contre son père. Soutenu par la plupart des grands, Sancho prit les armes dans l'année 994, et alors Almanzor, qui s'était aussi déclaré pour lui, s'empara des forteresses de San Estevan et de Clunia. Mais il avait hâte de terminer cette guerre. Son entourage, habitué à penser comme lui ou du moins à en faire semblant, partageait son impatience, et le meilleur moyen de lui plaire, c'était de lui dire que selon toute apparence Garcia succomberait bientôt. Or, le poète Çâid lui présenta un jour un cerf attaché par une corde, et lui récita un poème, assez médiocre du reste, dans lequel se trouvaient ces vers:

Votre esclave que vous avez arraché à la misère et comblé de bienfaits, vous amène ce cerf. Je l'ai nommé Garcia, et je vous l'amène avec une corde au cou, en espérant que mon pronostic sera véritable.

Par un singulier hasard, il l'était: blessé par un coup de lance, Garcia avait été fait prisonnier entre Alcocer et Langa, sur les bords du Duero, le jour même où le poète avait présenté le cerf à son maître (lundi 25 mai 995). Cinq jours après, le comte expira des suites de sa blessure, et depuis lors l'autorité de Sancho ne fut plus contestée; mais il fut obligé de payer aux musulmans un tribut annuel.

Dans l'automne de cette même année, Almanzor marcha contre Bermude, afin de le punir d'avoir donné asile à un autre conspirateur. Ce roi se trouvait dans une position déplorable. Il avait perdu jusqu'à l'ombre de l'autorité. Les seigneurs s'appropriaient ses terres, ses serfs, ses troupeaux; ils les divisaient entre eux par la voie du sort, et quand il les redemandait, ils se moquaient de lui. De simples gentilshommes, à qui il avait donné un château à garder, se révoltaient. Parfois on le faisait passer pour mort, et en vérité, il importait peu qu'il le fût ou qu'il ne le fût pas. Il avait donc été bien hardi lorsqu'il avait osé braver Almanzor. Que pouvait-il contre ce puissant capitaine? Rien absolument; aussi se repentit-il bientôt de son imprudence. Ayant perdu Astorga, dont il avait fait sa capitale après la destruction de Léon, mais qu'il avait prudemment abandonnée à l'approche de l'ennemi, il prit le parti le plus sage: il implora la paix. Il l'obtint à condition qu'il livrerait Abdallâh Pierre-sèche et qu'il payerait un tribut annuel.

Après avoir enlevé leur capitale aux Gomez, les comtes de Carrion, qui, à ce qu'il semble, avaient méconnu son autorité, Almanzor se retira, traînant à sa suite le malheureux Abdallâh qui lui avait été remis dans le mois de novembre. Comme il était à prévoir, il punit cruellement ce prince. L'ayant fait placer, chargé de fers, sur un chameau, il ordonna de le promener ignominieusement par les rues de la capitale, tandis qu'un héraut, qui marchait devant lui, criait: «Voici Abdallâh, fils d'Abdalazîz, qui a quitté les musulmans pour faire cause commune avec les ennemis de la religion!» Quand il entendit ces paroles pour la première fois, le prince en fut si indigné qu'il s'écria: «Tu mens! Dis plutôt: voici un homme qui, mû par la crainte, s'est enfui; il a ambitionné l'empire, mais ce n'est point un polythéiste, ce n'est point un apostat!» Il n'avait pas de force morale, cependant; il n'avait pas compris qu'avant de conspirer il faut s'armer de courage. Jeté en prison et craignant d'être bientôt conduit sur l'échafaud, il montra une lâcheté indigne de sa haute naissance et qui formait un singulier contraste avec la fermeté dont son complice, le fils d'Almanzor, avait fait preuve. Dans les vers qu'il envoyait souvent au ministre, il avouait qu'il avait été mal inspiré lorsqu'il avait pris la fuite; il cherchait à apaiser son courroux à force de flatteries; il le nommait le plus généreux des hommes. «Jamais, disait-il, un malheureux n'a imploré en vain ta pitié; tes bontés et tes bienfaits sont innombrables comme les gouttes de la pluie.» Cette bassesse ne lui servit de rien. Almanzor épargna sa vie parce qu'il le méprisait trop pour le faire mourir; mais il le laissa en prison, et Abdallâh ne recouvra la liberté qu'après la mort du ministre.

XI

Régnant de fait depuis vingt ans, Almanzor voulait aussi régner de droit. Il fallait être bien aveugle pour ne pas s'en apercevoir, car on le voyait marcher vers son but, lentement, prudemment, à pas mesurés, mais avec une opiniâtreté qui sautait aux yeux. En 991, il s'était démis de son titre de hâdjib ou premier ministre en faveur de son fils Abdalmélic, qui à cette époque comptait à peine dix-huit ans, et il avait voulu que dorénavant on l'appelât Almanzor tout court. L'année suivante, il avait ordonné d'appliquer aux lettres de chancellerie son propre sceau, au lieu d'y mettre celui du souverain, et il avait pris alors le surnom de Mowaiyad, que le calife portait aussi. Dans l'année 996, il avait déclaré que la qualification de *saiyid* (seigneur) ne devait être donnée qu'à lui seul, et en même temps il avait pris le titre de *melic carîm* (noble roi).

Il était donc roi, il n'était pas encore calife. Qu'est-ce qui l'empêchait de le devenir? Assurément ce n'était pas Hichâm II qui lui inspirait des craintes. Quoique ce prince fût maintenant dans la fleur de ses jours, il n'avait jamais montré la moindre énergie, la moindre velléité de se soustraire au joug qu'on lui avait imposé. Les princes du sang n'étaient pas à craindre non plus: Almanzor avait fait périr les plus dangereux, il avait exilé ceux qui l'étaient moins, il avait réduit les autres à un état voisin de la misère. Croyait-il donc que l'armée s'opposerait à ses desseins? Nullement; composée en majorité de Berbers, de chrétiens du Nord, de Slaves, de soldats qui avaient été faits prisonniers dans leur enfance, en un mot d'aventuriers de toute sorte, l'armée était à lui; quoi qu'il fît, elle lui obéirait aveuglément. Qui craignait-il donc?

Il craignait la nation. Elle ne connaissait pas Hichâm II; dans la capitale même, bien peu de gens l'avaient entrevu, car quand il sortait de sa prison dorée pour se rendre à une de ses maisons de campagne (ce qui arrivait rarement du reste), il était entouré des femmes de son sérail; comme elles, il était alors entièrement couvert d'un grand burnous, de sorte qu'on ne pouvait le distinguer des dames, et d'ailleurs les rues par lesquelles il devait passer étaient toujours garnies d'une haie de soldats sur l'ordre exprès du ministre. Et pourtant on l'aimait. N'était-il pas le fils du bon et vertueux Hacam II, le petit-fils du glorieux Abdérame III, n'était-il pas surtout le monarque légitime? Cette idée de légitimité était enracinée dans tous les cœurs, et elle était bien plus vivace encore parmi le peuple que parmi les nobles. Les nobles, pour la plupart d'origine arabe, se seraient peut-être laissé convaincre qu'un changement de dynastie était utile et nécessaire; mais le peuple, qui était d'origine espagnole, pensait autrement. Comme le sentiment religieux, l'amour de la dynastie formait partie de son être. Bien qu'Almanzor eût donné au pays une gloire et une prospérité jusque-là inconnues, le peuple ne lui pardonnait pas d'avoir fait du calife une espèce de prisonnier d'Etat, et il était prêt à se soulever en masse si le ministre osait tenter de s'asseoir sur le trône. C'est ce qu'Almanzor n'ignorait pas; de là sa prudence, de là son hésitation; mais il croyait que l'opinion publique se modifierait peu à peu; il se flattait de l'espoir que l'on finirait par oublier entièrement le calife pour ne penser qu'à lui, et alors le changement de dynastie pourrait s'accomplir sans secousse.

Bien lui en prit d'avoir ajourné son grand projet! Il fut bientôt à même de se convaincre que sa haute position ne tenait qu'à un fil. En dépit de toutes ses conquêtes et de toute sa gloire, une femme réussit presque à le renverser.

Cette femme, c'était Aurore.

Elle l'avait aimé; mais l'âge des sentiments tendres étant passé pour elle comme pour lui, ils s'étaient brouillés, et comme cela arrive souvent, l'amour avait fait place dans leurs cœurs, non pas à l'indifférence, mais à la haine. Et Aurore ne faisait rien à demi: dévouée dans son amour, elle était implacable dans son ressentiment. Elle avait résolu de faire tomber Almanzor, et pour y parvenir, elle mettait en émoi tout le sérail, hommes et femmes. Elle parla à son fils, lui dit que l'honneur lui commandait de se montrer homme et de briser enfin le joug qu'un ministre tyrannique avait osé lui imposer. Elle accomplit un véritable miracle: elle inspira au plus faible des hommes une apparence de volonté et d'énergie. Almanzor l'éprouva bientôt. Le calife le traita d'abord avec froideur, puis il s'enhardit jusqu'à lui faire des reproches. Voulant conjurer l'orage, le ministre éloigna du sérail plusieurs personnes dangereuses; mais comme il ne pouvait en faire sortir celle qui était l'âme du complot, cette mesure ne servit qu'à irriter son ennemie encore davantage. Et la Navarraise était infatigable; elle montra qu'elle aussi avait une volonté de fer, tout comme son ancien amant. Ses émissaires disaient partout que le calife voulait enfin être libre et régner par lui-même, et que, pour se débarrasser de son geôlier, il comptait sur la loyauté de son bon peuple. Ils passaient même le Détroit, ces émissaires de la sultane, et au moment même où des attroupements séditieux se formaient à Cordoue, le vice-roi de la Mauritanie, Zîrî ibn-Atïa, leva l'étendard de la révolte, en déclarant qu'il ne pouvait souffrir plus longtemps que le souverain légitime fût tenu captif par un ministre trop puissant.

Zîrî était le seul homme qu'Almanzor craignît encore, ou plutôt le seul qu'il eût craint de sa vie, car d'ordinaire il méprisait trop ses ennemis pour les craindre. A demi barbare, ce chef avait conservé, dans ses déserts africains, la vigueur, la spontanéité et l'orgueil de race qui semblaient n'appartenir qu'à un autre âge, et malgré qu'il en eût, Almanzor avait subi l'ascendant de cet esprit à la fois impétueux, pénétrant et caustique. Quelques années auparavant, il avait reçu de lui une visite, et à cette occasion il lui avait prodigué les marques de son estime: il lui avait conféré le titre de vizir avec le traitement attaché à cette dignité, il avait fait inscrire tous les gens de sa suite sur le registre de la solde au bureau militaire, enfin il ne l'avait laissé partir qu'après l'avoir amplement dédommagé de ses frais de voyage et de ses cadeaux. Mais rien de tout cela n'avait touché Zîrî. De retour sur le rivage africain, il avait porté la main à sa tête en s'écriant: «A présent seulement je sais que tu m'appartiens encore!» Puis, un de ses gens l'ayant appelé *seigneur vizir*: «Seigneur vizir? s'était-il écrié; va-t-en au diable avec ton seigneur vizir! *Emir, fils d'émir*, voilà mon titre! Ah! qu'il a été avare pour moi, cet Ibn-abî-Amir! Au lieu de me donner de bonnes espèces sonnantes, il m'a affublé d'un titre qui me dégrade! Vive Dieu! il ne serait pas où il est maintenant, si en Espagne il y avait autre chose que des lâches ou des imbéciles! Grâce au ciel, me voilà de retour, et le proverbe qui dit qu'il vaut mieux entendre parler du diable que de le voir, ne ment pas.» Ces propos, qui auraient coûté la tête à tout autre, étant venus à l'oreille d'Almanzor, celui-ci avait feint de ne pas y faire attention, et plus tard il avait même nommé Zîrî vice-roi de toute la Mauritanie. Il le redoutait, il le haïssait peut-être, mais il le croyait sincère et loyal. L'événement montra qu'il l'avait mal jugé. Sous une écorce rude et franche Zîrî cachait beaucoup de ruse et d'ambition. Il se laissa aisément tenter par l'argent qu'Aurore lui promettait, par le rôle chevaleresque qu'elle lui destinait. Il affranchirait son souverain du joug d'Almanzor, sauf peut-être à lui imposer le sien.

Il fallait commencer par le payer, Aurore ne l'ignorait pas, et grâce à sa finesse de femme, elle savait comment s'y prendre pour se procurer de l'argent et pour le faire parvenir à son allié. Le trésor renfermait près de six millions en or et il se trouvait dans le palais califal. Elle y prit quatre-vingt mille pièces d'or, qu'elle mit dans une centaine de cruches; puis elle versa dessus du miel, de l'absinthe et d'autres liqueurs de ménage, et, ayant mis une étiquette à chaque cruche, elle chargea quelques Slaves de les porter hors de la ville à un endroit qu'elle nomma. Sa ruse lui réussit. Le préfet n'eut point de soupçons et laissa passer les Slaves avec leur fardeau. Aussi l'argent était-il déjà en route pour la Mauritanie, lorsqu'Almanzor fut informé, d'une manière ou d'une autre, de ce qui s'était passé. Il en fut fort alarmé. Peut-être l'eût-il été moins s'il eût eu la certitude qu'Aurore avait soustrait l'argent de son chef, mais tout le portait à croire qu'elle y avait été autorisée par le calife, et s'il en était ainsi, la conjoncture était en effet bien difficile. Cependant il fallait prendre un parti. Almanzor prit celui d'assembler les vizirs, les membres de la magistrature, les ulémas et d'autres personnages marquants de la cour et de la ville. Ayant informé cette assemblée que les dames du sérail se permettaient de s'approprier les fonds de la caisse publique sans que le calife, entièrement livré à des exercices de dévotion, les en empêchât, il demanda l'autorisation de transporter le trésor en un lieu plus sûr. Il l'obtint; mais il n'en fut pas plus avancé pour cela, car lorsque ses employés se présentèrent au palais pour transférer la caisse, Aurore s'y opposa en déclarant que le calife avait défendu d'y toucher.

Que faire maintenant? Employer la violence? Mais il faudrait l'employer contre le souverain lui-même, et si Almanzor osait aller jusque-là, la capitale se soulèverait en un clin d'œil; elle était prête, elle n'attendait qu'un signal. La situation était donc bien périlleuse, cependant elle n'était pas désespérée; pour l'être, il eût fallu d'abord que Zîrî fût déjà en Espagne avec son armée, ensuite que le calife fût un homme capable de persister dans une résolution hardie. Or Zîrî était encore en Afrique, et le calife était un esprit sans consistance. Almanzor ne perdit donc pas le courage. Risquant le tout pour le tout, il se ménagea, à l'insu d'Aurore, une entrevue avec le monarque. Il parla, et grâce à cet ascendant que les esprits supérieurs ont sur les âmes faibles, il se retrouva roi après quelques minutes d'entretien. Le calife avoua qu'il n'était pas capable de gouverner par lui-même, et il autorisa le ministre à transporter le trésor. Mais le ministre voulait plus encore. Il dit que, pour ôter tout prétexte aux malintentionnés, il lui fallait une déclaration écrite, une déclaration solennelle. Le calife lui promit de signer tout ce qu'il voudrait, et alors Almanzor fit dresser sur-le-champ un acte en vertu duquel Hichâm lui abandonnait la conduite des affaires comme par le passé. Le calife y mit sa signature en présence de plusieurs notables qui y mirent aussi la leur en qualité de témoins (février ou mars 997), et Almanzor prit soin de donner à cette pièce importante la plus grande publicité.

Dès lors une révolte dans la capitale n'était plus à craindre. Comment pouvait-on prétendre à délivrer un captif qui ne voulait pas de la liberté? Cependant le ministre comprit qu'il fallait faire quelque chose pour contenter le peuple. Comme on avait crié sans cesse qu'on voulait voir le monarque, il résolut de le montrer. Il le fit donc monter à cheval, et alors Hichâm se mit à parcourir les rues, le sceptre à la main et coiffé du haut bonnet que les califes seuls avaient le droit de porter. Almanzor l'accompagnait ainsi que toute la cour. La foule amassée sur son passage était compacte et innombrable, mais l'ordre ne fut pas troublé un seul instant et aucun cri séditieux ne se fit entendre.

Aurore s'avoua vaincue. Humiliée, épuisée, brisée, elle alla chercher dans la dévotion l'oubli du passé et un dédommagement pour la perte de ses espérances.

Restait Zîrî. Celui-ci était devenu bien moins redoutable depuis qu'il ne pouvait plus compter sur l'appui du calife ni sur les subsides d'Aurore. Aussi Almanzor ne garda-t-il aucun ménagement avec lui. Il le mit hors la loi, et chargea son affranchi Wâdhih d'aller le combattre à la tête d'une excellente armée qu'il mit à sa disposition.

On eût pu croire qu'Almanzor ne commencerait aucune autre guerre avant que celle de la Mauritanie fut terminée. Il n'en fut pas ainsi. Le ministre avait déjà concerté avec les comtes léonais, ses vassaux, une grande expédition contre Bermude, qui, comptant un peu trop sur la diversion que la révolte de Zîrî ferait en sa faveur, avait osé refuser le tribut, et quoique les circonstances fussent changées, il ne renonça pas à ce projet. Peut-être voulait-il montrer à Zîrî, à Bermude, à tous ses ennemis déclarés ou couverts, qu'il était assez puissant pour entreprendre deux guerres à la fois; et si telle était son intention, il n'avait pas trop présumé de ses forces, car le destin a voulu que la campagne qu'il allait faire, celle de Saint-Jacques-de-Compostelle, soit devenue la plus célèbre de toutes celles qu'il a faites pendant sa longue carrière de conquérant.

A l'exception de la ville éternelle, il n'y avait pas dans toute l'Europe un lieu aussi renommé par sa sainteté que Santiago en Galice. Et pourtant sa réputation n'était pas ancienne; elle ne datait que du temps de Charlemagne. Vers ce temps là, dit-on, plusieurs pieuses personnes informèrent Théodemir, l'évêque d'Iria (aujourd'hui el Padron), qu'elles avaient aperçu pendant la nuit des lumières étranges dans un bosquet, et qu'elles y avaient aussi entendu une musique délicieuse et qui n'avait rien d'humain. Croyant aussitôt à un miracle, l'évêque se prépara à le constater en jeûnant et en priant pendant trois jours; puis, s'étant rendu au bosquet, il y découvrit un tombeau de marbre. Inspiré par la sagesse divine, il déclara que c'était celui de l'apôtre saint Jacques, fils de Zébédée, qui, d'après la tradition, avait prêché l'Evangile en Espagne, et il ajouta que lorsque cet apôtre eut été décapité à Jérusalem sur l'ordre d'Hérode, ses disciples avaient apporté son corps en Galice, où ils l'ensevelirent. Dans un autre temps, de telles assertions auraient peut-être été contestées; mais à cette époque de foi naïve, personne n'avait la hardiesse d'élever des doutes irrespectueux quand le clergé parlait, et supposé même qu'il y eût eu des incrédules, l'autorité du pape Léon III, qui déclara solennellement que le tombeau en question était celui de saint Jacques, aurait coupé court à toutes les objections. L'opinion de Théodemir fut donc acceptée, et tout le monde en Galice se réjouit de ce que le pays possédait les restes d'un apôtre. Alphonse II voulut que l'évêque d'Iria résidât dorénavant à l'endroit où le tombeau avait été découvert, et au-dessus de ce tombeau il fit construire une église. Plus tard, Alphonse III en fit bâtir une autre, plus grande et plus belle, qui, par les nombreux miracles qui s'y opéraient, acquit bientôt une grande renommée, de sorte que vers la fin du Xe siècle Saint-Jacques-de-Compostelle était un pèlerinage très-fameux et où l'on arrivait de tous côtés, de France, d'Italie et d'Allemagne, comme des pays les plus reculés de l'Orient.

En Andalousie aussi, tout le monde connaissait Saint-Jacques et sa superbe église, qui, pour nous servir de l'expression d'un auteur arabe, était pour les chrétiens ce que la Caba de la Mecque était pour les musulmans; mais on ne connaissait ce saint lieu que de réputation; pour l'avoir vu, il fallait avoir été captif chez les Galiciens, car aucun prince arabe n'avait encore eu l'idée de pénétrer avec une armée dans ce pays lointain et de difficile abord. Ce que personne n'avait tenté, Almanzor avait résolu de le faire; il voulait montrer que ce qui était impossible pour d'autres ne l'était pas pour lui, et il avait l'ambition de détruire le sanctuaire le plus révéré des ennemis de l'islamisme, le sanctuaire de l'apôtre qui, selon la croyance des Léonais, avait maintefois combattu dans leurs rangs.

Le samedi 3 juillet de l'année 997, il partit donc de Cordoue à la tête de la cavalerie. Il se porta d'abord sur Coria, puis sur Viseu, où il fut rejoint par un grand nombre de comtes soumis à son autorité, puis sur Porto, où l'attendait une flotte qui était sortie du port de Caçr-Abî-Dânis (aujourd'hui Alcacer do Sal, en Portugal). Sur cette flotte se trouvait l'infanterie, à laquelle le ministre avait voulu épargner une longue marche, et elle était chargée d'armes et d'approvisionnements. Les vaisseaux, rangés l'un à côté de l'autre, servirent en outre de pont à l'armée pour passer le Duero.

Comme le pays entre cette rivière et le Minho appartenait aux comtes alliés, les musulmans purent le traverser sans avoir à vaincre d'autres obstacles que ceux que le terrain leur opposait. Parmi ceux-ci il y avait une montagne fort élevée et d'un accès très-difficile; mais Almanzor fit frayer un chemin par les mineurs.

Après avoir passé le Minho, on se trouva en pays ennemi. Dès lors il fallait se tenir sur ses gardes, d'autant plus que les Léonais qui se trouvaient dans l'armée ne semblaient pas trop bien disposés. Leur conscience, si longtemps assoupie, s'était réveillée tout d'un coup à la pensée qu'ils allaient commettre un horrible sacrilége, et peut-être auraient-ils réussi à faire échouer l'expédition, si Almanzor, qui avait eu vent de leurs projets, ne les eût déjoués alors qu'il en était encore temps. Voici ce qu'on raconte à ce sujet:

La nuit était froide et pluvieuse, lorsqu'Almanzor fit venir un cavalier musulman qui avait sa confiance. «Il faut, lui dit-il, que tu te rendes sur-le-champ au défilé de Taliares. Fais-y faction, et amène-moi le premier individu que tu apercevras.» Le cavalier se mit aussitôt en route; mais arrivé au défilé, il y attendit toute la nuit, en maudissant le mauvais temps, sans qu'il vît apparaître âme vivante, et l'aurore pointait déjà lorsqu'enfin il vit arriver, du côté du camp, un vieillard monté sur un âne. C'était apparemment un bûcheron, car il était muni des outils qui appartiennent à ce métier. Le cavalier lui demanda où il allait. «Je m'en vais abattre du bois dans la forêt,» lui répondit l'autre. Le soldat ne savait que faire. Etait-ce là l'homme qu'il fallait amener au général? C'était peu probable; qu'est-ce que le général pourrait vouloir à ce pauvre vieillard qui semblait avoir bien de la peine à gagner sa vie? Aussi le cavalier le laissa-t-il passer son chemin; mais l'instant d'après il se ravisa. Almanzor avait donné des ordres très-précis, et il était dangereux de lui désobéir. Le soldat fit donc sentir l'éperon à sa monture, et ayant rejoint le vieillard: «Il faut, lui dit-il, que je te conduise vers mon seigneur Almanzor. — Qu'est-ce qu'Almanzor pourrait avoir à dire à un homme tel que moi? lui répliqua l'autre. Laissez-moi gagner mon pain, je vous en supplie. — Non, lui répondit le cavalier, tu m'accompagneras, que tu le veuilles ou non.» L'autre fut forcé de lui obéir, et ils reprirent ensemble la route du camp.

Le ministre, qui ne s'était pas couché, ne témoigna aucune surprise à la vue du vieillard, et, s'adressant à ses serviteurs slaves: «Fouillez cet homme!» leur dit-il. Les Slaves exécutèrent cet ordre, mais sans trouver rien qui pût paraître suspect. «Fouillez alors la couverture de son âne!» continua Almanzor. Et cette fois ses soupçons ne portaient pas à faux, car on découvrit dans cette couverture une lettre que des Léonais de l'armée musulmane avaient écrite à leurs compatriotes et dans laquelle ils leur donnaient avis qu'un certain côté du camp était mal gardé, de sorte qu'il pourrait être attaqué avec succès. Ayant appris par ce message les noms des traîtres, Almanzor leur fit sur-le-champ couper la tête, ainsi qu'au soi-disant bûcheron qui leur avait servi d'intermédiaire. Cette mesure énergique porta ses fruits. Intimidés par la sévérité du général, les autres Léonais ne se hasardèrent pas à entretenir des intelligences avec l'ennemi.

L'armée s'étant remise en marche, elle se répandit comme un torrent dans les plaines. Le cloître des saints Cosme et Damien fut pillé, la forteresse de San Payo fut prise d'assaut. Comme un grand nombre d'habitants du pays s'étaient réfugiés sur la plus grande des deux îles, ou plutôt des deux rochers peu élevés, qui se trouvent dans la baie de Vigo, les musulmans, qui avaient découvert un gué, passèrent dans cette île et dépouillèrent ceux qui s'y trouvaient de tout ce qu'ils avaient emporté. Ils franchirent ensuite l'Ulla, pillèrent et détruisirent Iria (El Padron), qui était un fameux pèlerinage de même que Saint-Jacques-de Compostelle, et le 11 août ils arrivèrent enfin à cette dernière ville. Ils la trouvèrent vide d'habitants, tout le monde ayant pris la fuite à l'approche de l'ennemi. Seul un vieux moine était resté auprès du tombeau de l'apôtre. «Que fais-tu là?» lui demanda Almanzor. «J'adresse des prières à saint Jacques,» répondit le vieillard. «Prie tant que tu voudras,» dit alors le ministre, et il défendit de lui faire du mal.

Almanzor plaça une garde auprès du tombeau, de sorte qu'il fut à l'abri de la fureur des soldats; mais au reste toute la ville fut détruite, les murailles et les maisons aussi bien que l'église, laquelle, dit un auteur arabe, «fut rasée au point qu'on n'aurait pas soupçonné qu'elle avait existé la veille.» Le pays d'alentour fut dévasté par des troupes légères qui poussèrent jusqu'à San Cosme de Mayanca (près de La Coruña).

Ayant passé une semaine à Saint-Jacques, Almanzor ordonna la retraite en se dirigeant vers Lamego. Arrivé dans cette ville, il prit congé des comtes, ses alliés, après leur avoir donné de beaux présents qui consistaient surtout en étoffes précieuses. Ce fut aussi de Lamego qu'il adressa à la cour une relation détaillée de sa campagne; relation dont les auteurs arabes nous ont conservé la substance, peut-être même les propres paroles. Il fit ensuite son entrée dans Cordoue, accompagné d'une foule de prisonniers chrétiens qui portaient sur leurs épaules les portes de la ville de Saint-Jacques et les cloches de son église. Les portes furent placées dans le toit de la mosquée qui n'était pas encore achevée. Quant aux cloches, elles furent suspendues dans le même édifice pour y servir de lampes. Qui eût dit alors que le jour viendrait où un roi chrétien les ferait reporter en Galice sur les épaules des captifs musulmans?

En Mauritanie les armes d'Almanzor avaient été moins heureuses. Wâdhih, il est vrai, avait d'abord remporté quelques avantages: s'étant emparé d'Arzillaet de Nécour, il avait réussi à surprendre de nuit le camp de Zîrî et à lui tuer beaucoup de monde; mais bientôt après, la fortune lui avait tourné le dos, et, battu à son tour, il avait été forcé de chercher un refuge dans Tanger. C'est de là qu'il écrivit au ministre pour lui demander du secours. Il ne tarda pas à en recevoir. Dès qu'il eut reçu la lettre de son lieutenant, Almanzor envoya à un grand nombre de corps l'ordre de se diriger sur Algéziras, et, afin de hâter leur embarquement, il se rendit en personne à ce port. Puis son fils Abdalmélic-Modhaffar, auquel il avait confié le commandement de l'expédition, passa le Détroit avec une excellente armée. Il débarqua à Ceuta, et la nouvelle de son arrivée produisit un excellent effet, car la plupart des princes berbers qui jusque-là avaient soutenu Zîrî, s'empressèrent de venir se ranger sous ses drapeaux. Ayant opéré sa jonction avec Wâdhih, il se mit en marche, et bientôt il découvrit l'armée de Zîrî qui venait à sa rencontre. La bataille eut lieu dans le mois d'octobre de l'année 998. Elle dura depuis le lever du soleil jusqu'à son coucher, et elle fut extrêmement acharnée. Il y eut un moment où les soldats de Modhaffar commençaient à craindre une défaite; mais en ce moment même Zîrî fut blessé trois fois par un de ses nègres dont il avait tué le frère, et qui partit aussitôt à bride abattue pour annoncer cette nouvelle à Modhaffar. Comme l'étendard de Zîrî était encore debout, le prince traita d'abord le transfuge de menteur; mais ayant appris la vérité du fait, il chargea sur l'ennemi et le mit en pleine déroute.

Dès lors la puissance de Zîrî était anéantie. Ses Etats rentrèrent tous au pouvoir des Andalous, et peu de temps après, dans l'année 1001, il mourut par suite des blessures que le nègre lui avait portées et qui s'étaient rouvertes.

XII

La carrière d'Almanzor touchait à sa fin. Dans le printemps de l'année 1002, il fit sa dernière expédition. Lui-même avait toujours désiré de mourir en campagne, et il était si bien convaincu que son vœu serait exaucé, qu'il portait constamment ses linceuls avec lui. Ils avaient été cousus par ses filles, et pour en acheter la toile, il n'avait employé que l'argent qui provenait des terres qui environnaient son vieux manoir de Torrox, car il les voulait purs de toute souillure, et à son propre avis l'argent que lui rapportaient ses nombreux emplois ne l'était pas. A mesure qu'il vieillissait, il était devenu plus dévot, et comme le Coran dit que Dieu préservera du feu celui dont les pieds se sont couverts de poussière dans le chemin de Dieu (dans la guerre sainte), il avait pris l'habitude de faire secouer avec beaucoup de soin, chaque fois qu'il arrivait à l'étape, la poussière qui se trouvait sur ses habits, et de la garder dans une cassette faite exprès; il voulait que, quand il aurait rendu le dernier soupir, on le couvrît dans son tombeau de cette poussière, persuadé comme il l'était que les fatigues qu'il avait supportées dans la guerre sainte seraient devant le tribunal suprême sa meilleure justification.

Sa dernière expédition, qui était dirigée contre la Castille, fut heureuse comme toutes les précédentes l'avaient été. Il pénétra jusqu'à Canalès et détruisit le cloître de saint Emilien, le patron de la Castille, de même qu'il avait détruit cinq années auparavant l'église du patron de la Galice.

Au retour il sentait sa maladie empirer. Se méfiant des médecins, qui n'étaient pas d'accord entre eux sur la nature de cette maladie et sur le traitement à suivre, il refusait obstinément les secours de l'art, et d'ailleurs il était convaincu qu'il ne pouvait guérir. N'étant plus en état de se tenir à cheval, il se faisait porter en litière. Il souffrait horriblement. «Vingt mille soldats, disait-il, sont inscrits sur mon rôle, mais il n'y a personne parmi eux qui soit aussi misérable que moi.»

Porté ainsi à dos d'homme pendant quatorze jours, il arriva enfin à Medinaceli. Une seule pensée remplissait son esprit. Son autorité ayant toujours été contestée et chancelante, en dépit de ses nombreuses victoires et de sa grande renommée, il craignait qu'une révolte n'éclatât après sa mort et n'enlevât le pouvoir à sa famille. Tourmenté sans cesse par cette idée, qui empoisonnait ses derniers jours, il fit venir son fils aîné, Abdalmélic, auprès de son lit, et, lui donnant ses dernières instructions, il lui recommanda de confier le commandement de l'armée à son frère Abdérame et de se rendre sans retard à la capitale, où il devrait s'emparer du pouvoir et se tenir prêt à réprimer immédiatement toute tentative d'insurrection. Abdalmélic lui promit de suivre ces conseils; mais l'inquiétude d'Almanzor était telle qu'il rappelait son fils chaque fois que celui-ci, croyant que son père avait fini de parler, voulait se retirer; le moribond craignait toujours d'avoir oublié quelque chose, et toujours il trouvait un nouveau conseil à ajouter à ceux qu'il avait déjà donnés. Le jeune homme pleurait; son père lui reprochait sa douleur comme un signe de faiblesse. Quand Abdalmélic fut parti, Almanzor se sentit un peu mieux et fit venir ses officiers. Ceux-ci le reconnaissaient à peine; il était devenu si maigre et si pâle qu'il ressemblait à un spectre, et il avait presque entièrement perdu la parole. Moitié par gestes, moitié par des mots entrecoupés, il leur dit adieu, et peu de temps après, dans la nuit du lundi 10 août, il rendit le dernier soupir. Il fut enseveli à Medinaceli, et l'on grava sur son tombeau ces deux vers:

Les traces qu'il a laissées sur la terre t'apprendront son histoire, comme si tu le voyais de tes yeux.

Par Allâh! le temps n'en amènera jamais un semblable, ni personne qui, comme lui, défende nos frontières.

L'épitaphe qu'un moine chrétien lui posa dans sa chronique, n'est pas moins caractéristique. «Dans l'année 1002, dit-il, mourut Almanzor; il fut enseveli dans l'enfer.» Ces simples paroles, arrachées par la haine à un ennemi terrassé, en disent plus que les éloges les plus pompeux.

Jamais, en effet, les chrétiens du nord de la Péninsule n'avaient eu un tel adversaire à combattre. Almanzor avait fait contre eux plus de cinquante campagnes (ordinairement il en faisait deux par an, l'une dans le printemps, l'autre dans l'automne), et toujours il s'en était tiré à sa gloire. Sans compter une foule de villes, parmi lesquelles il y avait trois capitales, Léon, Pampelune et Barcelone, il avait détruit le sanctuaire du patron de la Galice et celui du patron de la Castille. «En ce temps-là, dit un chroniqueur chrétien, le culte divin fut anéanti en Espagne; la gloire des serviteurs du Christ fut entièrement rabaissée; les trésors de l'Eglise, accumulés pendant des siècles, furent tous pillés.» Aussi les chrétiens tremblaient-ils à son nom. L'effroi qu'il leur inspirait le tirait parfois des périls dans lesquels son audace l'avait précipité; même quand ils l'avaient pour ainsi dire en leur pouvoir, ils n'osaient pas profiter de leur avantage. Une fois, par exemple, il s'était engagé en pays ennemi après avoir traversé un défilé resserré entre deux hautes montagnes. Tant que ses troupes pillaient et ravageaient à droite et à gauche, les chrétiens n'osèrent rien faire contre elles; mais en retournant sur ses pas, Almanzor trouva que les ennemis avaient pris possession du défilé. Comme il n'y avait pas moyen de le forcer, la situation des musulmans était périlleuse; mais leur général prit aussitôt une résolution hardie. Ayant cherché et trouvé un endroit, qui fût à sa convenance, il y fit élever des baraques et des huttes, après quoi il ordonna de couper la tête à plusieurs captifs et d'amonceler leurs cadavres en guise de remparts. Puis, comme sa cavalerie parcourait le pays sans trouver des vivres, il fit rassembler des instruments de labourage et enjoignit à ses soldats de cultiver la terre. Les ennemis s'inquiétèrent fort de ces préparatifs qui semblaient indiquer que les musulmans ne quitteraient plus leur pays. Ils leur offrirent donc la paix à condition qu'ils leur abandonneraient leur butin. Almanzor repoussa cette proposition. «Mes soldats, répondit-il, veulent rester où ils sont; ils pensent qu'ils auraient à peine le temps de retourner dans leurs foyers, la campagne prochaine devant s'ouvrir sous peu.» Après plusieurs négociations, les chrétiens consentirent enfin à ce qu'Almanzor emmenât son butin, et ils s'engagèrent en outre (tant la peur qu'il leur inspirait était grande) à lui prêter leurs bêtes de somme pour le transporter, à lui fournir des vivres jusqu'à ce qu'il fût parvenu aux frontières musulmanes, et à enlever eux-mêmes les cadavres qui obstruaient sa route.

Dans une autre campagne, un porte-étendard avait, au moment de la retraite, oublié son drapeau qu'il avait fiché en terre sur le sommet d'une montagne qui se trouvait dans le voisinage d'une ville chrétienne. Le drapeau y resta plusieurs jours, sans que les chrétiens osassent venir s'assurer si les musulmans étaient partis ou non.

On raconte aussi qu'un messager d'Almanzor, qui était venu à la cour de Garcia de Navarre, où il fut comblé d'honneurs, trouva dans une église une vieille femme musulmane, qui lui raconta qu'ayant été faite prisonnière dans sa jeunesse, elle avait été depuis lors esclave dans cette église, et qui le supplia d'attirer sur elle l'attention d'Almanzor. Le lui ayant promis, il retourna auprès du ministre et lui rendit compte de sa mission. Quand il eut fini de parler, Almanzor lui demanda s'il n'avait pas vu en Navarre quelque chose qui l'eût blessé. L'autre lui ayant parlé alors de l'esclave musulmane: «Vive Dieu! s'écria Almanzor, c'est par là que tu aurais dû commencer;» et se mettant aussitôt en campagne, il se porta vers la frontière de la Navarre. Extrêmement effrayé, Garcia lui écrivit aussitôt pour lui demander quelle faute il avait commise, attendu qu'il n'avait pas conscience d'avoir fait rien qui pût provoquer sa colère. «Quoi! dit alors le ministre aux messagers qui lui apportaient cette lettre, ne m'avait-il pas juré qu'il ne restait dans son pays aucun prisonnier musulman de l'un ou de l'autre sexe? Eh bien! il a menti; j'ai acquis la certitude qu'il y a encore une musulmane dans telle et telle église, et je ne quitterai pas la Navarre avant qu'elle n'ait été remise entre mes mains.» Ayant reçu cette réponse, Garcia s'empressa d'envoyer au ministre la femme qu'il réclamait ainsi que deux autres qu'il avait découvertes à force de recherches. En même temps il lui fit jurer qu'il n'avait jamais vu ces femmes, ni même entendu parler d'elles, et il ajouta qu'il avait déjà donné l'ordre de détruire l'église dont Almanzor avait parlé.

Autant Almanzor était l'effroi de l'ennemi, autant il était l'idole de ses soldats. C'est que pour eux il était un père qui s'occupait avec une constante sollicitude de tous leurs besoins. Cependant il était d'une sévérité excessive en tout ce qui concernait la discipline militaire. Un jour qu'il inspectait des troupes, il vit briller à contre-temps une épée à l'extrémité de la ligne. Aussitôt il fit amener le coupable devant lui. «Quoi! lui dit-il le regard enflammé de colère, tu oses tirer l'épée sans qu'on te l'ait commandé? — Je voulais la montrer à mon camarade, balbutia le soldat; je n'avais pas l'intention de la tirer du fourreau, elle en est sortie par hasard.... — Vaine excuse! dit Almanzor; puis, s'adressant à son entourage: Que l'on coupe la tête à cet homme avec sa propre épée, poursuivit-il, et qu'on la promène à travers les rangs, afin que chacun apprenne à respecter la discipline!» De tels exemples répandaient parmi les soldats une terreur salutaire. Aussi gardaient-ils un silence solennel quand ils étaient passés en revue. Même les chevaux, dit un auteur arabe, semblaient comprendre leur devoir; il était rare qu'on les entendît hennir.

Grâce à cette armée qu'il avait créée et rompue à l'obéissance, Almanzor avait donné à l'Espagne musulmane une puissance qu'elle n'avait jamais eue, pas même du temps d'Abdérame III. Mais ce n'était pas là son seul mérite; sa patrie lui avait bien d'autres obligations, et la civilisation lui en a aussi. Il aimait et encourageait la culture de l'esprit, et quoique forcé par des considérations politiques à ne point tolérer les philosophes, il se plaisait cependant à les protéger aussitôt qu'il pouvait le faire sans blesser la susceptibilité du clergé. Il arriva, par exemple, qu'un certain Ibn-as-Sonbosî fut arrêté et mis en prison comme suspect d'incrédulité. Plusieurs personnes ayant rendu témoignage contre lui, les faquis déclarèrent qu'il méritait le dernier supplice. Cette sentence était déjà sur le point d'être exécutée, lorsqu'un faqui fort considéré, Ibn-al-Macwâ, qui avait refusé longtemps de faire partie de l'assemblée, arriva en toute hâte. A force de sophismes fort étranges, mais qui faisaient honneur, sinon à sa logique, du moins à son bon cœur, il sut faire révoquer l'arrêt qui condamnait l'accusé, malgré la véhémente opposition du cadi qui présidait le tribunal. Dès lors la colère du ministre se tourna contre ce dernier. Heureux d'être enfin en état de mettre un frein au farouche fanatisme des bigots: «Nous devons soutenir la religion, dit-il, et tous les vrais croyants ont droit à notre protection. Ibn-as-Sonbosî est de ce nombre, le tribunal l'a déclaré. Cependant le cadi a fait des efforts inouïs pour le faire condamner; c'est donc un homme qui aime à répandre le sang, et il ne nous est pas permis de laisser vivre un tel homme.» Ce n'était qu'une menace; le cadi en fut quitte pour quelques jours de prison; mais il est présumable que dans la suite il aura été un peu moins rigoureux pour les pauvres penseurs qui osaient s'affranchir des dogmes reçus.

Les hommes de lettres trouvaient auprès d'Almanzor l'accueil le plus honorable; il avait à sa cour une foule de poètes qu'il pensionnait et qui parfois l'accompagnaient dans ses campagnes. Parmi eux Çâid, de Bagdad, était, non pas le plus illustre, mais le plus remarquable et le plus amusant. On ne peut nier — quoique les Andalous, toujours extrêmement jaloux des étrangers, se plussent à le faire — on ne peut nier qu'il ne fût un poète de talent, un bon romancier, un habile improvisateur; mais c'était en même temps un homme qui avait très-peu de respect pour la vérité, l'imposteur le plus hardi que l'on puisse s'imaginer. Une fois lancé, rien ne l'arrêtait; il débitait alors tant de choses que c'était une merveille. Quand on lui demandait d'expliquer un mot qui n'avait jamais existé, il avait toujours une interprétation à donner et un vers d'un ancien poète à citer. A l'en croire, il n'y avait livre qu'il n'eût lu. Voulant le démasquer, les littérateurs lui montrèrent un jour, en présence d'Almanzor, un livre en feuilles blanches sur la première desquelles ils avaient écrit: Livre sur les pensées ingénieuses, par Abou-'l-Ghauth Çanânî. Il n'y avait jamais eu ni un tel ouvrage, ni un auteur de ce nom; néanmoins, dès qu'il eut jeté un coup d'œil sur le titre: «Ah! j'ai lu ce livre,» s'écria-t-il, et, le baisant avec respect, il nomma la ville où il l'avait lu et le professeur qui le lui avait expliqué. «Dans ce cas, lui dit alors le ministre, qui s'empressa de lui prendre le livre des mains de peur qu'il ne l'ouvrît, tu dois savoir ce qu'il contient. — Mais certainement que je le sais. Il est vrai qu'il y a déjà longtemps que j'ai lu cet ouvrage et que je n'en sais plus rien par cœur, mais je me rappelle fort bien qu'il contient seulement des observations philologiques, et qu'il n'y a aucun vers ni aucune histoire.» Et tout le monde de rire aux éclats. Une autre fois Almanzor avait reçu d'un gouverneur, qui s'appelait Mabramân ibn-Yézîd, une lettre où il était question de *calb* et de *tazbîl*, c'est-à-dire de culture et d'engrais. S'adressant à Çâid: «As-tu vu, dit-il, un livre écrit par Mabramân ibn-Yézîd et qui porte le titre d'*al-cawâlib wa-'z-zawâ-lib*? — Ah, par Dieu! oui, lui répondit Çâid, j'ai vu ce livre à Bagdad dans une copie qui avait été faite par le célèbre Ibn-Doraid, et sur les marges de laquelle il y avait des traits comme des pattes de fourmi. — Imposteur que tu es! Le nom que j'ai prononcé n'est pas celui d'un écrivain, mais celui d'un de mes gouverneurs, qui, dans une lettre qu'il m'a envoyée, me parle de culture et d'engrais. — Fort bien, mais n'allez pas croire pour cela que j'aie inventé quelque chose, moi qui n'invente jamais rien. Le livre et l'auteur que vous avez nommés existent, je vous en donne ma parole d'honneur, et si votre gouverneur porte le même nom que cet écrivain, c'est une remarquable coïncidence, voilà tout.» Une autre fois encore Almanzor lui montra le Recueil que le célèbre Câlî avait composé. «Si vous le désirez, lui répondit aussitôt Çâid, je dicterai à vos secrétaires un livre bien plus beau que celui-là et dans lequel je ne raconterai que des histoires qui ne se trouvent pas dans le livre de Câlî. — Fais comme tu le dis,» lui répondit Almanzor, qui ne demandait pas mieux que de se voir dédier un livre plus remarquable encore que celui que Câlî avait dédié au feu calife, car, s'il avait fait venir Çâid en Espagne, il l'avait fait précisément parce qu'il espérait qu'il éclipserait la gloire de Câlî, qui avait illustré les règnes d'Abdérame III et de Hacam II. Çâid se mit sur-le-champ à l'œuvre, et dans la mosquée de Zâhira il dicta ses *Châtons de bague*. Quand le livre fut achevé, les littérateurs de l'époque l'examinèrent. A leur grande surprise, mais aussi à leur secrète satisfaction, ils trouvèrent que d'un bout à l'autre ce n'étaient que des bourdes. Explications philologiques, anecdotes, vers, proverbes, tout était de l'invention de l'auteur. Ils le déclarèrent du moins, et Almanzor les crut. Cette fois il fut réellement fâché contre Çâid, et il fit jeter son livre dans la rivière. Cependant il ne lui retira pas sa faveur. Depuis que Çâid lui avait prédit que Garcia, le comte de Castille, serait fait prisonnier (prédiction qui, comme nous l'avons vu, s'était accomplie), il avait conçu pour lui une grande affection, ou plutôt un respect superstitieux. Et puis, le poète lui témoignait sa reconnaissance de mille manières, et c'est à quoi Almanzor était fort sensible. Une fois, par exemple, il eut l'idée de rassembler toutes les bourses qu'Almanzor lui avait envoyées remplies d'argent, et d'en faire faire une robe pour son esclave noir Câfour; puis il se rendit au palais, et, ayant réussi à mettre le ministre de bonne humeur: «Seigneur, lui dit-il, j'ai une prière à vous faire. — Que désires-tu donc? — Que mon esclave Câfour vienne ici. — Etrange demande! — Accordez la-moi. — Eh bien! qu'il vienne si cela te plaît.» Câfour, un homme grand comme un palmier, entra alors, couvert de sa robe de diverses couleurs, qui ressemblait à l'habit rapiécé d'un mendiant. «Le pauvre homme! s'écria le ministre; comme il est mal accoutré! Pourquoi lui mets-tu des guenilles? — Ah! voilà justement le fin de la chose! Sachez, seigneur, que vous m'avez déjà donné tant d'argent que les bourses qui le contenaient ont suffi pour vêtir un homme de la taille de Câfour.» Un sourire de satisfaction monta aussitôt sur les lèvres d'Almanzor. «Tiens, dit-il, tu as un tact admirable pour me montrer ta gratitude; je suis content de toi;» et à l'instant même il lui fit remettre de nouveaux présents parmi lesquels se trouvait un beau costume pour Câfour. Enfin, il faut bien le dire, si des hommes tels que Çâid jouissaient de la faveur du ministre, c'est qu'en fait de littérature celui-ci n'avait pas la finesse de tact que possédaient la plupart des Omaiyades. Il croyait de son devoir de pensionner des poètes, mais il les considérait un peu comme les objets d'un luxe auquel il était obligé par sa haute position, et il n'avait pas assez de délicatesse dans l'esprit pour distinguer les vrais diamants d'avec les faux.

En revanche, si la portée de son esprit n'était pas tout à fait littéraire, elle était éminemment pratique. Les intérêts matériels du pays trouvaient en lui un protecteur très-éclairé. L'amélioration des moyens de communication le préoccupait sans cesse. Il fit frayer une foule de routes. A Ecija il fit jeter un pont sur le Xenil, à Cordoue il en fit bâtir un autre sur le Guadalquivir, qui coûta cent quarante mille pièces d'or.

En toutes choses, qu'elles fussent grandes ou petites, il avait le coup d'œil du génie. Quand il voulait entreprendre une affaire importante, il consultait ordinairement les dignitaires, mais il suivait rarement leurs conseils. Ces hommes ne sortaient jamais de l'ornière de l'habitude; esclaves de la routine, ils savaient ce qu'Abdérame III ou Hacam II avait fait dans une circonstance pareille, et ils ne comprenaient pas qu'on pût faire autrement. Puis, quand ils voyaient Almanzor suivre sa propre idée, ils s'écriaient que tout était perdu, jusqu'à ce que l'événement donnât à leurs prévisions le plus éclatant démenti.

Quant à son caractère, il est vrai que, pour arriver au pouvoir et pour s'y maintenir, il avait commis des actes que la moralité condamne, et même des crimes que nous n'avons nullement essayé de pallier; mais la justice nous ordonne d'ajouter ici que, pourvu que son ambition ne fût pas en jeu, il était loyal, généreux et juste. La fermeté, comme nous avons déjà eu l'occasion de le dire, formait le fond de sa nature. Une fois qu'il avait pris un parti, rien ne pouvait l'en faire changer. Quand il le voulait, il supportait la douleur physique avec la même impassibilité que la douleur morale. Un jour qu'il avait mal au pied, il se le fit cautériser pendant une séance du conseil. Il parlait comme si de rien n'était, et les membres du conseil ne se seraient pas aperçus de l'opération, si l'odeur de la chair qui brûlait ne les en eût avertis. Tout chez lui révélait une volonté et une persévérance extraordinaires; il persistait dans ses amitiés comme dans ses haines; jamais il n'oubliait un service, et jamais aussi il ne pardonnait une offense. C'est ce qu'éprouvèrent ses condisciples auxquels, tout jeune encore, il avait donné la liberté de choisir les postes qu'ils voudraient occuper au cas où il deviendrait premier ministre. Les trois étudiants qui à cette occasion avaient feint de prendre sa proposition au sérieux et qui avaient nommé les emplois qu'ils ambitionnaient, les obtinrent en effet sous son ministère, tandis que le quatrième, qui avait parlé d'une manière inconvenante, expia son imprudence par la perte de ses biens. Parfois, cependant, quand il avait tort et qu'il le sentait, il réussissait à vaincre l'opiniâtreté de son caractère. Un jour qu'il était question d'une amnistie à accorder, il parcourait la liste des prisonniers, lorsque son regard tomba sur le nom d'un de ses serviteurs contre lequel il avait conçu une haine violente et qui était depuis longtemps en prison, sans qu'il eût mérité d'être traité de la sorte. «Celui-là, écrivit-il sur la marge, restera où il est jusqu'à ce que l'enfer vienne le réclamer.» Mais la nuit venue, il chercha en vain le repos; sa conscience le tourmentait, et dans cet état intermédiaire qui n'est ni le sommeil ni la veille, il crut voir un homme d'une laideur repoussante et d'une force surhumaine, qui lui disait: «Rends la liberté à cet homme, sinon tu seras puni de ton injustice!» Il tâcha encore de chasser ces noires visions, mais n'y réussissant pas, il se fit apporter sur son lit ce qu'il faut pour écrire, après quoi il dressa l'ordre de mettre le prisonnier en liberté, mais en ajoutant ces mots: «Cet homme doit sa liberté à Dieu, et Almanzor n'y a consenti qu'à regret.»

Une autre fois il buvait avec le vizir Abou-'l-Moghîra ibn-Hazm dans un de ses superbes jardins à Zâhira, car, malgré le respect qu'il témoignait à la religion, il but du vin toute sa vie, à l'exception des deux années qui précédèrent sa mort. C'était le soir, un de ces beaux soirs comme il n'y en a que dans les pays privilégiés du Midi. Or une belle chanteuse qu'Almanzor aimait, mais qui avait conçu une grande passion pour l'hôte du ministre, chanta ces vers:

Le jour fuit, et déjà la lune montre la moitié de son disque. Le soleil qui se couche ressemble à une joue, les ténèbres qui approchent au duvet qui la couvre, le cristal des coupes à de l'eau congelée, et le vin à du feu liquide. Mes regards m'ont fait commettre des péchés que rien n'excuse. Hélas! gens de ma famille, j'aime un jeune homme qui se soustrait à mon amour, bien qu'il se trouve dans mon voisinage. Ah! que ne puis-je m'élancer vers lui et le serrer sur mon cœur!

Abou-'l-Moghîra ne comprit que trop bien la portée de ces vers, et il eut l'imprudence d'y répondre aussitôt par ceux-ci:

Le moyen, le moyen d'approcher de cette beauté qui est entourée d'une haie d'épées et de lances! Ah! si j'avais la conviction que ton amour est sincère, je risquerais volontiers ma vie pour te posséder. Un homme généreux, quand il veut atteindre son but, ne craint aucun péril.

Almanzor n'y tenait plus. Rugissant de colère, il tira son épée, et s'adressant à la chanteuse: «Dis la vérité, lui cria-t-il d'une voix de tonnerre, est-ce au vizir que s'adresse ton chant? — Un mensonge pourrait me sauver, lui répondit la vaillante jeune fille, mais je ne mentirai point. Oui, son regard m'a percé le cœur, l'amour me l'a fait dire, il m'a fait dire ce que je voulais cacher. Vous pouvez me punir, seigneur, mais vous êtes si bon, vous aimez à pardonner quand on avoue ses fautes.» En parlant ainsi, elle fondit en larmes. Almanzor lui avait déjà pardonné à moitié; mais ce fut à présent contre Abou-'l-Moghîra que se tourna sa colère et il l'accabla d'un torrent de reproches. Le vizir l'écouta sans mot dire; puis, quand il eut fini de parler: «Seigneur, dit-il, j'ai commis une grande faute, j'en conviens; mais qu'y pouvais-je? Chacun est l'esclave de sa destinée; personne ne choisit la sienne, on la subit, et la mienne a voulu que j'aimasse là où je ne devais pas aimer.» Almanzor garda quelques instants le silence. «Eh bien! dit-il enfin, je vous pardonne à tous les deux. Abou-'l-Moghîra! celle que vous aimez, elle est à vous, c'est moi qui vous la donne.»

Son amour de la justice était passé en proverbe. Il voulait qu'elle s'exerçât sans acception de personnes, et la faveur qu'il accordait à certains individus ne les mettait jamais au-dessus des lois. Un homme du peuple se présenta un jour à l'audience. «Défenseur de la justice, dit-il, j'ai à me plaindre de l'homme qui se trouve derrière vous,» et il montra du doigt le Slave qui remplissait l'emploi de porte-bouclier et dont Almanzor faisait grand cas. «Je l'ai cité devant le juge, poursuivit-il, mais il a refusé de venir. — Ah, vraiment! dit alors le ministre, il a refusé de venir et le juge ne l'y a pas contraint? Je pensais qu'Abdérame ibn-Fotaïs (c'était le nom du juge) avait plus d'énergie. Eh bien, mon ami, dis-moi de quoi tu te plains.» L'autre lui raconta alors qu'il avait un contrat avec le Slave et que celui-ci l'avait rompu. Quand il eut fini de parler: «Ils nous causent bien des soucis, ces serviteurs de notre maison!» dit Almanzor; puis, s'adressant au Slave qui tremblait de peur: «Remets le bouclier à celui qui se trouve à côté de toi, lui dit-il, et va humblement répondre à ta partie devant le tribunal, afin que justice se fasse.... Vous, dit-il ensuite au préfet de police, conduisez-les tous les deux vers le juge, et dites-lui que si mon Slave a fait une contravention au contrat, je désire qu'il lui applique la peine la plus grave, la prison ou autre chose.» Le juge ayant donné raison à l'homme du peuple, celui-ci retourna auprès d'Almanzor pour le remercier. «Point de remercîments, lui dit le ministre; tu as gagné ton procès, c'est bien, tu peux être content; mais moi, je ne le suis pas encore; j'ai à punir, moi aussi, le scélérat qui n'a pas rougi de commettre une bassesse, quoiqu'il fût à mon service.» Et il lui donna son congé.

Une autre fois, son majordome était en procès contre un marchand africain. Il fut sommé par le juge de venir prêter serment; mais, croyant que le poste élevé qu'il occupait le mettrait à l'abri des poursuites, il refusa de le faire. Or, un jour qu'Almanzor se rendait à la mosquée, accompagné de son majordome, le marchand l'accosta et lui raconta ce qui s'était passé. A l'instant même le ministre fit arrêter le majordome, en ordonnant de le conduire devant le juge; et ayant ensuite appris qu'il avait perdu son procès, il le destitua.

En résumé, si les moyens qu'Almanzor a employés pour s'emparer du pouvoir doivent être condamnés, il faut avouer cependant qu'une fois qu'il l'eut obtenu, il l'exerça noblement. Si la destinée l'avait fait naître sur les marches du trône, on aurait peut-être peu de reproches à lui faire; peut-être, dans ce cas, aurait-il été l'un des plus grands princes dont l'histoire ait gardé le souvenir; mais ayant vu le jour dans un vieux manoir de province, il fut obligé, pour parvenir au but de son ambition, de se frayer une route à travers mille obstacles, et l'on doit regretter qu'en tâchant de les vaincre, il se soit occupé trop rarement de la légitimité des moyens. C'était sous beaucoup de rapports un grand homme, et cependant, pour peu que l'on respecte les principes éternels de la morale, il est impossible de l'aimer, difficile même de l'admirer.

XIII

Quand Modhaffar fut de retour à Cordoue après la mort de son père, il y eut une émeute. Le peuple exigea à grands cris que le souverain se montrât et qu'il gouvernât par lui-même. En vain Hichâm II fit-il dire à la foule qu'il voulait continuer à mener une vie libre de soucis: elle persista dans ses demandes et Modhaffar fut obligé de la disperser à main armée. Depuis lors, cependant, l'ordre ne fut plus troublé. Il est vrai qu'un petit-fils d'Abdérame III, nommé Hichâm, conspira contre Modhaffar; mais celui-ci, qui en fut averti à temps, le prévint en le faisant mettre à mort (décembre 1006). Il gouverna l'Etat comme l'avait fait son père. Il remporta plusieurs victoires sur les chrétiens, et pendant son règne la prospérité du pays croissait toujours. C'était un âge d'or, disait-on plus tard.

Cependant un grand changement s'était accompli. L'ancienne société arabe, avec ses vertus et ses préjugés, avait disparu. Abdérame III et Almanzor avaient eu tous les deux pour but l'unité de la nation, et ce but, ils l'avaient atteint. La vieille noblesse arabe s'était épuisée dans la lutte qu'elle avait soutenue contre le pouvoir royal; vaincue et brisée, elle était maintenant appauvrie, ruinée, et les vieux noms s'éteignaient chaque jour. La noblesse de cour, qui était attachée aux Omaiyades par les liens de la clientèle, s'était mieux soutenue. Les Abou-Abda, les Chohaid, les Djahwar et les Fotais étaient encore des maisons riches et enviées. Mais les hommes les plus puissants d'alors, c'étaient les généraux berbers et slaves qui devaient leur fortune à Almanzor. Comme c'étaient des parvenus et des étrangers, ils inspiraient peu de respect. D'ailleurs on les considérait comme des barbares, et l'on se plaignait des vexations dont ils se rendaient coupables. D'un autre côté, les hommes de la classe moyenne s'étaient enrichis par le commerce et l'industrie. Déjà sous le règne, si troublé pourtant, du sultan Abdallâh, on avait vu des négociants et des industriels amasser rapidement de grandes fortunes sans autre capital que celui que des amis leur avaient prêté, et à présent que le pays jouissait d'une tranquillité parfaite, de telles fortunes s'édifiaient si facilement et si fréquemment, que l'on ne s'en étonnait plus. Et cependant cette société, si florissante en apparence, portait en elle-même le germe de sa destruction. Si la lutte des races avait cessé, elle allait reparaître sous une autre forme, sous celle de la lutte des classes. L'ouvrier détestait son patron, le bourgeois portait envie au noble, et tout le monde s'accordait à maudire les généraux, les généraux berbers surtout. Au sein d'une inexpérience universelle, il y avait de vagues aspirations vers les nouveautés. La religion était exposée à de rudes attaques. Les mesures qu'Almanzor avait prises contre les philosophes n'avaient pas porté les fruits que le clergé s'en était promis. Les esprits forts se multipliaient au contraire, et le scepticisme, qui forme le fond du caractère arabe, revêtait de plus en plus des formes scientifiques. Les disciples d'Ibn-Masarra, les Masarrîa comme on les appelait, formaient une secte nombreuse. D'autres sectes propageaient aussi des doctrines très-hardies. Une d'entre elles semble être sortie du sein du clergé lui-même. Ses membres avaient du moins étudié les traditions relatives au Prophète; mais leurs études, s'il faut en croire un théologien orthodoxe, avaient été superficielles et elles s'étaient portées de préférence sur des livres apocryphes et composés par des matérialistes qui avaient l'intention de saper les fondements de l'islamisme. De là l'étrange idée qu'ils se formaient de l'univers. La terre, disaient-ils, repose sur un poisson; ce poisson est soutenu par la corne d'un taureau; ce taureau se trouve sur un rocher qu'un ange porte sur son cou; au-dessous de cet ange se trouvent les ténèbres, et au-dessous des ténèbres il y a une eau qui n'a point de fin. Sous ces formules obscures et bizarres, qui peut-être n'étaient que des symboles, les théologiens démêlaient cependant une hérésie très-grave: la secte croyait que l'univers est illimité. Elle enseignait en outre qu'on peut bien imposer une religion par la fraude ou par la violence, mais qu'on ne peut pas la prouver par des arguments tirés de la raison. En même temps, toutefois, elle était hostile aux ouvrages philosophiques de la Grèce, sur lesquels une autre secte s'appuyait au contraire. Cette dernière se composait de naturalistes. L'étude des mathématiques les avait conduits à celle de l'astronomie. Pour croire à la religion ils demandaient des preuves mathématiques, et n'en trouvant pas, ils la déclaraient absurde. Ils en méprisaient tous les commandements; la prière, le jeûne, les aumônes, le pèlerinage, tout cela n'était à leurs yeux qu'une folie. Les faquis ne manquaient pas de leur adresser le reproche que les théologiens de tous les temps se sont plu à adresser à ceux qui se sont écartés des doctrines reçues: ils les accusaient de n'avoir pour but dans leur vie que celui de s'enrichir, afin de pouvoir se livrer à des plaisirs de toute sorte, sans respect pour les lois de la morale.

Cependant les sectes qui attaquaient ouvertement l'islamisme n'étaient pas les plus dangereuses; d'autres, qui voulaient vivre en paix avec lui et qui ne se recrutaient pas seulement parmi les musulmans, mais aussi parmi les chrétiens et les juifs, l'étaient bien davantage, car sous le nom de religion universelle, elles prêchaient l'indifférentisme; et si les religions périssent, ce n'est jamais par des attaques directes, c'est toujours par l'indifférence, les théologiens musulmans ne l'ignoraient pas. Les hommes qui avaient adopté ces doctrines différaient en certains points, et les uns allaient plus loin que les autres; mais ils avaient tous un suprême dédain pour la dialectique. «Le monde, disaient-ils, est plein de religions, de sectes, d'écoles philosophiques, qui se haïssent et s'exècrent. Voyez les chrétiens! Le Melchite ne peut souffrir le Nestorien, le Nestorien déteste le Jacobite, et l'un damne l'autre. Parmi les musulmans, le Motazelite déclare que tous ceux qui ne pensent pas comme lui sont des incrédules; le non-conformiste considère comme de son devoir de tuer ceux qui appartiennent à une autre secte, et le Sonnite ne veut avoir rien de commun ni avec l'un ni avec l'autre. Parmi les juifs, c'est la même chose. Les philosophes se damnent un peu moins, mais ils n'en sont pas plus d'accord. Et quand on se demande lequel entre cette infinité de systèmes philosophiques et théologiques renferme la vérité, il faut dire que l'un vaut l'autre. Les arguments de chaque champion ont absolument la même force, la même faiblesse si l'on veut; seulement l'un s'entend mieux que l'autre à manier les armes de la dialectique. En voulez-vous la preuve? Rendez-vous alors à ces réunions où disputent des hommes d'opinions différentes. Qu'y verrez-vous? Que le vainqueur de la veille est le vaincu du lendemain, et que dans ces savantes assemblées les armes sont aussi journalières que sur les véritables champs de bataille. Le fait est que chacun y parle de choses dont il ne sait rien et dont il ne peut rien savoir.»

Quelques-uns de ces sceptiques acceptaient cependant un petit nombre d'arguments. Il y en avait qui croyaient à l'existence de Dieu, créateur de toutes choses, et à la mission de Mahomet; le reste, disaient-ils, peut être vrai ou ne pas l'être; nous ne voulons ni le nier ni l'affirmer; nous l'ignorons, voilà tout, mais notre conscience ne nous permet pas d'accepter des doctrines dont la vérité ne nous a pas été démontrée. Ceux-là, c'étaient les modérés. D'autres acceptaient seulement l'existence d'un créateur, et les plus avancés n'avaient aucune croyance. Ils disaient que l'existence de Dieu, la création du monde etc., n'avaient pas été prouvées, mais qu'il n'avait pas été prouvé non plus que Dieu n'existât pas ou que le monde eût existé de toute éternité. Quelques-uns enseignaient qu'il faut conserver, en apparence du moins, la religion dans laquelle on est né; d'autres soutenaient que la religion universelle était la seule chose nécessaire, et ils entendaient sous ce nom les principes de morale que prêche chaque religion et que la raison approuve.

Les novateurs en matière de religion avaient un grand avantage sur les novateurs en matière de gouvernement: ils savaient ce qu'ils voulaient. En politique, au contraire, personne n'avait des idées bien arrêtées. On était mécontent de ce qui existait, et il semblait que, par le développement progressif de sa situation, la société était poussée vers une révolution. Cette révolution, Almanzor l'avait prévue. Un jour qu'il promenait ses regards sur son superbe palais à Zâhira et sur les magnifiques jardins qui l'entouraient, il fondit tout à coup en larmes en s'écriant: «Malheureuse Zâhira! Ah! je voudrais connaître celui qui te détruira sous peu!» Puis, quand l'ami qui l'accompagnait lui eut témoigné sa surprise à cause de cette exclamation: «Toi-même, lui dit-il, tu seras témoin de cette catastrophe. Je le vois déjà saccagé et ruiné, ce beau palais, je vois le feu de la guerre civile dévorer ma patrie!» Mais si cette révolution se faisait, quel en serait le but et par quels moyens s'accomplirait-elle? C'est ce dont personne ne se rendait compte; mais il y avait du moins une seule chose sur laquelle tout le monde était d'accord: on voulait que le pouvoir fût arraché à la famille d'Almanzor. Ce vœu n'a rien qui doive nous surprendre. Les peuples monarchiques n'aiment pas que le pouvoir soit exercé par un autre que le monarque. Aussi tous les ministres qui se sont pour ainsi dire substitués au souverain ont été l'objet d'une haine violente et implacable, quels que fussent leurs mérites et leurs talents. Cette considération suffirait à la rigueur pour expliquer l'aversion qu'inspiraient les Amirides; mais il ne faut pas oublier non plus qu'ils avaient froissé des sentiments et des affections légitimes. S'ils s'étaient contentés jusque-là d'exercer le pouvoir au nom d'un prince omaiyade, ils avaient cependant laissé apercevoir qu'ils visaient plus haut, qu'ils convoitaient le trône. Cette ambition avait exaspéré contre eux, non-seulement les princes du sang, qui étaient en grand nombre, mais encore le clergé qui était fort attaché au principe de la légitimité, et la nation en général, qui était fort dévouée à la dynastie ou qui du moins croyait l'être. Joignez-y que la noblesse de cour désirait la chute des Amirides, parce qu'elle se promettait d'un changement une augmentation de pouvoir, et que le bas peuple de la capitale applaudissait d'avance à chaque révolution qui lui permettrait de piller les riches et d'assouvir la haine qu'il leur portait. Cette dernière circonstance aurait dû servir, ce semble, à rendre les classes aisées plus prudentes. Cordoue étant devenue une ville manufacturière et qui renfermait des milliers d'ouvriers, la moindre émeute pouvait prendre en un clin d'œil un caractère fort alarmant; une guerre terrible entre les riches et les pauvres pouvait en résulter. Mais l'inexpérience était telle, que l'imminence d'un tel péril ne semble avoir frappé personne. Les classes aisées ne voyaient encore dans les ouvriers que des auxiliaires, et elles pensaient que tout rentrerait dans l'ordre dès que les Amirides auraient été écartés.

La chute des Amirides était donc le vœu presque universel au moment où Modhaffar mourut à la fleur de l'âge (octobre 1008). Son frère Abdérame lui succéda. Les prêtres haïssaient ce jeune homme. A leurs yeux sa naissance était déjà une tache ineffaçable, car sa mère était la fille d'un Sancho, soit du comte de Castille, soit du roi de Navarre; aussi ne l'appelait-on pas autrement que Sanchol, *le petit Sancho*, et c'est sous ce sobriquet qu'il est connu dans l'histoire. Sa conduite était peu propre à faire oublier sa naissance. Aimant passionnément les plaisirs, il ne se faisait point scrupule de boire du vin en public, et l'on se racontait avec une profonde indignation qu'un jour qu'il entendait le muezzin crier du haut d'un minaret: «Accourez à la prière!» il avait dit: «S'il criait: Accourez à la coupe, il ferait bien mieux.» On l'accusait d'ailleurs d'avoir empoisonné son frère Modhaffar, et l'on racontait à ce sujet qu'ayant coupé une pomme avec un couteau dont un côté était enduit de poison, il avait mangé une moitié après avoir donné l'autre à son frère.

Ces inculpations étaient peut-être plus ou moins hasardées; mais ce qui est certain, c'est que Sanchol ne possédait pas les talents et l'habilité d'Almanzor ou de Modhaffar. Et néanmoins il osa faire ce que ni l'un ni l'autre n'avaient osé. Régnant de fait, ils avaient cependant laissé à un Omaiyade le titre de monarque; ils n'avaient pas été califes, malgré l'ardente envie qu'ils avaient de l'être. Sanchol conçut le projet téméraire de le devenir en se faisant déclarer héritier présomptif du trône. Il parla de ce dessein à quelques hommes influents, parmi lesquels le cadi Ibn-Dhacwân et le secrétaire d'Etat Ibn-Bord étaient les principaux, et quand il se fut assuré de leur concours, il adressa sa demande à Hichâm II. Malgré sa nullité, le calife semble avoir reculé un instant devant une démarche aussi grave, d'autant plus que, d'après l'opinion générale, Mahomet avait dit que le pouvoir n'appartenait qu'à la race maäddite. Il consulta quelques théologiens; mais ceux auxquels il s'adressa obéissaient à l'impulsion d'Ibn-Dhacwân. Aussi lui conseillèrent-ils de consentir à la demande de Sanchol, et pour vaincre ses scrupules, ils lui citèrent les paroles du Prophète qui avait dit: «Le jour dernier n'arrivera pas avant qu'un homme de la race de Cahtân tienne le sceptre.» Le calife se laissa persuader, et un mois après la mort de son frère, Sanchol fut déclaré héritier du trône en vertu d'une ordonnance qui avait été rédigée par Ibn-Bord.

Cette ordonnance porta le mécontentement des Cordouans à son comble. Tout le monde se mit à répéter ces vers qu'un poète venait de composer: «Ibn-Dhacwân et Ibn-Bord ont blessé la religion d'une manière inouïe. Ils se sont révoltés contre le Dieu de vérité, puisqu'ils ont déclaré le petit-fils de Sancho héritier du trône.» On se racontait avec une grande satisfaction qu'en passant devant le palais de Zâhira un saint homme s'était écrié: «O palais, toi qui t'es enrichi des dépouilles de bien des maisons, Dieu veuille que bientôt chaque maison s'enrichisse des tiennes!» En un mot, la haine et le mauvais vouloir éclataient partout. Cependant la révolte à main armée ne se montra pas encore; pour le moment le peuple se laissait encore intimider et contenir par la présence de l'armée. Mais elle allait partir. Trompé par la tranquillité apparente qui régnait dans la ville, Sanchol avait annoncé qu'il allait faire une campagne contre le royaume de Léon, et le vendredi 14 janvier de l'année 1009, il quitta la capitale à la tête de ses troupes. Il avait eu l'idée de se coiffer d'un turban, coiffure qui en Espagne n'était portée que par les hommes de loi et les théologiens, et il avait ordonné à ses soldats d'en faire de même. Les Cordouans virent dans ce caprice un nouvel outrage contre la religion et ses ministres.

Après avoir franchi la frontière, Sanchol tenta en vain de forcer Alphonse V à descendre des montagnes où il s'était retranché. Puis, la neige ayant rendu les chemins impraticables, il fut obligé à la retraite; mais à peine arrivé à Tolède, il apprit qu'une révolution avait éclaté dans la capitale.

Un prince de la maison d'Omaiya, nommé Mohammed, s'était mis à la tête du mouvement. Fils de ce Hichâm que Modhaffar avait fait décapiter, et par conséquent arrière-petit-fils d'Abdérame III, il s'était tenu caché à Cordoue pour échapper au sort qui avait frappé son père, et à cette époque il avait fait connaissance avec plusieurs hommes du peuple. Grâce à l'or qu'il ne ménageait pas, grâce aussi à l'appui que lui prêtait un faqui fanatique, nommé Hasan ibn-Yahyâ, et au concours de plusieurs Omaiyades, il forma bientôt une bande de quatre cents hommes résolus et intrépides. La rumeur d'une conspiration parvint bien aux oreilles de l'Amiride Ibn-Ascalédja, auquel Sanchol avait confié le gouvernement de Cordoue pendant son absence, mais ce bruit était si vague qu'Ibn-Ascalédja, encore qu'il fît visiter plusieurs maisons suspectes, ne découvrit rien. Ayant donc fixé au mardi, 15 février, l'exécution de son projet, Mohammed choisit parmi ses hommes trente des plus déterminés, auxquels il ordonna de cacher des armes sous leurs habits et de se rendre vers le soir à la terrasse qui se trouvait près du palais califal. «Je viendrai vous rejoindre une heure avant le coucher de soleil, ajouta-t-il, mais gardez-vous de rien entreprendre avant que je vous en donne le signal.»

Ces trente hommes s'étant rendus à leur poste, où ils n'éveillèrent aucun soupçon, car la terrasse du palais, qui avait vue sur la chaussée et sur la rivière, était une promenade fort fréquentée, Mohammed fit prendre les armes à ses autres partisans en leur enjoignant de se tenir prêts. Puis il monta sur sa mule, et, arrivé sur la terrasse, il donna à ses trente hommes le signal de se précipiter sur le poste qui gardait l'entrée du palais. Attaqués à l'improviste, ces soldats furent aussitôt désarmés, et alors Mohammed courut vers l'appartement d'Ibn-Ascalédja, qui causait et buvait en ce moment avec deux jeunes filles de son harem. Avant qu'il eût eu le temps de se défendre, il avait déjà cessé de vivre.

Peu d'instants après, les autres conjurés, que leur chef avait fait avertir, se mirent à parcourir les rues en criant: Aux armes, aux armes! Le succès dépassa leurs espérances. Le peuple qui, pour se soulever, n'attendait qu'une occasion, un signal, les suivit en poussant des cris d'allégresse, et, attirés par le bruit, les campagnards des environs vinrent aussi se joindre à la foule. On se porta vers la prison dorée de Hichâm II, et l'on fit des brèches dans deux endroits du mur. Le malheureux monarque espérait encore qu'on viendrait le secourir. Les hauts dignitaires étaient à Zâhira, où ils pouvaient disposer de quelques régiments slaves et autres; mais en recevant la nouvelle qu'une émeute avait éclaté, ils avaient cru d'abord qu'Ibn-Ascalédja la dompterait facilement, et plus tard, quand ils apprirent que la chose était bien plus grave qu'ils ne l'avaient soupçonné, ils furent paralysés par la frayeur. Tout le monde semblait avoir perdu la tête, et l'on ne fit rien pour délivrer le monarque. Ce dernier, qui craignait à chaque instant de voir le palais envahi par la foule, prit enfin le parti d'envoyer un messager à Mohammed pour lui dire que, s'il voulait lui laisser la vie, il abdiquerait en sa faveur. «Quoi! répondit Mohammed à ce messager, le calife pense-t-il donc que j'aie pris les armes pour le tuer? Non, je les ai prises parce que j'ai vu avec douleur qu'il voulait ôter le pouvoir à notre famille. Il est libre de faire ce qui lui plaît; mais s'il veut me céder la couronne de son plein gré, je lui en serai fort reconnaissant, et dans ce cas il pourra exiger de moi tout ce qu'il voudra.» Puis il fit venir des théologiens et quelques notables, auxquels il ordonna de dresser un acte d'abdication, et cet acte ayant été signé par Hichâm, il passa le reste de la nuit dans le palais. Le lendemain matin il nomma un de ses parents premier ministre, confia à un autre Omaiyade le gouvernement de la capitale, et les chargea d'inscrire sur le registre de l'armée tous ceux qui le désireraient. L'enthousiasme fut si grand et si universel que tout le monde accourut pour se faire soldat; hommes du peuple, riches négociants, cultivateurs des environs, imâms des mosquées, pieux ermites, chacun s'empressait à devancer les autres, chacun voulait verser son sang pour défendre la dynastie légitime contre le libertin qui avait voulu usurper le trône.

Mohammed ordonna ensuite à son premier ministre d'aller s'emparer de Zâhira. Les dignitaires qui s'y trouvaient ne songeaient pas même à se défendre; ils se hâtèrent de se soumettre et de demander grâce au nouveau calife. Celui-ci leur accorda leur demande, mais seulement après leur avoir reproché durement leur connivence aux projets ambitieux de Sanchol.

C'est ainsi que s'écroula, en moins de vingt-quatre heures, le pouvoir des Amirides. Personne ne s'était attendu à un succès aussi prompt. L'allégresse était universelle à Cordoue; elle était vive surtout dans les rangs inférieurs de la société. Le peuple, qui va toujours vite dans sa joie comme dans sa colère, voyait s'ouvrir tout un avenir de bonheur; mais si les hommes de la classe moyenne avaient pressenti les vastes et douloureuses conséquences de cette révolution, ils se seraient bien gardés d'y prendre part, et ils auraient pensé, selon toute apparence, que le despotisme éclairé des Amirides, qui avait donné au pays une prospérité enviable et la gloire militaire, valait mieux que l'anarchie et le régime arbitraire de la soldatesque qui allaient peser sur eux.

Déjà en ce moment, les excès qui accompagnent à l'ordinaire une révolution faite par le peuple, ne firent pas défaut. Mohammed, qui pouvait commander des pillages, n'avait pas encore assez d'autorité pour les défendre. Prévoyant ce qui allait arriver, il avait donné l'ordre de transporter à Cordoue les trésors et les objets précieux qui se trouvaient à Zâhira; mais les pillards étaient déjà à l'œuvre. Ils enlevèrent du palais jusqu'aux portes et aux boiseries, et beaucoup d'hôtels qui appartenaient aux créatures d'Almanzor et de sa famille, furent pillés aussi. Durant quatre jours, Mohammed ne put ou n'osa rien faire contre ces brigands. Il réussit enfin à réprimer leur audace, et les richesses amassées à Zâhira étaient si considérables que, sans compter ce que le peuple en avait emporté, on y trouva un million et demi de pièces d'or et deux millions cent mille pièces d'argent. Quelque temps après, on découvrit encore des cachettes où gisaient deux cent mille pièces d'or. Quand le palais se trouva entièrement vide, on y mit le feu, et bientôt cette magnifique résidence ne fut plus qu'un monceau de ruines.

Sur ces entrefaites deux actes officiels avaient été communiqués, après le service du vendredi (18 février), au peuple rassemblé dans la mosquée. Le premier contenait l'énumération des forfaits de Sanchol et l'ordre de le maudire dans les prières publiques; en vertu du second, plusieurs impôts récemment établis furent abolis. Huit jours après, Mohammed annonça au peuple qu'il avait pris le surnom par lequel nous le désignerons dorénavant, celui de Mahdî, et quand il fut descendu de la chaire, on lut un appel à la guerre contre Sanchol. Cette dernière proclamation eut un effet prodigieux. L'enthousiasme de la capitale s'était communiqué aux provinces, de sorte qu'en peu de temps Mahdî se vit à la tête d'une armée fort nombreuse; mais comme c'était le peuple qui avait fait la révolution et qu'il ne voulait pas se laisser commander par les anciens généraux qui avaient appartenu tous au parti de la cour, cette armée eut pour officiers supérieurs des hommes du peuple ou de la classe moyenne, des médecins, des tisserands, des bouchers, des selliers. Pour la première fois l'Espagne musulmane était démocratisée; le pouvoir avait échappé, non-seulement aux Amirides, mais aux nobles en général.

Cependant Sanchol, quand il eut reçu à Tolède la nouvelle de l'insurrection de la capitale, s'était porté sur Calatrava. Il avait l'intention de dompter la révolte par la force; mais pendant sa marche plusieurs de ses soldats l'abandonnèrent, et quand il voulut que ceux qui lui restaient lui prêtassent serment de fidélité, ils s'y refusèrent en disant qu'ayant déjà juré, ils ne voulaient pas le faire une seconde fois. Telle fut même la réponse des Berbers, que les Amirides avaient cependant gorgés d'or et sur lesquels Sanchol croyait pouvoir compter. Il ignorait que la reconnaissance et le dévoûment n'étaient pas au nombre de leurs vertus. Considérant la cause de leurs bienfaiteurs comme perdue, ils ne songeaient qu'à conserver leurs richesses par une prompte soumission au nouveau calife, et ils ne prenaient pas même la peine de cacher leur intention, car lorsque Sanchol eut appelé Mohammed ibn-Yilâ, un de leurs généraux, et qu'il lui eut demandé son opinion sur les dispositions des soldais à son égard, cet homme lui répondit:

—Je ne vous tromperai ni sur mes propres sentiments ni sur ceux de l'armée. Je vous dirai donc franchement que personne ne se battra pour vous.

—Comment, personne? lui demanda Sanchol, qui, bien que déjà désabusé sur la fidélité d'une partie de ses troupes, ne s'attendait pas toutefois à un tel aveu; et de quelle manière pourrai-je me convaincre que votre opinion est fondée?

—Faites prendre aux gens de votre maison la route de Tolède et annoncez que vous allez les suivre; vous verrez alors s'il y a des soldats qui vous accompagnent.

—Vous avez raison peut-être, dit tristement Sanchol, et il n'osa se risquer à faire l'épreuve que le Berber lui proposait.

Au milieu de la défection générale, un seul ami sincère et dévoué lui restait: c'était un de ses alliés léonais, le comte de Carrion, de la famille des Gomez.

—Venez avec moi, lui dit ce gentilhomme; mon château vous offrira un asile, et s'il le faut, je verserai jusqu'à la dernière goutte de mon sang pour vous défendre.

—Je vous remercie de votre offre, mon excellent ami, lui répliqua Sanchol, mais je ne puis l'accepter. Il me faut aller à Cordoue, où mes amis m'attendent, où ils se lèveront comme un seul homme pour soutenir ma cause dès qu'ils me sauront dans leur voisinage. J'espère d'ailleurs, j'en suis même certain, qu'au moment où j'arriverai, beaucoup de ceux qui semblent tenir à présent pour Mohammed, quitteront cet homme pour venir se joindre à moi.

— Prince, reprit le comte, ne vous abandonnez pas à de folles et chimériques espérances. Croyez-moi, tout est perdu, et de même que votre armée se déclarera contre vous, de même vous ne trouverez à Cordoue personne qui vous vienne en aide.

— C'est ce que nous verrons, répliqua l'Amiride; mais j'ai résolu d'aller à Cordoue et j'irai.

— Je n'approuve pas votre dessein, lui dit alors le comte, et je me tiens persuadé que vous vous laissez tromper par une illusion qui vous deviendra fatale; mais quoi qu'il arrive, je ne vous quitterai pas.

Ayant donné l'ordre de continuer la marche vers la capitale, Sanchol arriva à un gîte qui s'appelait Manzil-Hânî. Il s'y arrêta; mais les Berbers, profitant de l'obscurité de la nuit, désertèrent en masse, et le lendemain matin il ne vit autour de lui que les serviteurs de sa maison et les soldats du comte. Ce dernier le supplia encore une fois d'accepter l'offre qu'il lui avait faite; mais ce fut inutile; le jeune homme courait follement à sa perte. «J'ai déjà envoyé le cadi à Cordoue, dit-il; il demandera ma grâce, et je suis certain qu'il l'obtiendra.»

Le soir du jeudi 4 mars, il arriva au couvent de Chauch. Des cavaliers que Mahdî avait envoyés à sa rencontre, vinrent l'y trouver le lendemain. «Que me voulez-vous? leur dit Sanchol; laissez-moi en repos, car je me suis soumis au nouveau gouvernement. — Dans ce cas, lui répondit le commandant de l'escadron, vous devez nous suivre à Cordoue.» Sanchol dut obéir à cet ordre, malgré qu'il en eût, et quand on se fut remis en chemin, on rencontra dans l'après-midi le premier ministre de Mahdî, qui était accompagné d'un détachement plus considérable. On fit halte, et tandis qu'on envoyait à Cordoue le harem de Sanchol qui se composait de soixante-dix femmes, on l'amena devant le ministre. Sanchol baisa plusieurs fois la terre devant cet Omaiyade; mais on lui cria: «Baise aussi le sabot de son cheval!» Il le fit, tandis que le comte de Carrion regardait en silence la profonde humiliation de celui devant lequel un grand empire avait tremblé naguère. Puis, quand on l'eut placé sur un cheval autre que le sien: «Qu'on lui arrache son bonnet!» cria le ministre, et cet ordre ayant été exécuté, on se remit en route.

Au coucher du soleil, quand on fut arrivé à l'étape, les soldats reçurent l'ordre de lier les mains et les pieds à Sanchol. Pendant qu'ils s'acquittaient avec rudesse de cette tâche: «Vous me blessez, leur dit-il; accordez-moi un instant de répit et laissez ma main libre.» Ayant obtenu sa demande, il tira en un clin d'œil un poignard de sa bottine; mais les soldats le lui arrachèrent avant qu'il eût eu le temps de se frapper. «Je t'épargnerai cette peine,» cria le ministre, et, le jetant par terre, il le massacra, après quoi il lui coupa la tête. Le comte fut aussi mis à mort.

Le lendemain, quand les cavaliers furent entrés dans Cordoue, ils présentèrent au calife les restes de Sanchol. Ayant fait embaumer le cadavre, Mahdî le fit fouler aux pieds par son cheval; puis il le fit clouer à une croix, revêtu d'une tunique et d'un pantalon, près d'une porte du palais et à côté de la tête qui était au bout d'une pique. Auprès de ces restes hideux se tenait un homme qui criait sans interruption: «Voici Sanchol le Bienheureux! Que Dieu le maudisse et qu'il me maudisse moi-même!» C'était le commandant de la garde de Sanchol, qui n'avait obtenu sa grâce qu'à la condition qu'il expierait de cette manière la fidélité qu'il avait montrée à son maître.

XIV

Tout semblait aller d'abord selon les souhaits de Mahdî. Le peuple de Cordoue l'avait porté sur le trône, les Berbers l'avaient reconnu, et cinq jours ne s'étaient pas encore écoulés depuis la mort de l'Amiride, qu'il recevait une lettre où Wâdhih, le plus puissant parmi les Slaves et le gouverneur de la Frontière inférieure, l'assurait de son obéissance, en disant que la nouvelle de l'exécution de l'usurpateur lui avait causé une grande joie. Comme Wâdhih devait sa fortune à Almanzor, Mahdî ne s'était pas attendu de sa part à une soumission aussi prompte. Aussi s'empressa-t-il de lui donner des preuves de sa reconnaissance: il lui envoya beaucoup d'argent, un vêtement d'honneur, un cheval richement caparaçonné, et le diplôme de gouverneur de toutes les frontières.

Tous les partis s'étaient donc groupés autour du gouvernement. C'était du moins l'apparence, le mouvement spontané de la première heure; mais cette unanimité était moins réelle et moins profonde qu'elle ne le paraissait. La révolution s'était accomplie sous l'empire d'une espèce de fièvre générale qui n'avait pas permis au bon sens de se faire jour; mais la réflexion venue, on commençait à s'apercevoir que la chute des Amirides n'avait pas tout terminé, tout rétabli, tout réparé, qu'il pouvait encore y avoir de quoi blâmer et se plaindre sous un autre régime. Mahdî n'avait ni talents ni vertus. C'était un homme dissolu, cruel, sanguinaire, et tellement maladroit qu'il s'aliéna successivement tous les partis. Il commença par licencier sept mille ouvriers qui s'étaient enrôlés. Comme il ne pouvait laisser Cordoue à la merci des basses classes, cette mesure était sans doute nécessaire; mais elle mécontenta le peuple, qui, tout fier d'avoir fait la révolution, s'accommodait fort bien de recevoir une grosse solde sans rien faire. Ensuite il exila de la capitale un grand nombre de Slaves amirides, et ôta leurs emplois à d'autres Slaves qui servaient dans le palais. C'était les jeter dans le parti de l'opposition, tandis qu'avec un peu d'adresse il les aurait peut-être gagnés. En même temps il irrita contre lui les dévots. Ne sortant plus du palais, il ne songea qu'à s'amuser, et les pieux musulmans se racontaient avec horreur qu'il donnait des festins où une centaine de luths et autant de flûtes se faisaient entendre. «Il fait ce que faisait Sanchol,» disait-on. On l'appelait *le buveur*; on l'accusait de troubler la paix de bien des ménages; on le chansonnait comme naguère on avait chansonné son rival. Sa cruauté acheva de le perdre dans l'opinion publique. Wâdhih lui ayant envoyé les têtes de plusieurs habitants des frontières qui avaient refusé de le reconnaître, il avait ordonné d'y planter des fleurs et de les placer sur les bords de la rivière, vis-à-vis de son palais. Il se plaisait à contempler cet étrange *jardin*, et il engageait ses poètes, parmi lesquels on remarquait Çâid qui, après avoir flatté les Amirides, adulait maintenant leur ennemi, à composer des vers sur ce sujet.

Déjà brouillé avec le peuple, les Slaves, les dévots et les honnêtes gens en général, Mahdî ne fit rien pour s'attacher les Berbers, qui cependant s'étaient donnés à lui de leur propre mouvement. Il est vrai que ces rudes troupiers étaient fort haïs dans la capitale. Le peuple ne leur pardonnait pas d'avoir été les fauteurs et les appuis du despotisme des Amirides, et si Mahdî les eût pris ouvertement sous sa protection, il eût perdu le peu de popularité qui lui restait encore. Cependant, comme il ne lui était pas possible de les renvoyer en Afrique, il aurait dû les ménager. Il ne le fit pas. A chaque occasion il leur témoignait son mépris et sa haine; il leur défendit même de monter à cheval, de porter des armes ou d'entrer dans le palais. C'était une grande imprudence. Accoutumés à être respectés, honorés, choyés par la cour, les Berbers avaient le sentiment de leur dignité et de leur force. Aussi ne se résignèrent-ils pas à n'être plus rien dans l'Etat, et un jour que plusieurs de leurs hôtels avaient été pillés par la populace sans que la police s'y fût opposée, Zâwî et deux autres de leurs chefs vinrent trouver le calife et exigèrent impérieusement la punition des coupables. Intimidé par leur attitude ferme et résolue, Mahdî s'excusa de son mieux, et, voulant les apaiser, il fit couper la tête aux instigateurs des désordres qui avaient été commis. Mais il se remit bientôt de sa frayeur, et alors il recommença à vexer les Berbers.

Cependant, si étourdi qu'il fût, il ne s'aveuglait pas entièrement sur le danger de sa position, et ce qu'il craignait avant tout, c'est que le nom de Hichâm II ne devînt un jour un point de ralliement pour tous les partis qu'il avait offensés. Il résolut donc, non pas de tuer son auguste prisonnier, mais de le faire passer pour mort. Un chrétien qui ressemblait beaucoup à Hichâm, venait justement de mourir (avril 1009). Mahdî fit porter secrètement son cadavre au palais, où il le montra à des personnes qui avaient connu Hichâm. Soit que la ressemblance fût réellement très-frappante, soit que les personnes en question eussent été gagnées, toujours est-il qu'elles déclarèrent que ce cadavre était celui du dernier calife. Mahdî fit venir alors des ministres de la religion, des notables et des hommes du peuple, et les prières des morts ayant été récitées, le chrétien fut enseveli dans le cimetière musulman avec tous les honneurs dus à la royauté. Quant au véritable Hichâm, Mahdî le fit enfermer dans le palais d'un de ses vizirs.

Rassuré de ce côté-là, l'imprudent calife crut que dorénavant il pouvait tout se permettre. Dans le mois de mai, il fit jeter en prison, on ne sait pourquoi, un fils d'Abdérame III, qui s'appelait Solaimân et qu'il avait nommé, peu de temps auparavant, héritier du trône. En outre, il laissa percer l'intention de faire périr dix chefs berbers. Il n'en fallait pas tant pour faire prendre les armes aux Africains, et de son côté, Hichâm, un fils de Solaimân, travailla activement à se former un parti. Il y réussit sans difficulté; les sept mille ouvriers que Mahdî avait licenciés, étaient une armée toute prête pour l'émeute. Le 2 juin, ces hommes se réunirent devant le palais de Hichâm et le proclamèrent calife. Hichâm les conduisit alors dans une plaine hors de la ville, et les Berbers s'étant réunis à lui, il marcha contre le palais de Mahdî.

Arraché brusquement à ses plaisirs, le calife fit demander à la foule ce qu'elle voulait. «Tu as fait jeter mon père en prison, lui fit répondre Hichâm, et j'ignore ce qu'il est devenu.» Mahdî rendit alors la liberté à Solaimân; mais s'il croyait que cette mesure suffirait pour engager la foule à se disperser, il se trompait, car Hichâm lui fit dire qu'il devait lui céder la couronne. Voulant gagner du temps, Mahdî feignit d'entrer en pourparlers avec lui; mais comme la négociation traînait en longueur, les ouvriers et les Berbers, qui s'ennuyaient de leur inaction, allèrent piller et incendier les boutiques sur le marché des selliers. Alors les Cordouans prirent les armes, non pas pour soutenir Mahdî, mais pour préserver leurs maisons du pillage, et bientôt les soldats que le calife avait eu le temps de rassembler, vinrent à leur secours. Le combat dura sans interruption un jour et une nuit; mais dans la matinée du vendredi, 3 juin, les Berbers furent obligés de prendre la fuite dans le plus grand désordre. Une partie des Cordouans les poursuivit jusque sur les bords du Guadalmellato; d'autres pillèrent leurs maisons et s'emparèrent de leurs femmes, et l'on promit une prime à quiconque apporterait la tête d'un Berber. Quant à l'anti-calife Hichâm, il avait été fait prisonnier de même que son père, et Mahdî le fit décapiter.

Quand les Berbers se furent enfin ralliés, ils firent le serment de se venger d'une manière éclatante; mais comme ils avaient peu d'habilité, ils ne savaient comment s'y prendre. Heureusement pour eux, Zâwî était là. Issu de la dynastie cinhédjite qui régnait sur cette partie de l'Afrique dont Cairawân était la capitale, il était plus civilisé et plus intelligent que la plupart de ses frères d'armes, et il comprit qu'il fallait avant tout opposer un compétiteur à Mahdî. Il avait un Omaiyade sous la main: c'était Solaimân, un neveu de Hichâm, qui, après avoir pris part à l'échauffourée de son oncle, avait suivi les Berbers dans leur fuite. Zâwî proposa à ses camarades de le reconnaître pour calife. Quelques-uns s'y refusèrent en déclarant que Solaimân était un honnête homme, mais qu'il n'avait ni assez d'énergie pour être le chef d'un parti, ni assez d'expérience pour commander une armée. D'autres ne voulaient pas d'un chef arabe quelconque. Pour faire adopter son plan, Zâwî eut alors recours à un moyen qui, nouveau sans doute pour les Berbers, ne le serait pas pour nous. Il prit cinq lances, et en ayant fait un faisceau, il les donna au soldat qui passait pour le plus fort, en lui disant: «Essaie de les briser!» Le soldat n'ayant pu en venir à bout: «Détache maintenant la corde, continua-t-il, et brise-les une à une.» En un instant le Berber les rompit toutes. «Que ceci vous serve d'exemple, Berbers, reprit alors Zâwî; unis, vous êtes invincibles; désunis, vous allez périr, car vous êtes entourés d'ennemis implacables. Songez au péril et dites-moi vite ce que vous pensez. — Nous sommes prêts à suivre vos sages conseils, cria-t-on de toutes parts, et si nous devons succomber, ce ne sera pas du moins par notre propre faute. — Eh bien! continua Zâwî en prenant Solaimân par la main, jurez donc d'être fidèles à ce Coraichite! Personne alors ne pourra vous accuser d'aspirer au gouvernement de ce pays, et comme il est Arabe lui-même, plusieurs de sa nation se déclareront pour lui et pour vous.»

Quand on eut prêté serment à Solaimân et que ce prince eut déclaré qu'il prenait le surnom de Mostaîn, Zâwî parla encore une fois. «Les circonstances sont graves, dit-il; il faut avant tout que personne ne tâche de satisfaire son ambition en s'arrogeant un pouvoir auquel il n'a pas de droits. Que chaque tribu se choisisse donc un chef, et que ce chef réponde sur sa tête de la fidélité de son régiment au calife.» C'est ce qui eut lieu, et naturellement Zâwî fut élu par sa tribu, celle de Cinhédja. Dès le principe, Solaimân n'eut donc aucune autorité sur les Berbers, qui avaient élu leurs capitaines sans le consulter; il n'était qu'un prête-nom, et jamais, dans la suite, il n'a été autre chose.

Puis les Africains marchèrent vers Guadalaxara, et, s'étant emparés de cette ville, ils proposèrent à Wâdhih de faire cause commune avec eux, en le priant de leur ouvrir les portes de Medinaceli. Mais Wâdhih n'écouta pas leurs ouvertures, et ayant reçu des renforts de Mahdî, il les attaqua. Il fut battu; mais les Berbers n'eurent pas à se féliciter de la victoire qu'ils avaient remportée, car Wâdhih leur coupa les vivres, de sorte que durant quinze jours ils n'eurent que des herbes pour toute nourriture. Pour sortir de cette détresse, ils envoyèrent quelques-uns d'entre eux vers Sancho, comte de Castille. Ces messagers devaient solliciter l'intervention du comte, et lui proposer une alliance au cas où Mahdî et Wâdhih ne voudraient pas de la paix.

Arrivés à la résidence du comte, les Africains y trouvèrent une ambassade de Mahdî. Elle avait offert à Sancho des chevaux, des mulets, de l'argent, des habits, des pierres précieuses et d'autres présents, et elle lui avait promis beaucoup de villes et de forteresses pour le cas où il voudrait venir au secours du calife de Cordoue. Tout était bien changé en peu de mois! Ce n'étaient plus les musulmans qui dictaient la loi aux princes chrétiens: c'était au contraire le comte de Castille qui allait décider du sort de l'Espagne arabe.

Bien renseigné sur l'état des affaires chez ses voisins et sachant que le pouvoir de Mahdî ne tenait qu'à un fil, le comte promit aux Berbers de se déclarer pour eux dès qu'ils se seraient engagés à lui céder les forteresses que les messagers de Mahdî lui offraient, et quand ils y eurent consenti, il congédia les autres ambassadeurs et envoya au camp berber mille bœufs, cinq mille moutons et mille chariots chargés de vivres. Les Berbers furent donc bientôt en état de se mettre en campagne, et le comte s'étant réuni à eux avec ses troupes, ils prirent la route de Medinaceli.

Arrivés près de cette ville, ils firent de nouvelles tentatives pour gagner Wâdhih à leur cause. Ils n'y réussirent pas plus qu'auparavant, et jugeant avec raison qu'il ne fallait pas perdre du temps, ils marchèrent directement sur Cordoue (juillet 1009). Wâdhih les suivit avec sa cavalerie et les attaqua; mais après avoir perdu beaucoup des siens, il fut forcé de prendre la fuite, et il arriva avec quatre cents cavaliers à Cordoue, où un de ses lieutenants le rejoignit bientôt après avec deux cents autres cavaliers, qui avaient eu aussi le bonheur d'échapper au carnage.

En apprenant que les Berbers marchaient contre la capitale, Mahdî, après avoir fait donner des armes à tous ceux qui étaient en état d'en porter, s'était retranché dans une plaine à l'est de Cordoue. Mais au lieu d'y attendre l'ennemi, il eut l'imprudence d'aller à sa rencontre. Les deux armées se heurtèrent à Cantich (5 novembre 1009), et un escadron de trente Berbers suffit pour jeter le désordre dans les rangs de la masse indisciplinée de leurs adversaires. Dans leur fuite précipitée, ces bourgeois, ces ouvriers et ces faquis se renversaient l'un l'autre. Les Berbers et les Castillans les sabraient par centaines, et il y en eut aussi beaucoup qui trouvèrent la mort dans les flots du Guadalquivir. On évalue à dix mille le nombre de ceux qui périrent dans cette horrible boucherie.

Wâdhih avait vu bien vite que tout était perdu, et, accompagné de ses six cents cavaliers, il s'était porté au galop vers le nord. De son côté, Mahdî avait cherché un asile dans son palais, où il se vit bientôt assiégé par les Berbers. Il crut se sauver en rendant le trône à Hichâm II. L'ayant donc fait tirer de sa prison, il le plaça de manière que les Berbers pouvaient le voir; puis il leur envoya le cadi Ibn-Dhacwân pour leur dire que Hichâm vivait encore, qu'il le regardait comme son maître, et que lui-même n'était que son premier ministre. Les Berbers ne firent que rire de ce message. «Hier Hichâm était mort, répondirent-ils au cadi, et vous avez récité sur son cadavre les prières des morts, toi et ton émir; comment donc vivrait-il aujourd'hui? Au reste, si tu dis la vérité, nous remercions Dieu de ce que Hichâm vit encore; mais nous n'avons pas besoin de lui, nous ne voulons d'autre calife que Solaimân.» Le cadi tâcha en vain d'excuser son maître, et il parlait encore lorsque les Cordouans, qui tremblaient à l'aspect du prince qui menaçait leurs murs, allèrent à sa rencontre et le reconnurent pour leur souverain.

Tandis que Solaimân faisait son entrée dans la capitale, où les Berbers et les Castillans commirent toutes sortes d'excès, Mahdî alla se cacher dans la maison d'un certain Mohammed, de Tolède, qui lui fournit les moyens de gagner cette ville; car toutes les frontières, depuis Tortose jusqu'à Lisbonne, tenaient encore pour lui. Aussi quand Sancho rappela à Solaimân sa promesse, celui-ci se vit obligé de lui répondre que, pour le moment, il ne pouvait y satisfaire, parce qu'il ne possédait pas encore lui-même les villes dont il s'agissait; mais il s'engagea pour la seconde fois à les céder dès qu'elles seraient en son pouvoir, et alors Sancho quitta Cordoue avec ses troupes, qui s'étaient enrichies aux dépens des habitants de la ville (14 novembre 1009).

Le sort de Hichâm ne changea pas. Solaimân, après l'avoir forcé d'abdiquer en sa faveur, le fit enfermer de nouveau; mais cédant au désir des anciens serviteurs des Amirides, il fit ensevelir, avec les cérémonies ordinaires, le corps de Sanchol.

Cependant Mahdî était arrivé à Tolède, où les habitants lui avaient fait un excellent accueil. Solaimân se mit en marche pour aller l'attaquer, et envoya des ministres de la religion aux Tolédans pour les menacer de sa colère s'ils continuaient à se montrer rebelles. Mais ces menaces demeurèrent sans effet, et ne voulant pas entreprendre le siége d'une place aussi forte que Tolède, espérant d'ailleurs qu'elle se soumettrait spontanément dès que le reste de l'Etat lui en aurait donné l'exemple, il se porta contre Medinaceli. Pendant sa marche beaucoup de Slaves vinrent grossir son armée, et il s'empara de Medinaceli sans coup férir, car Wâdhih avait évacué cette ville et s'était retiré à Tortose. De là il écrivit à Solaimân pour lui dire qu'il le reconnaîtrait, pourvu toutefois qu'il lui fût permis de rester où il était. Il n'en agissait ainsi que pour échapper aux poursuites de Solaimân, et pour gagner du temps. Sa ruse lui profita: Solaimân donna dans le piége, et laissa à Wâdhih le gouvernement de toutes les frontières.

Ayant dès lors les mains libres, Wâdhih se hâta de conclure une alliance avec les deux comtes catalans, Raymond de Barcelone et Ermengaud d'Urgel, auxquels il promit tout ce qu'ils voulaient, après quoi il marcha vers Tolède, accompagné d'une armée catalane et de la sienne, et opéra sa jonction avec les troupes de Mahdî. Solaimân somma alors les Cordouans de prendre les armes; mais comme ils n'obéissaient qu'à contre-cœur aux Africains, ils s'excusèrent en disant qu'ils étaient hors d'état de combattre. A Cantich ils l'avaient montré du reste, et les Berbers, qui préféraient ne pas avoir dans l'armée des soldats de leur trempe, prièrent Solaimân de s'en remettre à eux du soin de lui procurer la victoire. Solaimân se laissa persuader, et, s'étant avancé jusqu'à Acaba albacar, endroit qui se trouvait à environ quatre lieues de Cordoue, il rencontra l'armée de son adversaire, qui se composait de trente mille musulmans et de neuf mille chrétiens (première moîtié de juin

1010). Ses généraux le placèrent à l'arrière-garde, en lui enjoignant de ne point quitter son poste, lors même que les ennemis le fouleraient aux pieds. Puis ils attaquèrent les troupes catalanes; mais se conformant aux règles de la stratégie orientale, ils tournèrent bientôt le dos à l'ennemi pour revenir ensuite impétueusement à la charge. Malheureusement Solaimân, qui recevait des ordres de ses capitaines, ne comprenait pas même leur tactique. Voyant l'avant-garde retourner en arrière, il ne douta point qu'elle n'eût été battue, et, croyant que tout était perdu, il se mit à fuir de toute la vitesse de son cheval; les cavaliers qui l'entouraient suivirent son exemple. Cependant les Berbers revenaient à la charge, et ils attaquèrent l'ennemi avec une telle fureur qu'ils tuèrent soixante chefs catalans, parmi lesquels se trouvait le comte Ermengaud d'Urgel; mais quand ils virent que Solaimân avait quitté son poste, ils se retirèrent sur Zahrâ, de sorte que les Catalans restèrent maîtres du champ de bataille. C'est ainsi que Solaimân perdit, par son ignorance et sa lâcheté, la bataille d'Acaba al-bacar; bataille dont il serait peut-être sorti vainqueur, s'il avait compris la tactique de ses capitaines, ou s'il avait bien voulu obéir à leurs ordres. Au reste, la victoire fut remportée par les Catalans, car les troupes de Mahdî et de Wâdhih ne semblent pas avoir pris une part bien active au combat.

Mahdî rentra dans Cordoue, et cette malheureuse ville, qui avait déjà été pillée, six mois auparavant, par les Castillans et les Berbers, fut pillée de nouveau, cette fois par les Catalans. Puis Mahdî se mit à la poursuite des Berbers, qui marchaient vers Algéziras, en tuant tous ceux qu'ils rencontraient et pillant les villages, mais qui retournèrent sur leurs pas quand ils apprirent que leurs adversaires les cherchaient. Le 21 juin, les deux armées ennemies en vinrent aux mains près de l'endroit où le Guadaira se jette dans le Guadalquivir. Cette fois les Africains tirèrent une éclatante vengeance de l'échec qu'ils avaient essuyé à Acaba al-bacar. L'armée de Mahdî fut mise en déroute; beaucoup de capitaines slaves et plus de trois mille Catalans restèrent sur le champ de bataille, et d'ailleurs un grand nombre de soldats avaient trouvé la mort dans les flots du Guadalquivir.

Deux jours après, les vaincus rentrèrent dans Cordoue, et les Catalans, furieux de leur défaite, s'y conduisirent avec une cruauté inouïe. Ils massacrèrent notamment tous ceux qui offraient quelque ressemblance avec les Berbers; mais quand Mahdî les pria de marcher encore une fois contre l'ennemi, ils s'y refusèrent en disant que les pertes qu'ils avaient subies ne le leur permettaient pas. Ils quittèrent donc Cordoue (8 juillet), et malgré tout le mal qu'ils y avaient fait, les habitants les virent partir à regret, car les hordes berbères, contre lesquelles les Catalans auraient pu les défendre, leur inspiraient encore plus d'effroi. «Après le départ des Catalans,» dit un auteur arabe, les habitants de Cordoue, quand ils se rencontraient dans les rues, se faisaient réciproquement des compliments de condoléance, comme l'on en fait à ceux qui ont perdu leur fortune et leur famille.»

Cependant Mahdî, qui avait imposé à la ville une contribution extraordinaire afin de pouvoir payer ses troupes, se mit en marche contre l'ennemi. Mais après le départ des Catalans, son armée avait perdu le courage, et à peine eut-elle fait sept lieues qu'une terreur panique, l'idée seule de devoir combattre sous peu les terribles Berbers, la fit retourner à Cordoue. Mahdî dut donc se résigner à attendre les ennemis dans la capitale, qu'il fit entourer d'un fossé et d'une muraille; mais la destinée voulait qu'au lieu de tomber par les Berbers, il tombât par les Slaves.

Quelques-uns de ces derniers, parmi lesquels Wâdhih occupait le premier rang, servaient sous ses drapeaux; mais d'autres, tels que Khairân et Anbar, suivaient le parti opposé. Tous sentirent enfin que, pour parvenir au but de leur ambition, c'est-à-dire au pouvoir, leur union était nécessaire, et ils résolurent de replacer Hichâm II sur le trône. Ce plan arrêté, Wâdhih prit grand soin de fomenter le mécontentement des habitants de la capitale. Il fit répandre les bruits les plus exagérés sur la vie déréglée du *buveur*, et tout en improuvant en public les désordres que les soldats se permettaient, il les favorisa en secret. Puis, lorsque ces menées eurent ôté au calife le peu de popularité qu'il possédait encore, Khairân, Anbar et les autres généraux slaves de l'armée de Solaimân, offrirent leurs services à Mahdî. Celui accepta leur offre avec empressement; mais ces soi-disant auxiliaires étant entrés dans Cordoue, il ne tarda pas à s'apercevoir qu'ils complotaient sa perte, et comme il n'était pas en état de leur résister, il résolut d'aller chercher, pour la seconde fois, un asile à Tolède. Les Slaves le prévinrent. Le dimanche 25 juillet 1010, ils parcoururent les rues à cheval, en criant: «Vive Hichâm II!» et ayant tiré ce prince de sa prison, ils le placèrent sur le trône revêtu des vêtements royaux.

Mahdî se trouvait en ce moment dans le bain. Informé de ce qui se passait, il vole à la grande salle et va s'asseoir à côté de Hichâm; mais Anbar le prend rudement par le bras, le jette du haut du trône, et le force à s'asseoir en face de Hichâm. Celui-ci lui reproche, dans les termes les plus cruels, les maux qu'il lui a fait souffrir. Puis Anbar le prend encore une fois par le bras, le traîne sur la plate-forme, et tire l'épée pour lui couper la tête. Mahdî le prend à bras le corps; mais au même instant les glaives des autres Slaves s'abaissent sur lui. Peu de temps après, son cadavre gisait à l'endroit où il avait fait jeter, dix-sept mois auparavant, celui d'Ibn-Ascalédja. Porté au trône par une conspiration, une autre conspiration l'avait privé du trône et de la vie.

XV

Avec un souverain aussi faible que l'était Hichâm II, les Slaves étaient tout-puissants. Aussi Wâdhih, qui était resté premier ministre, tenta-t-il de gouverner l'Espagne comme son patron Almanzor l'avait fait. Malheureusement pour lui, les circonstances étaient bien changées, et Wâdhih n'était pas Almanzor. Il est vrai qu'au commencement il ne rencontra pas d'opposition dans la capitale. La tête de Mahdî fut promenée dans les rues sans qu'un murmure se fît entendre, car personne ne regrettait ce tyran; mais Wâdhih s'était flatté de l'espoir que les Berbers reconnaîtraient aussi le monarque auquel il avait rendu la couronne, et il fut bientôt à même de se convaincre qu'un tel espoir était chimérique, car lorsqu'il leur eut envoyé la tête de Mahdî en les priant de se soumettre à Hichâm, leur indignation fut si vive que, si Solaimân ne se fût pas interposé pour sauver la vie à ceux qui apportaient ce message, ils les auraient massacrés. Solaimân lui-même versa des pleurs à la vue de la tête de son parent; il la fit nettoyer et l'envoya à Obaidallâh, le fils de Mahdî, qui se trouvait à Tolède.

Détrompé sur le compte des Berbers, Wâdhih éprouva, peu de temps après, qu'il avait des ennemis dans la ville même. Quelques Omaiyades qui ne voulaient pas de la domination slave et qui croyaient veiller à leurs propres intérêts en servant ceux de Solaimân, firent savoir secrètement à ce dernier qu'il devait s'avancer le 12 août jusqu'aux portes de la capitale, et qu'alors ils la lui livreraient. Solaimân promit de venir; mais Wâdhih fut informé du complot par Khairân et Anbar. Il fit arrêter les conspirateurs, et lorsque Solaimân se présenta au jour fixé sous les murs de la ville, il fut attaqué brusquement et forcé à une retraite précipitée.

Espérant que cet échec aurait rendu les Berbers plus traitables, Wâdhih entama de nouveau des négociations avec eux; mais elles demeurèrent sans résultat, et sur ces entrefaites Solaimân demanda du secours à son ancien allié, Sancho de Castille, en offrant de lui céder des forteresses qu'Almanzor avait conquises. On ne sait si c'étaient les mêmes que celles qu'il lui avait déjà promises auparavant; mais ce qui est certain, c'est que le comte trouva cette fois le moyen d'agrandir son territoire sans se donner la peine de faire une expédition en Andalousie. Comme les forteresses en question ne se trouvaient pas au pouvoir de Solaimân, mais au pouvoir de Wâdhih, il fit savoir à ce dernier que, s'il ne les lui cédait pas, il marcherait avec ses Castillans au secours des Berbers. La chose parut si importante à Wâdhih qu'il n'osa prendre sur lui la responsabilité ni d'un refus ni d'un consentement. Il convoqua donc les notables, et, leur ayant communiqué le message de Sancho, il leur demanda leur opinion. La crainte de voir les Berbers renforcés par les Castillans fit taire chez les notables le sentiment de l'honneur national, et ils répondirent qu'à leur avis la demande devait être accordée. Dans le mois d'août ou de septembre 1010, Wâdhih conclut donc un traité avec Sancho, et lui fit livrer, au dire des écrivains arabes, plus de deux cents forteresses, parmi lesquelles les chroniqueurs chrétiens nomment San-Estevan, Coruña del Conde, Gormaz et Osma. Un tel exemple était contagieux. Voyant que, pour obtenir des places fortes, il suffisait de quelques menaces, de quelques gros mots, un autre comte en fit demander à son tour, en annonçant que, si on ne les lui donnait pas, il irait se réunir sur-le-champ à Solaimân. On n'osa les lui refuser. Ainsi l'empire musulman, en proie à la guerre civile et réduit à l'impuissance la plus complète, s'en allait par lambeaux. Les Cordouans se félicitaient-ils encore de la chute des Amirides comme au jour fatal où ils avaient salué avec un enthousiasme irréfléchi le prompt succès de la révolution? Il est permis d'en douter; mais quels qu'aient été leurs sentiments à cette époque, ils ne pouvaient plus retourner sur leurs pas. Dans les circonstances données ils devaient se résigner à courber la tête devant les ennemis de leur religion, à subir le maître que les Slaves ou les Berbers voulaient leur imposer, à être maltraités et pillés tantôt par les uns, tantôt par les autres, à accepter, en un mot, toutes les conséquences auxquelles s'exposent les peuples qui, sans marcher vers un but clairement défini, sans avoir une grande et saine idée politique ou religieuse à réaliser, se lancent étourdiment dans le tourbillon des révolutions.

Pour le moment ce ne furent pas eux, toutefois, qui souffrirent le plus de la férocité des Berbers. Après avoir assiégé Cordoue pendant un mois et demi, ceux-ci s'étaient portés contre Zahrâ, dont ils se rendirent maîtres après un siége de trois jours seulement, grâce à la trahison d'un officier qui leur livra une des portes de la ville (4 novembre 1010). La boucherie commença aussitôt, et si les Cordouans eussent encore été dans l'incertitude au sujet du sort que les Berbers leur réservaient, les choses qui se passèrent à Zahrâ les auraient renseignés à cet égard. Les soldats de la garnison furent égorgés presque tous. Les habitants avaient cherché un refuge dans la mosquée; mais la sainteté de ce lieu n'imposa pas aux Berbers. Hommes, femmes, enfants, tous furent massacrés pêle-mêle. Après avoir pillé la ville, on l'incendia, et alors cette résidence, l'une des plus magnifiques de l'Europe, devint ce que Zâhira, naguère sa rivale en beauté, était déjà, à savoir un monceau de décombres.

Pendant tout l'hiver une partie de l'armée africaine pilla les environs de Cordoue et empêcha que les vivres entrassent dans la ville. Dépouillés de tout ce qu'ils possédaient, les habitants des campagnes y affluaient en foule, et leur nombre dépassa bientôt celui des habitants; mais comme les denrées étaient montées à un prix excessif, il était impossible de les nourrir et la plupart d'entre eux moururent de faim. Le gouvernement lui-même était à bout de ressources; pour se procurer un peu d'argent, Wâdhih fut obligé de vendre la plus grande partie de la bibliothèque de Hacam II. En même temps d'autres bandes parcouraient les provinces. Les plus grandes cités tombèrent entre leurs mains, et d'ordinaire les habitants subirent le sort qui avait frappé ceux de Zahrâ. L'Espagne présentait partout le spectacle le plus douloureux. Les villages étaient déserts, et l'on pouvait parcourir pendant des jours entiers les routes naguère les plus fréquentées sans rencontrer âme vivante.

Dans l'été de 1011, la détresse de l'Espagne en général et spécialement de Cordoue, ne fit qu'augmenter. Cette malheureuse ville, que la peste ravageait, semblait prendre plaisir à aggraver ses maux par la discorde. Les soldats attribuaient à Wâdhih les calamités qui les frappaient, et le général slave Ibn-abî-Wadâa, l'ennemi personnel du ministre, fomentait leur mécontentement. Outragé en public et sentant que sa position était insoutenable, Wâdhih chargea un certain Ibn-Becr d'aller faire des propositions de paix à Solaimân. Cette démarche excita la plus vive indignation. Lorsqu'Ibn-Becr, qui avait eu un entretien avec l'anti-calife, fut de retour et qu'il se présenta dans la salle du conseil, les soldats se précipitèrent sur lui sans lui laisser le temps de communiquer la réponse qu'il avait reçue, et le massacrèrent en présence du calife et de Wâdhih. Ce dernier résolut alors d'aller chercher un refuge auprès des Berbers; mais Ibn-abî-Wadâa, qui avait vent de ce projet, l'empêcha de l'exécuter. Ayant réuni ses soldats, il pénétra avec eux dans le palais du ministre. «Misérable, lui cria-t-il, tu as gaspillé l'argent dont nous avions tant besoin! Tu as voulu nous trahir et nous livrer aux Berbers!» Puis il le frappa de son épée; ses soldats en firent autant, et peu d'instants après ils promenaient sa tête à travers les rues et pillaient les demeures de ses partisans, tandis que son cadavre gisait là où gisaient ceux de Mahdî et d'Ibn-Ascalédja (16 octobre 1011).

Il se passa encore une année et demie avant que les ennemis vinssent épargner aux Slaves et aux Cordouans la peine de s'entr'égorger. Dans cet intervalle Ibn-abî-Wadâa gouverna la ville d'une main ferme et avec une sévérité inexorable. Le clergé le secondait activement; il proclamait que la guerre contre les Berbers était une guerre sainte. Quelquefois ceux du dedans remportaient des avantages. Dans le mois de mai 1012, un illustre guerrier berber tomba entre leurs mains. C'était Hobâsa, un neveu de Zâwî. Frappant à droite et à gauche, il s'était jeté au plus fort de la mêlée, lorsque la sangle de sa selle se lâcha, et au moment où il se penchait pour la reboucler, un Slave chrétien le démonta par un vigoureux coup de lance. D'autres Slaves l'achevèrent. Son frère Habbous tâcha encore de disputer son cadavre aux ennemis; mais après un combat acharné, il fut repoussé. Les Slaves portèrent en triomphe la tête de Hobâsa au palais, et abandonnèrent son corps aux insultes de la populace, laquelle, après l'avoir mutilé et traîné par les rues, le livra aux flammes. Les Berbers étaient furieux. «Nous vengerons notre capitaine, criaient-ils, et même quand nous aurons versé le sang de tous les Cordouans, il n'aura pas encore été vengé assez.» Ils redoublèrent donc d'efforts; mais le désespoir avait donné aux Cordouans des forces surhumaines, et Ibn-abî-Wadâa fit une sortie si vigoureuse qu'il força les ennemis à lever le siége. Il sut aussi les repousser de Séville; mais il ne put les empêcher de prendre Calatrava, et bientôt après ils revinrent devant les murs de la capitale. Malgré la résistance désespérée des Cordouans, ils réussirent à combler le fossé, ce qui les mit à même de s'emparer de la partie orientale de la ville. Une fois encore la fortune semblait vouloir favoriser les Cordouans, car ils contraignirent leurs ennemis à évacuer le quartier dont ils s'étaient rendus maîtres; mais ce fut leur dernier triomphe. Le dimanche 19 avril 1013, les Berbers entrèrent dans la ville par la porte du faubourg de Secunda, qu'un officier, qui s'était vendu à eux, leur livra.

Cordoue paya sa longue résistance d'un torrent de sang. Les Slaves s'étant retirés dès qu'il n'y eut plus d'espoir, les Berbers se mirent à parcourir les rues en poussant des cris féroces. Ici ils pillaient, là ils violaient, partout ils massacraient. Les hommes les plus inoffensifs tombaient victimes de leur aveugle fureur. Ici c'était le vieux Saîd ibn-Mondhir, qui avait été prieur de la mosquée principale du temps de Hacam II, et qui était renommé par sa vertu et sa dévotion; là c'était l'infortuné Merwân, de la noble famille des Beni-Hodair, qui avait perdu la raison par suite d'un amour malheureux. Ailleurs gisait le corps du savant Ibn-al-Faradhî, l'auteur d'un précieux dictionnaire biographique et qui avait été cadi de Valence sous le règne de Mahdî. Le vœu qu'il avait fait dans un moment d'enthousiasme religieux s'était accompli: il avait obtenu la palme du martyre. Les victimes furent si nombreuses qu'on n'a pas même essayé de les compter. Bientôt l'incendie vint éclairer de ses sinistres lueurs ces scènes horribles. Les plus beaux palais devinrent la proie des flammes. «J'ai appris enfin, écrivit plus tard Ibn-Hazm, ce qu'est devenu mon superbe palais dans le Bilât-Moghîth. Un homme qui venait de Cordoue me l'a raconté. Il m'a dit qu'il n'en reste que des ruines. Je sais aussi, hélas! ce que sont devenues mes femmes: les unes sont dans la tombe, les autres mènent une vie errante dans des contrées lointaines.»

Le deuxième jour après la prise de la ville, Solaimân alla prendre possession du palais califal. Tous les Cordouans qui, par un hasard quelconque, avaient échappé aux sabres des Berbers, vinrent se ranger sur son passage. Troublés et navrés jusqu'au fond de l'âme par les horribles spectacles qu'ils avaient eus sous les yeux, ils s'évertuaient néanmoins pour crier: Vive le calife! Solaimân sut apprécier à sa juste valeur cet enthousiasme factice. «Ils me souhaitent une longue vie, dit-il en se servant des paroles d'un ancien poète, mais ils me tueraient s'ils m'avaient en leur pouvoir.»

Arrivé au palais, il fit venir Hichâm II.

—Traître, lui dit-il, n'avais-tu pas abdiqué en ma faveur et ne m'avais-tu pas promis de ne plus prétendre au trône? Pourquoi donc as-tu violé ta parole?

—Hélas! lui répondit le pauvre homme en joignant les mains, vous savez que je n'ai pas de volonté, moi; je fais ce que l'on m'ordonne. Mais épargnez-moi, je vous en supplie, car je déclare de nouveau que j'abdique et que je vous nomme mon successeur.

Quant aux Berbers, ils s'établirent d'abord à Secunda; mais trois mois après, tous les habitants de Cordoue, à l'exception de ceux qui demeuraient dans le faubourg oriental et dans le quartier qui s'appelait la cité, furent frappés d'une sentence d'exil, et leurs biens furent confisqués au profit des vainqueurs, qui occupèrent alors les maisons qui avaient échappé à l'incendie.

XVI

Dès le commencement de la guerre civile, plusieurs gouverneurs s'étaient rendus indépendants; la prise de Cordoue par les Berbers porta le dernier coup à l'unité de l'empire. Les généraux slaves s'emparèrent des grandes villes de l'Est; les chefs berbers, auxquels les Amirides avaient donné des fiefs ou des provinces à gouverner, jouissaient aussi d'une indépendance complète, et le peu de familles arabes qui étaient encore assez puissantes pour se faire valoir, n'obéissaient pas davantage au nouveau calife, de sorte que l'autorité de ce dernier ne s'étendait que sur cinq villes considérables. C'étaient Cordoue, Séville, Niébla, Ocsonoba et Béja.

Il y avait peu d'apparence que cet état de choses changeât. Les Berbers étaient pressés de jouir des richesses qu'ils avaient acquises par le sac de la capitale et d'une foule d'autres villes, et Solaimân lui-même, bien qu'il eût été forcé de faire la guerre pendant quatre ans, n'était nullement belliqueux. Par un contraste bizarre, ce chef des hordes féroces qui avaient ravagé tout l'empire, était un homme plein de droiture, de douceur et de générosité. Il aimait les lettres, il faisait de bons vers, et il apportait dans l'amour une tendresse, une soumission et une galanterie tout à fait chevaleresques. Tout ce qu'il voulait, c'était de contribuer, autant qu'il était en son pouvoir, à faire succéder un peu de calme aux orages. Malheureusement pour lui, les cruautés de ses troupes, dont il avait été témoin sans pouvoir les empêcher (car il ne les commandait qu'à la condition de leur faire exécuter leur propre volonté), l'avaient rendu extrêmement impopulaire. Pour les Andalous il était un homme sans foi ni loi, un impie, un mécréant, un usurpateur qui avait été placé sur le trône par les Berbers et par les chrétiens du Nord, c'est-à-dire par deux peuples qu'on avait en horreur; et quand il eut eu l'imprudence d'envoyer aux différentes villes des lettres dans lesquelles il annonçait qu'il les traiterait de la même manière dont il avait traité Cordoue, au cas où elles refuseraient de le reconnaître, il s'éleva contre lui commeun concert de malédictions. «Que Dieu n'ait point pitié de votre Solaimân, disait un poète, car il a fait tout le contraire de ce qu'a fait celui dont parle l'Ecriture. L'un a enchaîné les démons, l'autre les a lâchés, et dès lors ils se sont répandus en son nom dans notre pays pour piller nos demeures et pour nous massacrer.» «J'ai fait le serment, disait-il encore, d'enfoncer mon épée dans la poitrine des tyrans, et de rendre à la religion la splendeur qu'elle a perdue. Ah, quel étrange spectacle! Voici un descendant d'Abd-Chams qui s'est fait Berber et qui a été couronné en dépit de la noblesse! Eh bien! puisque j'ai le choix, je ne veux pas obéir à ces monstres. Je m'en remets à la décision du glaive; s'ils succombent, la vie aura de nouveau des charmes pour moi, et si la destinée veut que ce soit moi qui périsse, j'aurai du moins la satisfaction de ne plus être témoin de leurs forfaits.»

Tels étaient les sentiments des Andalous, et c'était aussi ceux des Slaves qui, dans les prières publiques, continuaient à prononcer le nom de Hichâm II, quoique Solaimân les suppliât maintefois d'y substituer le sien, en les assurant qu'il se contenterait de cette espèce d'hommage sans exiger rien de plus. Et cependant ils n'étaient pas certains que Hichâm vivait encore. Les bruits les plus contradictoires couraient au sujet du sort de ce monarque. Les uns disaient que Solaimân l'avait fait tuer, les autres qu'il l'avait fait enfermer dans un cachot du palais. Cette dernière assertion trouvait le plus de crédit, car quand un usurpateur avait fait mettre à mort celui auquel il avait ôté le trône, il montrait d'ordinaire son cadavre au peuple de la capitale, et Solaimân n'avait montré à personne celui de Hichâm. Les Slaves continuaient donc à combattre au nom de ce souverain. Khairân était le plus puissant parmi eux. Client d'Almanzor, qui l'avait nommé gouverneur d'Almérie, il avait pris la fuite au moment où les Berbers entraient dans Cordoue; mais, poursuivi par eux, il avait dû accepter le combat. Abandonné par ses troupes qui avaient pris la fuite, et criblé de blessures, il avait été laissé pour mort sur le champ de bataille; mais ayant recouvré assez de forces pour pouvoir marcher, il était retourné à Cordoue, où un ami qu'il avait parmi les vainqueurs lui avait donné l'hospitalité; cet ami l'avait aussi pourvu d'argent après sa guérison, de sorte que Khairân avait été à même de retourner dans l'Est. Alors beaucoup de Slaves et d'Andalous s'étaient rangés sous son drapeau, et après un siége de vingt jours, il s'était remis en possession d'Almérie. Il trouva maintenant un puissant allié dans un général de Solaimân.

Ce général s'appelait Alî ibn-Hammoud. Il descendait du gendre du Prophète, mais comme sa famille était établie en Afrique depuis deux siècles, elle était berbérisée, et lui-même parlait fort mal l'arabe. Gouverneur de Ceuta et de Tanger, tandis que Câsim, son frère aîné, était gouverneur d'Algéziras, il était presque indépendant dans sa province; cependant son ambition n'était pas satisfaite; elle était telle que le trône seul pouvait la contenter. Pour y arriver il ne vit qu'un moyen: c'était de conclure une alliance avec les Slaves, et il s'adressa à cet effet à Khairân. Afin de le gagner, il inventa une fable assez bizarre. Il prétendit que Hichâm II avait lu dans un livre de prédictions qu'après la chute des Omaiyades un Alide, dont le nom commencerait par la lettre *ain*, régnerait sur l'Espagne. «Or, ajoutait-il, Hichâm a entendu parler de moi après la prise de Cordoue, et de sa prison il m'a envoyé quelqu'un pour me dire: —J'ai le pressentiment que l'usurpateur m'ôtera la vie; je vous nomme donc mon successeur et je m'en remets à vous du soin de me venger.» Trop heureux d'avoir un tel auxiliaire et persuadé que Hichâm II vivait encore, Khairân accepta cette version sans la discuter; et comme Alî lui promettait que, si l'on retrouvait Hichâm, il serait replacé sur le trône, il s'engagea de son côté à reconnaître Alî, au cas où il serait prouvé que Hichâm avait cessé de vivre.

Ces conditions arrêtées, Alî traversa le Détroit, et pria Amir ibn-Fotouh, le gouverneur de Malaga, de lui livrer cette ville. Client d'un client omaiyade, et par conséquent déjà très-porté à faire cause commune avec les Slaves, Amir avait d'ailleurs des griefs personnels contre les Berbers, car un de leurs chefs lui avait enlevé Ronda. Il consentit donc à la demande d'Alî, lequel se porta ensuite vers Almuñecar, où il opéra sa jonction avec Khairân, après quoi on marcha sur Cordoue.

Alî ne comptait pas seulement sur les Slaves, mais aussi sur une grande partie des Berbers. En général, ces derniers faisaient peu de cas de Solaimân. Ils l'avaient proclamé calife parce qu'au moment où ils avaient besoin d'un prétendant, il s'était trouvé là par hasard; mais comme à leur gré il était trop doux et qu'il ne possédait point de talents militaires, les seuls qu'ils fussent en état d'apprécier, ils n'avaient pour lui que du mépris. Alî, au contraire, leur inspirait du respect par sa bravoure, et ils le regardaient comme leur compatriote. Joignez-y que Zâwî, le plus puissant de leurs chefs, qui était alors gouverneur de Grenade et qui avait placé Solaimân sur le trône, avait une haine invétérée contre tous les Omaiyades, parce que la tête de son père Zîrî, qui avait péri en Afrique dans un combat qu'il livra aux partisans de cette dynastie, avait été attachée aux murailles du château de Cordoue, où elle était restée jusqu'à l'époque où lui et les siens prirent et pillèrent cette capitale. C'était une insulte qu'il n'avait jamais pardonnée aux Omaiyades. Aussi se déclara-t-il pour Alî, dès que celui-ci eut levé l'étendard de la révolte. Son exemple eut beaucoup d'influence sur la conduite des autres Berbers. Ceux que Solaimân envoya contre son compétiteur, se laissèrent battre. «Emir, lui dit alors un général berber, si vous voulez remporter la victoire, il faut que vous vous mettiez à notre tête.» Il y consentit; mais quand on fut arrivé dans le voisinage du camp ennemi, on prit sa mule par la bride et on le livra à son adversaire.

Le dimanche 1er juillet de l'année 1016, Alî et ses alliés firent leur entrée dans la capitale. Le premier soin de Khairân et des autres Slaves fut de retrouver Hichâm II; mais à la grande satisfaction d'Alî, leurs recherches furent inutiles. Alî demanda alors à Solaimân, en présence des vizirs et des ministres de la religion, ce qu'était devenu Hichâm. «Il est mort,» répondit Solaimân, sans donner, à ce qu'il semble, des détails plus précis. «Dans ce cas, reprit Alî, dis-moi où se trouve son tombeau.» Solaimân lui en indiqua un, et quand on l'eut ouvert, on déterra un cadavre qu'Alî montra à un serviteur de Hichâm en lui demandant si c'était celui de son maître. Ce serviteur qui, à ce qu'on assure, savait que Hichâm vivait encore, mais qui avait été intimidé par Alî, répondit affirmativement à cette question, et pour preuve il fit remarquer une dent noire dans la bouche du cadavre, en assurant que Hichâm en avait eu une aussi. Son témoignage fut confirmé par d'autres personnes qui voulaient s'insinuer dans les bonnes grâces d'Alî ou qui craignaient de lui déplaire, en sorte que les Slaves se virent obligés d'admettre que le souverain légitime était mort et de reconnaître Alî pour son successeur. Quant à Solaimân, Alî donna l'ordre de le mettre à mort, ainsi que son frère et son père; mais lorsqu'on mena ce dernier au supplice, Alî lui dit:

—Vous avez tué Hichâm, vous autres, n'est-ce pas?

—Non, lui répondit ce pieux septuagénaire, qui, absorbé par des exercices spirituels, n'avait pris aucune part aux événements politiques; aussi vrai que Dieu m'entend, nous n'avons pas tué Hichâm. Il vit encore....

Sans lui laisser le temps d'en dire davantage, Alî, qui craignait qu'il ne fît des révélations dangereuses, donna au bourreau le signal de lui couper la tête. Puis il fit enterrer de nouveau, et avec tous les honneurs dus à la royauté, le cadavre qui passait pour celui de Hichâm II.

Ce monarque était-il mort en effet? L'esprit de parti a jeté un voile épais et presque impénétrable sur cette question. Il est certain que Hichâm n'a pas reparu, et que le personnage qui dans la suite s'est donné pour lui était un imposteur. Mais d'un autre côté, il n'a jamais été bien prouvé que Hichâm ait été tué par Solaimân ou qu'il soit mort de mort naturelle sous le règne de ce prince, et les clients omaiyades qui l'avaient connu affirment que le cadavre déterré sur l'ordre d'Alî n'était pas le sien. Il est vrai que Solaimân lui-même déclara, en présence des hommes les plus considérés de Cordoue, que Hichâm avait cessé de vivre; mais son témoignage nous paraît suspect, et il se peut qu'Alî lui ait donné l'espoir que, s'il faisait cette déclaration, il aurait la vie sauve. Solaimân, d'ailleurs, n'était nullement sanguinaire, et il n'est pas à présumer qu'il ait commis un forfait devant lequel même le féroce Mahdî avait reculé. Il faut remarquer aussi que, si Hichâm était mort sous son règne, il aurait montré aux Cordouans le cadavre de ce monarque, comme la coutume et son propre intérêt l'exigeaient. Les clients omaiyades prétendent bien qu'il méprisait trop les Cordouans pour le faire; mais ils oublient qu'il ne méprisait pas les Slaves, qu'il faisait tous ses efforts pour se faire reconnaître par eux, et que le meilleur moyen pour y parvenir eût été de les convaincre de la mort de Hichâm. Nous avons, enfin, le témoignage du vieux père de Solaimân, qui, malgré l'affirmation contraire de son fils, prenait Dieu à témoin que Hichâm vivait encore. Ce pieux vieillard aurait-il menti au moment où il allait comparaître devant le tribunal de l'Eternel? Nous ne le pensons pas.

Toutes ces raisons nous portent à croire qu'il y avait quelque vérité dans les récits des femmes et des eunuques du sérail. Ces personnes disaient que Hichâm avait su s'évader du palais sous le règne de Solaimân, et qu'après s'être tenu caché à Cordoue, où il avait gagné sa vie comme ouvrier, il était allé en Asie. Solaimân avait-il favorisé son évasion après lui avoir fait jurer de ne plus l'inquiéter? Etait-il resté en relation avec lui et savait-il où il se trouvait? Ce sont là des questions que suggèrent les paroles du père de Solaimân, mais auxquelles nous ne pouvons donner une réponse positive. Toutefois il ne nous paraît pas improbable que Hichâm, las de voir servir son nom de cri de guerre à des ambitieux qui ne lui laissaient pas même l'ombre du pouvoir, soit allé se cacher dans un coin obscur de l'Asie, et qu'il y ait terminé, inconnu et en repos, une vie remplie de tourments et de douleurs.

Quoi qu'il en soit, Alî régnait maintenant, et il semblait qu'une ère meilleure allât commencer. Quoiqu'à demi Berber, le fondateur de la dynastie hammoudite se déclara dès le principe pour les Andalous. Il prêtait une oreille attentive aux chants de leurs poètes, bien qu'il les comprît à peine, donnait audience à tous ceux qui voulaient lui parler, et s'opposait avec la plus grande fermeté aux extorsions que les Berbers se permettaient. Il punissait avec une inexorable rigueur leurs moindres délits contre la propriété. Un jour, par exemple, il rencontra un d'eux qui avait une corbeille remplie de raisins sur sa selle. Il l'arrêta et lui demanda comment ces fruits se trouvaient en sa possession. Un peu étonné de cette question, le cavalier lui répondit nonchalamment: «Je les ai trouvés à mon gré et je les ai pris.» Il paya son larcin de sa tête. Alî méditait même une grande mesure: il voulait rendre aux Cordouans tout ce que les Berbers leur avaient enlevé pendant la durée de la guerre civile. Malheureusement pour les habitants de la capitale, l'ambition de Khairân le contraignit à changer tout à coup de conduite.

D'abord Khairân l'avait servi avec zèle. Dans sa province il avait fait arrêter et punir ceux qui intriguaient en faveur des Omaiyades, et s'il eût persisté à soutenir la cause d'Alî, le calme n'aurait pas tardé à renaître. Mais il aspirait à jouer le rôle d'Almanzor, et comme il s'apercevait qu'Alî n'était pas homme à se contenter de celui de Hichâm II, il conçut le projet de rétablir l'ancienne dynastie, sauf toutefois à régner en son nom. Il chercha donc un prétendant, et vers le mois de mars 1017, il le trouva dans la personne d'un arrière-petit-fils d'Abdérame III, qui portait le même nom que son bisaïeul et qui demeurait à Valence. Beaucoup d'Andalous lui promirent leur appui. De ce nombre était Mondhir, le gouverneur de Saragosse de la famille des Beni-Hâchim, qui marcha en effet vers le Midi, accompagné de son allié Raymond, le comte de Barcelone. Trahi ainsi par le parti qu'il favorisait, et s'apercevant que le peuple de la capitale désirait aussi le rétablissement des Omaiyades sur le trône, Alî se crut obligé de sévir contre ceux qu'il avait protégés jusque-là, et de se jeter entre les bras des Berbers qu'il avait persécutés. Il leur rendit donc la liberté de traiter Cordoue comme une ville conquise, et lui-même leur donna l'exemple. Pour se procurer de l'argent, il imposa des contributions extraordinaires, et ayant fait arrêter un grand nombre de notables, parmi lesquels se trouvait Ibn-Djahwar, l'un des membres les plus considérés du conseil d'Etat, il ne leur rendit la liberté qu'après leur avoir extorqué des sommes énormes.

A l'injustice il joignit l'outrage, car au moment où ces notables sortaient de la prison et où leurs serviteurs leur amenaient leurs montures: «Ils peuvent fort bien retourner chez eux à pied, dit-il; je veux que l'on mène leurs mulets à mes écuries.» Même les biens des mosquées, qui provenaient de legs pieux, ne furent pas respectés. Se servant à cet effet de l'entremise d'un faqui à l'âme vile, qui s'appelait Ibn-al-Djaiyâr, Alî força les curateurs à les lui livrer. Une sombre terreur régnait à Cordoue. La ville fourmillait d'agents de police, d'espions, de délateurs. Il n'y avait plus de justice. Tant qu'Alî avait protégé les Andalous, les juges avaient montré pour eux une grande partialité; mais leur complaisance pour le pouvoir était telle, qu'à présent ils ne faisaient plus aucune attention aux plaintes qu'on leur adressait contre les Berbers, quelque légitimes qu'elles fussent. Beaucoup d'autres personnes s'étaient vendues également au monarque. «La moitié des habitants, dit un historien contemporain, surveillait l'autre moitié.» Les rues étaient désertes, on n'y voyait presque plus que des infortunés tenus pour suspects, qu'on menait en prison. Ceux qui n'avaient pas encore été arrêtés se cachaient dans des souterrains et attendaient la nuit pour aller acheter des denrées. Dans sa haine contre les Andalous, Alî jura même de détruire la capitale après en avoir chassé ou exterminé les habitants. La mort le dispensa de tenir son serment. Dès le mois de novembre 1017, il avait marché jusqu'à Guadix pour combattre les insurgés; mais alors les pluies l'avaient forcé à retourner sur ses pas. On était maintenant en avril 1018, et comme il avait appris que les alliés s'étaient déjà avancés jusqu'à Jaën, il avait annoncé une grande revue pour le 17, après quoi on se mettrait en campagne; mais au jour fixé les soldats l'attendirent en vain, et lorsque des officiers se furent rendus au palais pour s'informer du motif de son absence, ils le trouvèrent assassiné dans le bain.

Ce crime avait été commis par trois Slaves du palais, qui auparavant avaient été au service des Omaiyades. Ils n'avaient aucun grief personnel contre le monarque, car ils jouissaient de sa faveur et de sa confiance, et d'un autre côté, il ne paraît pas qu'ils se soient laissé séduire aux instigations de Khairân ou des Cordouans. Plus tard, du moins, quand ils eurent été arrêtés et condamnés au dernier supplice, ils nièrent constamment que leur dessein leur eût été suggéré par qui que ce fût. Tout porte donc à croire que, lorsqu'ils résolurent de tuer leur maître, ils voulaient délivrer le pays d'un despote dont la tyrannie était devenue insupportable.

Quoi qu'il en soit, la mort d'Alî causa une grande joie dans la capitale. Toutefois elle n'eut pas la chute des Hammoudites pour conséquence. Alî avait laissé deux fils, dont l'aîné, qui s'appelait Yahyâ, était gouverneur de Ceuta, et il avait laissé aussi un frère, Câsim, qui était gouverneur de Séville. Quelques-uns parmi les Berbers voulaient donner le trône à Yahyâ; mais d'autres firent observer qu'il vaudrait mieux le donner à Câsim qui était tout près. Leur avis prévalut, et six jours après la mort de son frère, Câsim fit son entrée dans la capitale, où on lui prêta serment.

De leur côté, Khairân et Mondhir avaient convoqué, pour le 30 avril, tous les chefs sur lesquels ils croyaient pouvoir compter. L'assemblée, qui fut nombreuse et dont plusieurs ecclésiastiques faisaient partie, résolut que le califat serait électif, et ratifia l'élection d'Abdérame IV, qui prit le titre de Mortadhâ. Cela fait, on marcha contre Grenade. Arrivé devant cette ville, Mortadhâ écrivit à Zâwî en termes très-polis et le somma de le reconnaître pour calife. Ayant entendu la lecture de cette lettre, Zâwî ordonna à son secrétaire d'écrire sur le revers la 109e sourate du Coran, conçue en ces termes:

«O infidèles! Je n'adorerai point ce que vous adorez, et vous n'adorerez pas ce que j'adore; je n'adore pas ce que vous adorez, et vous n'adorez pas ce que j'adore. Vous avez votre religion, et moi j'ai la mienne.»

Après avoir reçu cette réponse, Mortadhâ adressa à Zâwî une seconde lettre. Elle était remplie de menaces et Mortadhâ y disait entre autres choses: «Je marche contre vous accompagné d'une foule de chrétiens et de tous les braves de l'Andalousie. Que ferez-vous donc?» La lettre se terminait par ce vers:

Si vous êtes pour nous, votre sort sera heureux; mais si vous êtes contre nous, il sera déplorable!

Zâwî y répondit en citant la 102e sourate, ainsi conçue:

«Le désir d'augmenter le nombre des vôtres vous préoccupe, et vous visitez même les cimetières pour compter les morts; cessez de le faire: plus tard vous connaîtrez votre folie! Encore une fois, cessez de le faire: plus tard vous connaîtrez votre folie! Cessez de le faire; si vous aviez la sagesse véritable, vous n'en agiriez point ainsi. Certainement, vous verrez l'enfer; encore une fois, vous le verrez de vos propres yeux. Alors on vous demandera compte des plaisirs de ce monde!»

Exaspéré par cette réponse, Mortadhâ résolut de tenter le sort des armes.

Cependant Khairân et Mondhir s'étaient aperçus que ce calife n'était pas celui qu'il leur fallait. Ils se souciaient fort peu, au fond, des droits de la famille d'Omaiya, et s'ils combattaient pour un Omaiyade, c'était à la condition qu'il se laisserait gouverner par eux. Mortadhâ était trop fier pour accepter un tel rôle; il ne se contentait nullement de l'ombre du pouvoir, et au lieu de se conformer aux volontés de ses généraux, il voulait leur imposer les siennes. Dès lors ils avaient résolu de le trahir, et ils avaient promis à Zâwî qu'ils abandonneraient Mortadhâ aussitôt que le combat se serait engagé.

Ils ne le firent pas, cependant, et l'on se battit plusieurs jours de suite. Enfin Zâwî fit prier Khairân de réaliser sa promesse. «Nous n'avons tardé à le faire, lui répondit Khairân, qu'afin de vous donner une juste idée de nos forces et de notre courage, et si Mortadhâ eût su gagner nos cœurs, la victoire se serait déjà déclarée pour lui. Mais demain, quand vous aurez rangé vos troupes en bataille, nous l'abandonnerons.»

Le lendemain matin Khairân et Mondhir tournèrent en effet le dos aux ennemis. Il s'en fallait beaucoup que tous leurs officiers approuvassent leur conduite; tout au contraire, plusieurs en étaient vivement indignés. De ce nombre était Solaimân ibn-Houd, qui commandait les troupes chrétiennes dans l'armée de Mondhir, et qui, sans se laisser entraîner par les fuyards, continuait à ranger ses soldats en bataille. Passant près de lui: «Sauve-toi donc, misérable, lui cria Mondhir; penses-tu que j'aie le loisir de t'attendre? — Ah, s'écria alors Solaimân, tu nous plonges dans un malheur effroyable, et tu couvres ton parti d'opprobre!» Convaincu cependant de l'impossibilité de la résistance, il suivit son maître.

Abandonné par la plupart de ses soldats, Mortadhâ se défendit avec le courage du désespoir, et peu s'en fallut qu'il ne tombât entre les mains des ennemis. Il leur échappa cependant, et il était déjà arrivé à Guadix, hors des limites du territoire de Grenade, lorsqu'il fut assassiné par des émissaires de Khairân.

Khairân expia, par la ruine de son propre parti, sa lâche et infâme trahison: les Slaves ne furent plus en état de réunir une armée, et les Berbers, leurs ennemis, étaient dorénavant les maîtres de l'Andalousie. Cependant Cordoue eût pu être heureuse encore, autant du moins qu'un peuple peut l'être quand il est dominé par un autre peuple. Le régime du sabre avait à peu près cessé; un gouvernement moins irrégulier et moins dur tendait à s'affermir. Câsim aimait la paix et le repos; il n'aggravait pas les maux des Cordouans par des oppressions nouvelles. Voulant faire oublier les anciennes dissensions, il fit venir Khairân, se réconcilia avec lui, et donna à un autre Slave, Zohaïr, le seigneur de Murcie, les fiefs de Jaën, de Calatrava et de Baëza. Son orthodoxie était bien un peu suspecte: on le disait attaché aux doctrines chiites; cependant, quelles qu'aient été ses propres opinions, non-seulement il ne les imposait à personne, mais il n'en parlait même pas, et ne changea rien à l'état de l'Eglise. Grâce à la modération de ce prince, la dynastie hammoudite avait donc des chances de durée. Il est vrai que le peuple de la capitale avait peu d'affection pour elle; mais à la longue il se serait probablement consolé de la perte de ses anciens maîtres, si des circonstances indépendantes de sa volonté n'eussent fait renaître des espérances déjà prêtes à s'évanouir.

Se défiant des Berbers, Câsim chercha ailleurs ses appuis. Les Berbers avaient à leur service beaucoup d'esclaves noirs. Câsim les leur acheta, en fit venir d'autres d'Afrique, en forma des régiments, et confia à leurs chefs les postes les plus considérables. Il irrita par là les Berbers, et son neveu Yahyâ sut exploiter à son profit leur mécontentement. Il leur écrivit une lettre où il leur disait entre autres choses: «Mon oncle m'a privé de mon héritage, et il vous a fait un grand tort en donnant à vos esclaves noirs les emplois qui vous appartiennent. Eh bien! si vous voulez me donner le trône de mon père, je m'engage à mon tour à vous rendre vos dignités et à remettre les nègres à leur place.» Comme il était à prévoir, les Berbers lui promirent leur appui. Yahyâ passa donc le Détroit avec ses troupes et aborda à Malaga, dont son frère Idrîs, qui faisait cause commune avec lui, était gouverneur. Il y reçut une lettre de Khairân, qui, toujours prêt à soutenir chaque prétendant sauf à se tourner contre lui quand il triomphait, lui rappelait ce qu'il avait fait pour son père et lui offrait ses services. Idrîs lui conseilla de ne pas accepter cette offre. «Khairân, dit-il, est un homme perfide, il veut vous tromper.—J'en conviens, lui répondit Yahyâ, mais laissons-nous tromper, puisque nous n'y perdons rien,» et il écrivit au seigneur d'Almérie pour lui dire qu'il acceptait ses services, après quoi il se prépara à marcher vers Cordoue. Son oncle jugea prudent de ne pas l'attendre. Dans la nuit du 11 au 12 août 1021, il s'enfuit vers Séville, accompagné seulement de cinq cavaliers, et un mois plus lard, son neveu fit son entrée dans la capitale. Son règne, toutefois, fut de courte durée. Les nègres ne tardèrent pas à aller rejoindre Câsim; plusieurs capitaines andalous suivirent leur exemple, et à la fin Yahyâ se vit même abandonné par une grande partie des Berbers, qu'indignait son orgueil. Sa position devint alors si dangereuse, qu'il craignait à chaque instant d'être arrêté dans son propre palais. Il résolut donc de se mettre en sûreté, et abandonnant Cordoue à son sort, il partit de nuit pour se rendre à Malaga. Câsim revint alors, et le 12 février 1023 il fut proclamé calife pour la seconde fois; mais son pouvoir ne reposait sur aucune base solide et il diminua de plus en plus. En Afrique Idrîs, qui était alors gouverneur de Ceuta, lui enleva la ville de Tanger qu'il avait fait fortifier avec soin et où il comptait se retirer dans le cas qu'il ne pût se maintenir en deçà du Détroit; en Espagne Yahyâ lui enleva Algéziras, où se trouvait son épouse ainsi que ses trésors. Dans la capitale même, il ne pouvait compter que sur les nègres. Encouragés par cet état de choses, les Cordouans, qui avaient vu avec une froide indifférence la lutte entre l'oncle et le neveu, recommencèrent à remuer. L'idée de s'affranchir du joug des Berbers était au fond de tous les cœurs, et le bruit se répandit qu'un membre de la famille d'Omaiya se montrerait bientôt pour prendre possession du trône. Câsim s'en alarma, et comme aucun Omaiyade n'avait été nommé, il donna l'ordre d'arrêter tous ceux que l'on pourrait trouver. Ils se cachèrent alors, soit parmi les gens des classes inférieures, soit dans les provinces; mais les mesures de Câsim n'empêchèrent pas la révolution d'éclater. Poussés à bout par les vexations des Berbers, les Cordouans prirent les armes le 31 juillet 1023. Après un combat acharné, les deux partis conclurent une espèce de paix ou plutôt de trève, en promettant de se respecter réciproquement. Cette trève fut de courte durée, bien que Câsim tâchât de la prolonger par une condescendance simulée envers le peuple. Le vendredi 6 septembre, après le service divin, le cri: Aux armes, aux armes! se fit entendre de toutes parts, et alors les Cordouans chassèrent Câsim et ses Berbers, sinon des faubourgs, du moins de la ville même. Câsim s'établit à l'ouest, et assiégea les insurgés pendant plus de cinquante jours. Ils se défendirent avec une grande opiniâtreté; mais quand ils commencèrent à manquer de vivres, ils demandèrent aux assiégeants la permission de quitter la ville avec leurs femmes et leurs enfants. Cette proposition fut rejetée, et alors les Cordouans prirent une résolution que le désespoir leur dictait. Ayant démoli une porte, ils sortirent tous de la ville le jeudi 31 octobre, et se ruèrent avec tant de fureur sur leurs ennemis, que ceux-ci prirent la fuite dans le plus grand désordre. Les capitaines se retirèrent dans leurs fiefs; Câsim lui-même espérait trouver un refuge à Séville; mais encouragée par l'exemple que Cordoue lui avait donné, cette ville lui ferma ses portes et se constitua en république. Il se jeta alors dans Xeres; mais Yahyâ vint l'y assiéger et le força à se rendre. Le rôle que Câsim avait joué sur la scène politique finit alors. Yahyâ, qui l'avait traîné à Malaga chargé de fers, avait juré de le tuer; mais ses scrupules l'empêchèrent longtemps de tenir son serment. Dans son sommeil il croyait voir son père qui lui disait: «Ne tue pas mon frère, je t'en conjure. Quand j'étais encore enfant, il m'a fait beaucoup de bien, et quoiqu'il fût mon aîné, il ne m'a pas disputé le trône.» Maintefois néanmoins, quand il était ivre, il voulait le mettre à mort; mais il cédait toujours aux conseils de ses convives qui lui représentaient que, puisque Câsim était prisonnier, il ne pouvait lui nuire. Câsim resta donc enfermé pendant treize ans dans un château de la province de Malaga; mais dans l'année 1036 Yahyâ entendit dire qu'il avait tâché de gagner la garnison et de la pousser à une révolte. «Eh quoi! s'écria-t-il alors, ce vieillard a-t-il encore de l'ambition? Dans ce cas, il faut en finir avec lui,» et il donna l'ordre de l'étrangler.

Quant aux Cordouans, ayant recouvré leur indépendance, ils résolurent, non pas en tumulte, mais avec ordre, avec régularité, de replacer les Omaiyades sur le trône. Dans le mois de novembre 1023, des assemblées furent formées, des délibérations établies. Les vizirs résolurent de proposer à leurs concitoyens trois personnes, entre lesquelles ils auraient à choisir, à savoir Solaimân, un fils d'Abdérame IV Mortadhâ, Abdérame, un frère de Mahdî, et Mohammed ibn-al-Irâkî. Ils se tenaient convaincus que Solaimân, dont ils avaient mis le nom en tête de la liste, obtiendrait la pluralité des suffrages; aussi le secrétaire d'Etat, Ahmed ibn-Bord, avait déjà fait dresser l'acte d'investiture au nom de ce candidat.

Leur influence, toutefois, était moins grande qu'ils ne l'avaient cru, et ils s'étaient gravement trompés quand ils pensaient que le parti du second candidat, Abdérame, n'était pas à craindre. Cet Abdérame, un jeune homme de vingt-deux ans qui avait été exilé par les Hammoudites, était rentré secrètement dans la capitale peu de temps auparavant. Témoin de la révolte des Cordouans contre les Berbers, il avait tâché à cette occasion de se former un parti et de se faire proclamer calife. Ce projet avait échoué. Les vizirs, qui dirigeaient l'insurrection et qui ne voulaient pas de lui, avaient fait jeter ses émissaires dans la prison, où ils étaient encore au moment où l'élection allait avoir lieu, et ils avaient essayé de faire arrêter Abdérame lui-même. Plus tard, toutefois, quand ils formèrent une liste de candidats, ils avaient cru devoir y placer son nom, car ils craignaient que, s'ils ne le faisaient pas, ils mécontenteraient plusieurs de leurs concitoyens; mais loin de penser que ce prince serait pour Solaimân un compétiteur dangereux, ils le mettaient au contraire à peu près sur la même ligne que le troisième candidat,Mohammed ibn-al-Irâkî, qui ne jouissait d'aucune popularité.

Se croyant donc sûrs de leur fait, les vizirs invitèrent les nobles, les soldats et le peuple à se réunir dans la grande mosquée le 1er décembre, afin de choisir un calife. Au jour fixé, Solaimân se présenta le premier dans la mosquée, accompagné du vizir Abdallâh ibn-Mokhâmis. Il était vêtu avec magnificence et la joie brillait sur son visage, car il se tenait convaincu que le choix du peuple tomberait sur lui. Ses amis vinrent à sa rencontre et le prièrent de s'asseoir sur une estrade fort élevée, qui avait été dressée pour lui. Quelque temps après, Abdérame entra dans la mosquée par une autre porte. Il était entouré de beaucoup de soldats et d'ouvriers, et aussitôt que cette multitude eut passé le seuil de la porte, elle le proclama calife en faisant retentir l'édifice d'acclamations bruyantes. Les vizirs, qui ne s'attendaient à rien de semblable, étaient plongés dans une stupeur qui les rendait muets, et d'ailleurs il leur eût été impossible de se faire entendre au milieu du tumulte. Ils se résignèrent donc à accepter Abdérame comme calife, et Solaimân, encore plus étonné et plus troublé qu'eux, fut forcé de leur donner l'exemple. On l'entraîna vers Abdérame, auquel il baisa la main et qui le fit asseoir à ses côtés. Le troisième candidat, Mohammed ibn-al-Irâkî, prêta aussi le serment, et alors le secrétaire d'Etat effaça avec un grattoir le nom de Solaimân dans l'acte d'investiture, et y substitua celui d'Abdérame V, qui prit le titre de Mostadhhir.

XVII

Quand on raconte l'histoire d'une époque désastreuse et déchirée par les guerres civiles, on éprouve parfois le besoin de détourner la vue des luttes de partis, des convulsions sociales, du sang versé, et de distraire l'imagination en se reportant vers un idéal de calme, d'innocence et de rêverie. Nous nous arrêterons donc un instant pour appeler l'attention sur les poèmes qu'un amour pur et candide a inspirés au jeune Abdérame V et à son vizir Ibn-Hazm. Il s'en exhale comme un parfum de jeunesse, de simplicité et de bonheur, et ils ont un attrait d'autant plus irrésistible, que l'on s'attendait moins à entendre ces accents doux et sereins au milieu du bouleversement universel, ce chant de rossignol au milieu de l'orage.

Presque enfant encore, Abdérame aimait éperdument sa cousine Habîba (Aimée), la fille du calife Solaimân. Mais il soupirait en vain. La veuve de Solaimân s'opposait au mariage, et lui donnait à entendre que rien ne pressait. Il composa alors ces vers, où le sentiment d'une fierté blessée perce à côté d'un amour profondément senti:

Toujours des prétextes pour ne pas m'accorder ma demande, des prétextes contre lesquels ma fierté se révolte! Son aveugle famille veut la forcer à me refuser, mais peut-on refuser la lune au soleil? Comment la mère de Habîba, qui connaît mon mérite, peut-elle ne pas me vouloir pour gendre?

Je l'aime bien cependant, cette jeune fille belle et candide de la famille d'Abd-Chams, qui mène une vie si retirée dans le harem de ses parents: je lui ai promis de la servir comme un esclave pendant toute ma vie, et je lui ai offert mon cœur pour dot.

De même qu'un sacre fond sur une colombe qui déploie les ailes, de même je m'élance vers elle dès que je la vois, cette colombe des Abd-Chams, moi qui suis issu de la même illustre famille.

Qu'elle est belle! Les Pléiades lui envient la blancheur de ses mains, et l'Aurore est jalouse de l'éclat de sa gorge.

Tu as imposé à mon amour un jeûne bien long, ô ma bien-aimée: qu'est-ce que cela te ferait si tu me permettais de le rompre?

C'est dans ta maison que je cherche le remède à mes maux, dans ta maison sur laquelle Dieu veuille répandre ses grâces! C'est là que mon cœur trouverait un soulagement à ses souffrances, c'est là que s'éteindrait le feu qui me dévore.

Si tu me repousses, ô cousine, tu repousseras, je le jure, un homme qui est ton égal par la naissance et qui, par suite de l'amour que tu lui as inspiré, a un voile devant les yeux.

Mais je ne désespère pas de la posséder un jour et de mettre ainsi le comble à ma gloire, car je sais manier la lance alors que les chevaux noirs semblent rouges à force d'être teints de sang. Je rends honneur et respect à l'étranger qui s'est abrité sous mon toit; je comble de bienfaits le malheureux qui fait un appel à ma générosité. Personne dans sa famille ne mérite plus que moi de la posséder, car personne ne m'égale en réputation, en renommée. J'ai ce qu'il faut pour plaire: la jeunesse, l'urbanité, la douceur et le talent de bien dire.

On ignore quels étaient les sentiments de Habîba à l'égard du jeune homme, les écrivains arabes ayant laissé dans l'incertain et le vague cette belle et fugitive apparition, dont l'imagination aimerait à fixer les traits. Cependant elle ne paraît pas avoir été insensible aux hommages d'Abdérame. L'ayant rencontré un jour, son regard s'abaissa sous le regard plein de feu du prince; elle rougit, et dans son trouble elle oublia de lui rendre son salut. Abdérame interpréta de travers ce manque apparent de politesse, qui en réalité n'était qu'une pudique timidité, et il composa alors ce poème:

Salut à celle qui n'a pas daigné m'adresser une seule parole; salut à la gracieuse gazelle dont les regards sont autant de flèches qui me percent le cœur. Jamais, hélas! elle ne m'envoie son image pour calmer l'agitation de mes rêves. Ne sais-tu donc pas, ô toi dont le nom est si doux à prononcer, que je t'aime au delà de toute expression, et que je serai pour toi l'amant le plus fidèle qui soit au monde?

Il ne semble jamais avoir obtenu la main de Habîba, et en général il ne fut pas heureux en amour. Il est vrai qu'une autre beauté ne fut pas cruelle pour lui, mais dans la suite elle manqua à la foi promise, témoin ces vers qu'il lui adressa:

Ah! que les nuits sont longues depuis que tu me préfères mon rival! O gracieuse gazelle, toi qui a rompu tes serments et qui m'es devenue infidèle, les as-tu donc oublié ces nuits que nous avons passées ensemble sur un lit de roses? La même écharpe ceignait alors nos reins; nous nous entrelacions comme s'entrelacent les perles d'un collier, nous nous embrassions comme s'embrassent les branches des arbres, nos deux corps n'en formaient qu'un seul, tandis que les étoiles semblaient des points d'or scintillant sur un champ d'azur.

Le jeune Abdérame avait un ami qui lui ressemblait sous beaucoup de rapports et dont il fit son premier ministre. C'était Alî ibn-Hazm. Ses ancêtres, qui demeuraient sur le territoire de Niébla, avaient été chrétiens jusqu'à l'époque où son bisaïeul (Hazm) embrassa l'islamisme; mais honteux de son origine et voulant en effacer la trace, il reniait ses aïeux. De même que l'avait fait son père (Ahmed) qui avait été vizir sous les Amirides, il prétendait descendre d'un Persan affranchi par Yézîd, le frère du premier calife omaiyade, Moâwia, et quant à la religion qui avait été celle de ses pères, il avait pour elle le plus profond dédain. «Il ne faut jamais s'étonner de la superstition des hommes, dit-il quelque part dans son Traité sur les religions. Les peuples les plus nombreux et les plus civilisés y sont sujets. Voyez les chrétiens! Ils sont en si grand nombre qu'il n'y a que leur créateur qui puisse les compter, et il y a parmi eux des savants illustres, ainsi que des princes d'une rare sagacité. Néanmoins ils croient qu'un est trois et que trois sont un; que l'un des trois est le père, l'autre le fils, le troisième l'esprit; que le père est le fils et qu'il n'est pas le fils; qu'un homme est Dieu et qu'il n'est pas Dieu; que le Messie est Dieu en tout point et que cependant il n'est pas le même que Dieu; que celui qui a existé de toute éternité a été créé. Celle de leurs sectes qu'on appelle les Jacobites et qui se compte par centaines de mille, croit même que le Créateur a été fouetté, souffleté, crucifié et mis à mort; enfin, que l'univers a été privé pendant trois jours de celui qui le gouverne!»... Ces sarcasmes, du reste, ne sont pas d'un sceptique: ils sont d'un musulman très-zélé. Ibn-Hazm soutenait en religion le système des Dhâhirides, secte qui s'attachait strictement aux textes et qui appelait la décision par analogie, c'est-à-dire l'intervention de l'intelligence humaine dans les questions du droit canon, une invention du mauvais esprit. En politique il était pour la dynastie légitime, dont il était devenu le client grâce à une fausse généalogie, et les Omaiyades n'avaient pas de serviteur plus fidèle, plus dévoué, plus enthousiaste. Quand leur cause semblait irrévocablement perdue, quand Alî ibn-Hammoud occupait le trône et que même

Khairân, le chef du parti slave, l'eut reconnu, il fut du petit nombre de ceux qui ne perdirent pas le courage. Entouré d'ennemis et d'espions, il continua cependant d'intriguer et de comploter, car la prudence, comme c'est le propre des âmes enthousiastes, ne lui paraissait que de la lâcheté. Khairân découvrit ses menées, et, lui ayant fait expier son zèle intempestif par plusieurs mois de prison, il le frappa d'un arrêt d'exil. Ibn-Hazm se retira alors auprès du gouverneur du château d'Aznalcazar, non loin de Séville, et il s'y trouvait encore quand il apprit que l'Omaiyade Abdérame IV Mortadhâ avait été proclamé calife à Valence. Il s'embarqua aussitôt pour lui offrir ses services, et combattit en héros dans la bataille que Mortadhâ perdit par la trahison de ses soi-disant amis; mais étant tombé entre les mains des Berbers vainqueurs, il ne recouvra la liberté qu'assez tard.

Le temps viendra où Ibn-Hazm sera le plus grand savant de son temps et l'écrivain le plus fertile que l'Espagne ait produit à quelque époque que ce soit. Mais pour le moment il était avant tout poète, et l'un des poètes les plus gracieux que l'Espagne arabe ait eus. Il était encore dans l'âge heureux des illusions, car il ne comptait que huit ans de plus que son jeune souverain. Lui aussi avait eu son roman d'amour; roman bien simple au reste, mais qu'il a raconté avec tant de candeur, de délicatesse, de naïveté et de charme, que nous ne pouvons résister à la tentation de le reproduire avec ses propres paroles. Toutefois nous serons forcé de supprimer çà et là quelques métaphores hasardées, quelques broderies, quelques paillettes, qui, dans l'opinion d'un Arabe, donnent au discours une grâce inimitable, mais que la sobriété de notre goût tolérerait difficilement.

«Dans le palais de mon père, dit Ibn-Hazm, il y avait une jeune fille qui y recevait son éducation. Elle comptait seize ans, et aucune femme ne l'égalait en beauté, en intelligence, en pudeur, en retenue, en modestie, en douceur. Le ton badin et les galants propos l'ennuyaient et elle parlait peu. Personne n'osait élever ses désirs jusqu'à elle, et pourtant sa beauté conquérait tous les cœurs, car, bien que fière et avare de ses faveurs, elle était cependant plus séduisante que la coquette la plus raffinée. Elle était sérieuse et n'avait pas de goût pour les amusements frivoles, mais elle jouait du luth d'une manière admirable.

«J'étais bien jeune alors et je ne pensais qu'à elle. Je l'entendais parler quelquefois, mais toujours en présence d'autres personnes, et pendant deux ans j'avais en vain cherché l'occasion de lui parler sans témoins. Or, un jour il y eut dans notre demeure une de ces fêtes comme il y en a souvent dans les palais des grands, et à laquelle les femmes de notre maison, celles de la maison de mon frère, celles, enfin, de nos clients et de nos serviteurs les plus considérés avaient été invitées. Après avoir passé une partie de la journée dans le palais, ces dames allèrent au belvédère, d'où l'on avait un magnifique coup d'œil sur Cordoue et ses environs, et elles se placèrent là où les arbres de notre jardin n'obstruaient pas la vue. J'étais avec elles, et je m'approchai de l'embrasure où *elle* se trouvait; mais dès qu'elle me vit à ses côtés, elle courut avec une gracieuse rapidité vers une autre embrasure. Je la suis; elle m'échappe de nouveau. Elle connaissait très-bien mes sentiments à son égard, car les femmes ont plus de finesse pour deviner l'amour qu'on leur porte, que le Bédouin, qui voyage de nuit dans le Désert, n'en a pour reconnaître la trace de la route; mais heureusement les autres dames ne se doutaient de rien, car, tout occupées à chercher le plus beau point de vue, elles ne faisaient pas attention à moi.

«Puis, les dames étant descendues au jardin, celles qui, par leur position et leur âge, avaient le plus d'influence, prièrent la dame de mes pensées de chanter quelque chose, et j'appuyai leur demande. Elle prit alors son luth et se mit à l'accorder avec une pudeur qui, à mes yeux, doublait ses charmes; après quoi elle chanta ces vers d'Abbâs, fils d'Ahnaf:

Je ne pense qu'à mon soleil à moi, à la jeune fille souple et flexible que j'ai vue disparaître derrière les sombres murailles du palais. Est-ce une créature humaine, est-ce un génie? Elle est plus qu'une femme; mais si elle a toute la beauté d'un génie, elle n'en a pas la malice. Son visage est une perle, sa taille un narcisse, son haleine un parfum, et en totalité elle est une émanation de la lumière. Quand on la voit, revêtue de sa robe jaune, marcher avec une légèreté inconcevable, on dirait qu'elle pourrait mettre le pied sur les choses les plus fragiles sans les briser.

«Pendant qu'elle chantait, ce n'étaient pas les cordes du luth qu'elle frappait de son plectrum: c'était mon cœur. Jamais ce jour délicieux n'est sorti de ma mémoire, et sur mon lit de mort je m'en souviendrai encore. Mais depuis ce temps je n'entendis plus sa douce voix, je ne la revis même pas.

Ne la blâme pas, disais-je dans mes vers, si elle t'évite et te fuit, car elle ne mérite pas de reproches. Elle est belle comme la gazelle ou la lune, mais la gazelle est timide, et il n'est point donné à un mortel d'atteindre à la lune.

Tu me prives du bonheur d'entendre ta voix suave, disais-je encore, et tu ne veux pas que mes yeux contemplent ta beauté. Tout absorbée dans tes pieuses méditations, toute à Dieu, tu ne penses plus aux mortels. Qu'il est heureux, cet Abbâs dont tu as chanté les vers! Et pourtant, s'il t'avait entendue, le grand poète, il serait triste, il te porterait envie comme à son vainqueur, car en chantant ses vers, tu y as mis une sensibilité dont il n'avait point d'idée.

«Ensuite, trois jours après que Mahdî eut été déclaré calife, nous quittâmes notre nouveau palais, qui se trouvait dans le quartier oriental de Cordoue, à savoir dans le faubourg dit de Zâhira, pour nous établir dans notre ancien palais, situé dans le quartier occidental, le Balât-Moghîth; mais pour des raisons qu'il serait inutile d'exposer, la jeune fille ne nous y suivit pas. Puis, Hichâm II étant remonté sur le trône, ceux qui étaient alors au pouvoir nous firent tomber en disgrâce; ils nous extorquèrent des sommes énormes, ils nous firent jeter en prison, et quand nous eûmes recouvré la liberté, nous fûmes obligés de nous cacher. Vint la guerre civile. Tout le monde eut à en souffrir, mais notre famille plus que toute autre. Mon père mourut sur ces entrefaites, le samedi 21 juin 1012, et notre sort ne s'améliora point. Mais un jour que j'assistais aux funérailles d'un de mes parents, je reconnus la jeune fille au milieu des pleureuses. J'avais bien des motifs de tristesse ce jour-là; tous les malheurs semblaient vouloir me frapper à la fois, et pourtant, lorsque je la revis, le présent avec ses misères semblait disparaître comme par enchantement; elle me rappelait le passé, mon amour de jeune homme, mes beaux jours flétris, et pour un moment je redevenais jeune et heureux comme je l'étais autrefois. Mais, hélas! ce moment fut court, et rappelé bientôt à la triste et sombre réalité, ma douleur, aggravée des souffrances que me causait un amour sans espoir, n'en fut que plus cuisante et plus aiguë.

Elle pleure un mort que tout le monde respectait et honorait, disais-je dans une pièce de vers composée à cette occasion; mais celui qui vit encore a bien plus de droits à ses larmes. Chose étonnante! elle plaint celui qui est mort naturellement, doucement, et elle n'a nulle pitié pour celui qu'elle fait mourir de désespoir.

«Peu de temps après, lorsque les troupes berbères se furent emparées de la capitale, nous fûmes frappés d'un arrêt d'exil, et je quittai Cordoue au milieu du mois de juillet de l'année 1015. Cinq ans s'écoulèrent pendant lesquels je ne revis pas la jeune fille. A la fin, lorsque je fus revenu à Cordoue en février 1018, j'allai loger chez une de mes parentes et là je la retrouvai. Mais elle était tellement changée que j'avais peine à la reconnaître et que l'on dut me dire que c'était elle. Cette fleur, que naguère on contemplait avec ravissement et que chacun eût voulu cueillir si le respect ne l'eût retenu, était maintenant fanée; à peine lui restait-il quelques traces pour attester qu'elle avait été belle. C'est que pendant ces temps désastreux elle n'avait pu prendre aucun soin d'elle-même. Elevée sous notre toit au milieu du luxe, elle s'était vu forcée tout à coup de gagner sa vie par un travail assidu. Hélas! les femmes sont des fleurs bien fragiles: dès qu'on ne les soigne pas, elles se fanent. Leur beauté ne résiste pas, comme celle des hommes, au hâle du soleil, au simoun, à l'intempérie des saisons, au manque d'égards. Toutefois, telle qu'elle était, elle m'aurait encore rendu le plus heureux des hommes si elle avait voulu m'adresser une tendre parole; mais elle resta indifférente et froide comme elle l'avait toujours été pour moi. Peu à peu cette froideur commença à me détacher d'elle; la perte de sa beauté fit le reste.

«Je ne lui ai jamais rien reproché, et aujourd'hui encore je ne lui reproche rien. Je n'en ai pas le droit. De quoi me plaindrais-je? Je pourrais me plaindre, si elle m'eût bercé d'un espoir trompeur; mais jamais elle ne m'a donné le moindre espoir, jamais elle ne m'a rien promis.»

Dans le récit qu'on vient de lire, on aura sans doute remarqué des traits d'une sensibilité exquise et peu commune chez les Arabes, qui préfèrent généralement les grâces qui attirent, les yeux qui préviennent, le sourire qui encourage. L'amour que rêve Ibn-Hazm est un mélange d'attrait physique sans doute—l'objet regretté n'étant plus ce qu'il était, ses regrets sont bien moins cruels—mais aussi d'inclination morale, de galanterie délicate, d'estime, d'enthousiasme, et ce qui le charme, c'est une beauté calme, modeste, pleine d'une douce dignité. Mais il ne faut pas oublier que ce poète, le plus chaste, et je serais tenté de dire, le plus chrétien parmi les poètes musulmans, n'était pas Arabe pur sang. Arrière-petit-fils d'un Espagnol chrétien, il n'avait pas entièrement perdu la manière de penser et de sentir, propre à la race dont il était issu. Ils avaient beau renier leur origine, ces Espagnols arabisés; ils avaient beau invoquer Mahomet au lieu d'invoquer le Christ, et poursuivre leurs anciens coreligionnaires de leurs sarcasmes: au fond de leur cœur il restait toujours quelque chose de pur, de délicat, de spirituel, qui n'était pas arabe.

XVIII

Sept semaines s'étaient à peine écoulées depuis le moment où les Cordouans avaient élu Abdérame V et où celui-ci avait nommé Ibn-Hazm son premier ministre, que déjà l'un avait cessé de vivre et que l'autre, disant adieu pour toujours à la politique et aux grandeurs mondaines, cherchait la consolation et l'oubli du passé dans l'étude, le silence et la prière. Ce n'est pas qu'on pût leur reprocher d'avoir porté dans les affaires sérieuses la vanité et les caprices que le public attribue trop souvent en privilége aux poètes; au contraire, on aimait à leur reconnaître une grande aptitude pour le gouvernement. Elevés dans la rude école de l'infortune et de l'exil, ils avaient appris de bonne heure à connaître les hommes, à comprendre, à juger les événements. Mais ils étaient entourés de périls de tout genre. Abdérame ne s'appuyait que sur la jeune noblesse. Outre Alî ibn-Hazm, un cousin de ce dernier, nommé Abd-al-wahhâb ibn-Hazm, et Abou-Amir ibn-Chohaid étaient ses conseillers habituels. C'étaient des hommes d'esprit et de talent, mais qui choquaient les musulmans rigides par la liberté de leurs opinions religieuses. Quant aux patriciens plus âgés, ils avaient voulu voter pour Solaimân, et ce candidat ayant été repoussé par la majorité, ils avaient cependant intrigué si ouvertement en sa faveur, qu'Abdérame s'était vu obligé de les faire arrêter. Les personnes sensées approuvaient cette mesure, parce qu'elles la croyaient nécessaire; mais l'aristocratie en était mécontente. On reprochait d'ailleurs au monarque de retenir prisonniers ses deux compétiteurs. Il les traitait amicalement, il est vrai, mais il ne leur permettait pas de sortir du palais. D'un autre côté, comme les malheurs publics avaient tari presque toutes les sources de travail, il y avait une foule d'ouvriers inoccupés, qui étaient tout prêts à frapper de leur hache tout l'édifice de la vieille société. Et malheureusement ces cohortes de la destruction avaient un chef. C'était un Omaiyade qui s'appelait Mohammed. Au moment où les assemblées se formaient pour élire un monarque, il avait espéré que le choix tomberait sur lui. Son nom, toutefois, ne fut pas même prononcé, ce qui n'a rien d'étonnant, car Mohammed était un homme sans esprit, sans talents, sans culture, et qui ne connaissait d'autres plaisirs que ceux de la table et de la débauche. Mais lui-même ne se jugeait pas ainsi, et quand il apprit que personne n'avaitpensé à lui et que l'on avait donné le trône à un tout jeune homme, il ne mit point de bornes à sa fureur. Il se servit alors de l'influence qu'il avait sur les ouvriers, qui prenaient sa grossièreté pour de la bonhomie et avec lesquels il vivait dans une intimité si étroite, qu'un tisserand, nommé Ahmed ibn-Khâlid, était son meilleur ami. Vigoureusement et habilement secondé par cet homme, Mohammed stimula chez les ouvriers la passion du pillage et du bouleversement, et prépara tout pour une insurrection formidable.

Une coalition de la populace avec les patriciens qui avaient été arrêtés, ne semblait pas à craindre d'abord, puisque les uns et les autres avaient des candidats différents; mais Solaimân étant venu à mourir, les patriciens consentirent à s'allier aux démagogues. L'un d'entre eux, Ibn-Imrân, leur servit d'intermédiaire. Dans sa bonté imprévoyante, Abdérame V lui avait rendu la liberté, quoiqu'un de ses amis s'y fût opposé et qu'il eût dit: «Si cet Ibn-Imrân fait un pas ailleurs que dans votre prison, il retranchera toute une année de votre vie.» En effet, c'était un homme fort dangereux. Il tâcha de gagner les chefs de la garde, et il y réussit d'autant plus facilement, que la garde elle-même était mécontente du calife. Deux jours auparavant, un escadron berber était arrivé à Cordoue pour offrir ses services au monarque, et celui-ci, qui sentait qu'entouré de périls de tout genre il avait besoin de soldats, avait accepté leur offre. C'est ce qui avait excité la jalousie de la garde, et celle-ci, stimulée par Ibn-Imrân, s'adressa maintenant au peuple. «C'est nous qui avons vaincu les Berbers, disaient les soldats, c'est nous qui les avons chassés, et à présent cet homme que nous avons placé sur le trône tâche de les faire rentrer dans la ville et de nous soumettre de nouveau à leur empire détesté.» Le peuple qui, pour s'insurger, n'attendait qu'une occasion, qu'un signal, se laissa facilement séduire à ces instigations, et au moment où Abdérame ne se doutait encore de rien, la foule avait déjà envahi son palais et délivré les nobles qu'il avait fait arrêter. Le malheureux monarque comprit aussitôt que c'était à sa vie qu'on en voulait. Il demanda à ses vizirs ce qu'ils lui conseillaient de faire. Ceux-ci, qui craignaient pour leur propre vie, délibéraient encore sur le parti à prendre, lorsque les gardes leur crièrent qu'ils n'auraient rien à redouter, pourvu qu'ils abandonnassent Abdérame à son sort. Alors l'égoïsme l'emporta chez la plupart d'entre eux; ils quittèrent furtivement le monarque, l'un après l'autre. Bientôt, cependant, ils s'aperçurent que les promesses des gardes avaient été fallacieuses, car plusieurs d'entre eux, tels que le préfet de la ville, furent tués au moment où ils sortaient du palais par la porte de la salle de bain.

Abdérame lui-même, qui était monté à cheval, voulut sortir par cette même porte. Les gardes l'en empêchèrent en lui montrant les pointes de leurs lances et en l'accablant d'injures. Il retourna alors sur ses pas, et, ayant mis pied à terre, il entra dans la salle de bain. Là il ôta tous ses vêtements à l'exception de sa tunique, et se cacha dans le four.

Sur ces entrefaites le peuple et les gardes traquaient les Berbers comme s'ils eussent été des bêtes fauves. Ces malheureux furent massacrés partout où ils avaient cherché un refuge, dans le palais, dans la salle de bain, dans la mosquée. Les femmes du sérail d'Abdérame échurent en partage aux gardes, qui les conduisirent à leurs demeures.

Mohammed triomphait. Proclamé calife dans la chambre où le calife détrôné se tenait caché, il se rendit vers la grande salle et s'assit sur le trône, entouré des gardes et de la populace. Cependant sa position était précaire tant que son prédécesseur vivait encore. Il ordonna donc de le chercher partout, et quand enfin on l'eut trouvé, il le fit mettre à mort (18 janvier 1024).

Mohammed prit le titre de Mostacfî. Il tâcha de se rendre populaire en donnant de l'argent et des titres à tous ceux qui en voulaient; mais la colère de la bourgeoisie et de la noblesse fut extrême quand il nomma son ami, le tisserand, premier ministre. Au reste, son règne ne fut pas de longue durée. Il gouverna mal, comme cela se conçoit. Sachant que l'on conspirait contre lui, il fit jeter en prison plusieurs membres de sa famille. L'un d'entre eux fut même étranglé sur son ordre, ce qui causa une grande indignation à Cordoue. Il fit aussi arrêter les principaux conseillers de son prédécesseur, tels que les deux Ibn-Hazm, et afin de ne pas être frappés du même sort, Abou-Amir ibn-Chohaid et plusieurs autres quittèrent la capitale et se rendirent à Malaga auprès du Hammoudite Yahyâ, qu'ils excitèrent à aller mettre un terme à l'anarchie qui régnait à Cordoue. Les tentatives qu'ils firent à cet effet ne demeurèrent pas absolument infructueuses. On apprit du moins à Cordoue que Yahyâ se préparait à venir attaquer la ville, et alors une émeute y éclata (mai 1025). Le vizir de Mohammed II, l'ancien tisserand, fut égorgé à coups de couteaux par le peuple, qui, dans sa rage brutale, ne cessa de frapper son cadavre que lorsqu'il eut perdu tout reste de chaleur. Quant à Mohammed II, son palais fut cerné, et alors les gardes vinrent le trouver et lui dirent: «Dieu sait que nous avons fait tout ce que nous pouvions pour affermir votre pouvoir, mais nous voyons à présent que nous avons tenté l'impossible. Nous devons nous mettre en marche pour aller combattre Yahyâ qui nous menace, et nous craignons qu'il ne vous arrive quelque chose de fâcheux quand nous serons partis. Nous vous conseillons donc de quitter la ville en secret.» Voyant que tout était perdu pour lui, Mohammed résolut de suivre leurs conseils. Ayant donc pris le costume d'une chanteuse et s'étant couvert le visage d'un voile, il sortit du palais et de la ville, accompagné de deux femmes. Puis il alla cacher sa honte dans un obscur village de la frontière, où il fut empoisonné par un officier trop compromis pour n'avoir pas été forcé de le suivre, mais qui s'ennuyait d'être enchaîné à un proscrit.

Pendant six mois, il n'y eut pas de monarque à Cordoue. La ville fut gouvernée, tant bien que mal, par le conseil d'Etat; mais une telle situation ne pouvait encore se prolonger longtemps. Un jour il faudrait en arriver là, mais le moment n'était pas venu; le vieux monde s'écroulait, mais le nouveau n'en était qu'aux essais. Aux hommes de bon sens la monarchie semblait encore la seule forme de gouvernement compatible avec l'ordre, mais en qui la rétablir? Dans la personne d'un Omaiyade? On l'avait voulu, on l'avait tenté, on avait choisi le meilleur prince que possédât cette maison alors qu'on avait donné le trône à Abdérame V, et cependant l'entreprise avait complétement échoué. Pour maintenir l'ordre, pour contenir la populace toujours inquiète, toujours agitée, et prête à tout moment pour l'émeute, le pillage et l'assassinat, il fallait un prince qui disposât de troupes étrangères, et les Omaiyades n'en avaient pas. On s'avisa donc de rendre le trône au Hammoudite Yahyâ, dont on n'avait pas eu trop à se plaindre, et cette pensée ne vint pas, ce nous semble, à quelques personnes mal-intentionnées, comme un auteur arabe donne à l'entendre, mais à tout le parti de l'ordre, qui ne voyait pas d'autre moyen de salut. On entra donc en négociations avec Yahyâ qui résidait à Malaga. Il accepta l'offre des Cordouans sans empressement, presque avec indifférence, et se défiant de la mobilité habituelle de ceux qui la faisaient, sachant d'ailleurs que pour eux il n'était qu'un pis aller, il resta où il était et se borna à envoyer à Cordoue un général berber accompagné de quelques troupes (novembre 1025).

L'événement montra qu'il avait agi sagement. Les habitants de la capitale ne tardèrent pas à se dégoûter de la domination africaine, et ils prêtèrent une oreille avide aux émissaires des seigneurs slaves de l'Est, Khairân d'Almérie et Modjéhid de Dénia, qui leur disaient que, s'ils voulaient s'en affranchir, leurs maîtres viendraient les aider. Cette promesse n'était pas vaine. Dans le mois de mai de l'année 1026, lorsque les esprits leur parurent suffisamment préparés, les deux princes marchèrent vers la capitale avec des troupes nombreuses, et alors les Cordouans se mirent en insurrection et chassèrent le gouverneur que Yahyâ leur avait donné, après avoir tué un assez grand nombre de ses soldats. Cela fait, ils ouvrirent leurs portes à Khairân et Modjéhid; mais quand il s'agit d'établir un gouvernement, les deux princes ne furent pas d'accord, et comme Khairân craignait d'être trahi par son allié, il se hâta de retourner à Almérie (12 juin). Modjéhid resta encore quelque temps dans la capitale, mais lui aussi la quitta sans avoir rétabli la monarchie. Après son départ, les membres du conseil d'Etat résolurent de le faire, encore qu'une triste expérience eût dû leur apprendre qu'ils allaient tenter l'impossible. Un prince omaiyade, jeté sans l'appui de troupes étrangères au milieu de deux classes irréconciliables, était condamné d'avance à succomber soit par une insurrection populaire, soit par une conspiration des patriciens. Pour rétablir un gouvernement stable, le rappel des Omaiyades n'était donc qu'un moyen trompeur, mais c'était le seul que les plus habiles sussent imaginer. Abou-'l-Hazm ibn-Djahwar, alors l'homme le plus influent dans le conseil, chérissait surtout cette idée. Il se concerta donc avec les chefs des frontières qui passaient pour appartenir au parti omaiyade ou slave, mais qui, à vrai dire, n'avaient en commun entre eux qu'une haine profonde contre les Berbers. Après de longues négociations, quelques-uns de ces seigneurs donnèrent enfin leur assentiment au projet, probablement parce qu'ils étaient convaincus qu'il n'avait aucune chance de réussir, et l'on résolut de donner le trône à Hichâm, frère aîné d'Abdérame IV Mortadhâ. Ce prince demeurait à Alpuente, où il avait cherché un refuge après le meurtre de son frère. Dès le mois d'avril 1027, les habitants de Cordoue lui prêtèrent serment, mais près de trois ans se passèrent encore avant que toutes les difficultés fussent aplanies, et pendant ce temps, Hichâm III, surnommé Motadd, errait de ville en ville, car plusieurs chefs s'opposaient à ce qu'il se rendît à Cordoue. Les Cordouans apprirent enfin qu'il allait arriver. Les membres du conseil d'Etat firent aussitôt, pour le recevoir avec pompe, les préparatifs nécessaires; mais avant que tout fût prêt, on reçut la nouvelle, le 18 décembre 1029, que Hichâm allait entrer dans la ville. Les troupes se portèrent alors à sa rencontre, et toute la ville retentit de cris d'allégresse. La foule encombrait les rues par lesquelles le prince devait passer, et l'on s'attendait à le voir déployer une pompe magnifique et toute royale. Cet espoir fut déçu: Hichâm était monté sur un cheval médiocre et pauvrement équipé; il portait des vêtements simples et nullement en harmonie avec la dignité califale. Il n'y eut donc aucun prestige; néanmoins le peuple le salua avec de bruyants témoignages de joie, car on espérait que les désordres étaient finis et qu'un gouvernement équitable et vigoureux allait renaître.

Hichâm III était peu fait pour réaliser de telles espérances. Bon et doux, il était en même temps faible, irrésolu, indolent, et ne savait apprécier que les plaisirs de la table. Dès le lendemain les patriciens furent à même de se convaincre que leur choix n'avait pas été heureux. Il y eut alors, dans la salle du trône, une grande audience, et tous les employés furent présentés au calife; mais nullement accoutumé aux réceptions, aux harangues, le vieillard put à peine balbutier quelques mots, et un des grands dignitaires dut prendre la parole en son nom. Ensuite, quand les poètes lui récitèrent les odes qu'ils avaient composées à l'occasion de son avénement au trône, il ne sut leur adresser aucune parole gracieuse; il ne semblait même pas comprendre ce qu'on lui récitait.

Le début du calife avait donc déjà dissipé toute illusion; mais ce fut pis encore quand, peu après, il nomma Hacam ibn-Saîd son premier ministre. Client des Amirides, Hacam avait exercé d'abord le métier de tisserand dans la capitale, et c'est là qu'il avait fait la connaissance de Hichâm, car les princes omaiyades formaient souvent des liaisons dans les basses classes de la société, dont ils recherchaient l'appui. Plus tard, pendant la guerre civile, Hacam s'était fait soldat, et comme il ne semble avoir manqué ni de bravoure ni de talents militaires, il était monté rapidement en grade, et avait gagné l'estime des seigneurs des frontières sous lesquels il servait. Ensuite, Hichâm ayant été proclamé calife, il était allé le trouver, et lui ayant rappelé leur ancienne amitié, il avait su si bien s'insinuer dans ses bonnes grâces, qu'il n'avait pas tardé à le dominer entièrement. Nommé premier ministre, il prit soin que la table du monarque fût chargée chaque jour des mets les plus exquis et des meilleurs vins; il l'entoura de chanteuses, de danseuses, il tâcha, en un mot, de lui rendre la vie aussi douce que possible, et le faible Hichâm, indifférent à tout le reste, trop heureux même de ne pas avoir à se mêler d'affaires qui l'ennuyaient, lui abandonnait volontiers le gouvernement de l'Etat.

Hacam trouva le trésor vide. Pour suffire aux dépenses, il fallait trouver des revenus plus considérables et plus prompts que ceux que la loi accordait; mais comment s'y prendre? Lever de nouvelles contributions, il ne fallait pas y songer, c'eût été le plus sûr moyen de se rendre impopulaire. Le ministre dut donc recourir à divers expédients, peu honorables il est vrai, mais commandés par la nécessité. Ayant découvert des objets précieux que les fils de Modhaffar l'Amiride avaient déposés chez leurs amis, il s'en empara et força les principaux négociants à les acheter à un prix très-élevé. Il les contraignit aussi à acheter le plomb et le fer qui provenaient des palais royaux démolis pendant la guerre civile. Mais l'argent acquis de cette manière ne suffisant pas encore, il accorda sa confiance à un faqui haï et décrié, Ibn-al-Djaiyâr, qui, dans le temps, avait déjà indiqué au calife Alî ibn-Hammoud des moyens efficaces, mais honteux, pour remplir le trésor. Cette fois encore cet homme sut procurer à Hacam des revenus considérables aux dépens des mosquées. Cette action frauduleuse ne resta pas secrète, et les Cordouans, les faquis surtout, en murmurèrent. Il n'y avait pas longtemps, toutefois, que les faquis qui siégeaient dans le tribunal avaient laissé augmenter leurs traitements, quoiqu'ils n'ignorassent pas que l'argent qu'on leur donnait provenait de contributions illégales, et que, par conséquent, il ne leur était pas permis de l'accepter. Aussi Hacam s'indigna-t-il de l'hypocrisie des faquis, et il leur répondit en leur lançant un manifeste fulminant. Abou-Amir ibn-Chohaid, qui l'avait composé, le lut en public, d'abord dans le palais, ensuite dans la mosquée (juin 1030). Vivement offensés, les faquis tâchèrent de faire partager leur colère au peuple; mais comme les masses ne semblent pas avoir eu de graves motifs de plainte, ils n'y réussirent pas. De son côté, le gouvernement redoubla de rigueur. Un vizir qui avait trempé dans un complot, fut exécuté, et Ibn-Chohaid voulait qu'on sévît contre les *gros bonnets*, comme il disait. «Ne faites pas attention aux déclamations de cette troupe d'avares qui méritent bien qu'on les vole, disait-il dans une pièce de vers adressée au calife, et laissez à ma langue de basilic le soin de leur dire leur fait.»

Que si Hacam n'eût eu contre lui que les théologiens, il se serait maintenu au pouvoir, car à cette époque ils avaient trop peu de crédit pour lui nuire; mais il avait des ennemis bien autrement dangereux: presque toute la noblesse lui était hostile. La bassesse de sa naissance était aux yeux des patriciens une tache ineffaçable. Ils voyaient en lui, non pas un officier de fortune, mais un tisserand, et ils le mettaient à peu près sur la même ligne que le premier ministre de Mohammed II, quoiqu'il y eût une grande différence entre ces deux hommes, l'un n'ayant jamais été autre chose qu'un ouvrier, et l'autre ayant passé les meilleures années de sa vie dans les camps ou à la cour des princes de la frontière. Peu scrupuleux sur les moyens de remplir le trésor, ils auraient facilement pardonné à un homme de leur caste les opérations financières auxquelles le ministre avait été forcé de recourir; mais comme c'était un plébéien qui les avait faites, ils les dénoncèrent au peuple dès qu'ils en eurent le vent, et les exploitèrent au profit de leur haine. Cette haine, du reste, nuisait à leurs propres intérêts. Au commencement, Hacam ne s'était pas senti de répugnance pour eux, il ne les avait pas exclus de parti pris, à preuve qu'il avait fait du patricien Ibn-Chohaid son ami et son confident; mais comme il voyait qu'ils ne répondaient à ses avances que par le dédain et le mépris; comme il ne trouvait chez eux que mauvais vouloir, répulsion, hostilité ouverte, sa susceptibilité s'était alarmée, et il avait cherché ses employés parmi les plébéiens. Ceux auxquels il confiait les postes étaient frappés d'avance de la réprobation de la noblesse; aussi ne manquait-elle pas de dire que le ministre ne donnait les emplois qu'à «de jeunes tisserands sans expérience, des vauriens sans religion, qui ne s'occupaient que de vin, de fleurs et de truffes, qui montraient leur esprit aux dépens des gens les plus respectables, et se moquaient des malheureux qui venaient leur demander justice.» Quant à Hacam lui-même, ils le déclaraient un intrigant sans capacité, un officier sans courage, un bon cavalier et rien de plus. La haine les aveuglait peut-être; mais ce qui est certain, c'est que, pour faire tomber celui qu'ils haïssaient, ils recoururent aux moyens les plus odieux.

Ils tâchèrent d'abord de pousser le peuple à une émeute, en lui disant que la stagnation du commerce, dont les calamités publiques étaient la véritable cause, ne devait être imputée qu'aux droits que le ministre avait établis sur plusieurs marchandises. Ces discours portèrent leurs fruits, et quelques hommes du peuple promirent aux nobles d'aller attaquer la demeure du ministre; mais averti à temps par un de ses amis, ce dernier quitta son palais, et, s'étant installé dans celui du calife, il abolit les impôts dont on se plaignait, et adressa au peuple un long manifeste, dans lequel il disait qu'il n'avait établi ces droits que pour satisfaire aux besoins pressants du trésor, mais que dans la suite il tâcherait de s'en passer. Le peuple ayant donc cessé de murmurer, les nobles eurent recours à un autre moyen. Comme Hacam avait peu de confiance dans les soldats andalous qui étaient à la dévotion des patriciens, il tâchait de former des compagnies berbères. Les Andalous en murmuraient, et les nobles ne manquèrent pas de fomenter leur mécontentement; mais s'apercevant de ce qui se tramait contre lui, Hacam prit des mesures efficaces pour maintenir les soldats dans l'obéissance et punit les boute-feu en retenant leur paye. Alors les patriciens essayèrent de le faire tomber en disgrâce auprès de Hichâm. Ils n'y réussirent pas davantage: Hacam avait plus d'influence qu'eux sur l'esprit du faible monarque, et l'entrée du palais leur fut interdite. Ibn-Djahwar seul, le président du conseil d'Etat, conservait un certain empire sur le calife, qui le regardait avec un sentiment de respect mêlé de reconnaissance, car c'était à lui qu'il était redevable de son trône, ou plutôt de son oisiveté dorée. Tous les efforts de Hacam pour faire destituer Ibn-Djahwar de ses fonctions demeurèrent infructueux; cependant il ne se laissait pas décourager; il insistait sans cesse auprès du monarque et se promettait bien de vaincre à la fin ses scrupules. Ibn-Djahwar le savait; il s'apercevait peut-être qu'il perdait du terrain, et dès lors son parti était pris: il fallait en finir, non seulement avec le ministre, mais avec la monarchie, et dorénavant le conseil d'Etat régnerait seul. Ses collègues goûtèrent facilement ce projet; mais comment feraient-ils pour gagner des partisans? La difficulté était là; il y avait bien des gens prêts à tout entreprendre pour détrôner Hichâm III, mais quant à substituer une oligarchie au gouvernement d'un seul, nul, sauf les membres du conseil, ne semble y avoir songé, tant les sentiments et les idées étaient encore monarchiques. Les conseillers crurent donc prudent de cacher leur jeu, et feignant de vouloir seulement substituer un autre monarque à Hichâm III, ils entrèrent en négociations avec un parent du calife. Il s'appelait Omaiya. C'était un jeune homme téméraire et ambitieux, mais peu clairvoyant. Les conseillers lui donnèrent à entendre que, s'il voulait se mettre à la tête d'une insurrection, il pourrait conquérir le trône. Sans soupçonner qu'il n'était pour eux qu'un instrument qu'ils repousseraient dès qu'ils s'en seraient servis, le jeune prince accueillit avidement leurs ouvertures, et comme il ne ménageait pas l'argent, il gagna facilement les soldats dont le ministre avait retenu la paye. En décembre 1031, ces hommes se mirent donc en embuscade, fondirent sur Hacam au moment où il sortait du palais, le jetèrent dans la boue, et l'assassinèrent avant qu'il eût eu le temps de tirer son épée; puis ils lui coupèrent la tête, et l'ayant lavée dans un cuvier de la poissonnerie, car le sang et la boue l'avaient rendue méconnaissable, ils la promenèrent au bout d'une pique. Omaiya vint alors diriger les mouvements des soldats et de la foule qui s'était réunie à eux, tandis que Hichâm, effrayé par les cris horribles qu'il entendait retentir autour de sa demeure, montait sur une tour très-haute, accompagné des femmes de son harem et de quatre Slaves.

—Que me voulez-vous? cria-t-il aux insurgés qui s'emparaient déjà du palais; je ne vous ai rien fait, moi; si vous avez quelque sujet de plainte, allez trouver mon vizir, il vous fera justice.

—Ton vizir? répondit-on d'en bas; on va te le montrer.

Et alors Hichâm vit, au bout d'une lance, une tête horriblement mutilée.

—Voici la tête de ton vizir, cria-t-on, de cet infâme auquel tu as livré ton peuple, misérable fainéant!

Tandis que Hichâm cherchait encore à apaiser ces hommes féroces qui ne lui répondaient que par des injures et des outrages, une autre bande pénétra jusqu'aux appartements des femmes, où l'on prit tout ce qui valait la peine d'être emporté, et où l'on trouva des chaînes entièrement neuves, que Hacam, disait-on, avait fait fabriquer pour les nobles. Omaiya stimulait les pillards du geste et des paroles. «Prenez, mes amis, criait-il, toutes ces richesses sont à vous; mais tâchez donc aussi de monter sur la tour et tuez-moi cet infâme.» On tenta l'escalade, mais en vain; la tour était trop haute. Hichâm appelait à son secours les habitants de la ville qui ne prenaient pas de part au pillage; mais personne ne répondit à son appel.

Cependant Omaiya, convaincu que les vizirs allaient le reconnaître pour calife, s'était établi dans la grande salle. Assis sur le sofa de Hichâm et entouré des principaux d'entre les pillards, auxquels il avait déjà conféré des emplois, il leur donnait des ordres comme s'il était déjà calife. «Nous craignons qu'on ne vous tue, lui dit un de ceux qui se trouvaient là, car la fortune semble avoir abandonné votre famille. — N'importe, lui répondit Omaiya; que l'on me prête serment aujourd'hui, et que l'on me tue demain!» Le jeune ambitieux ne se doutait pas de ce qui se passait alors dans la maison d'Ibn-Djahwar.

Dès le commencement de l'émeute, le président du conseil avait délibéré avec ses collègues, qu'il avait convoqués dans sa demeure, sur les mesures qu'il fallait prendre, et tout ayant été réglé entre eux, les membres du conseil se rendirent au palais, accompagnés de leurs clients et de leurs serviteurs, tous bien armés. «Que le pillage cesse! crièrent-ils; Hichâm abdiquera, nous vous en répondons.» Soit que la présence de ces hauts dignitaires imposât à la multitude, soit qu'elle craignît d'en venir aux mains avec leur escorte, soit, enfin, qu'il n'y eût plus grand'chose à piller, l'ordre se rétablit peu à peu. «Rendez-vous et descendez de la tour, crièrent alors les vizirs en s'adressant à Hichâm; vous abdiquerez, mais vous aurez la vie sauve.» Malgré qu'il en eût, Hichâm fut obligé de se mettre entre leurs mains, car il manquait de vivres dans la tour. Il descendit donc, et les vizirs le firent conduire avec ses femmes dans une espèce de corridor qui faisaitpartie de la grande mosquée. «J'aimerais mieux être jeté dans la mer que de passer par tant de tribulations, s'écria-t-il pendant le trajet. Faites de moi ce que vous voudrez, mais épargnez mes femmes, je vous en supplie.»

A la nuit tombante les vizirs convoquèrent les principaux habitants de Cordoue dans la mosquée et se consultèrent avec eux sur ce que l'on ferait de Hichâm. On résolut de l'enfermer dans une forteresse qu'on nomma et de le faire partir sans délai. Quelques chaikhs furent chargés d'aller communiquer cette décision au captif.

Quand ils furent arrivés dans le corridor, un triste spectacle frappa leurs regards. Ils trouvèrent Hichâm assis sur les dalles et entouré de ses femmes qui pleuraient les cheveux épars et à peine vêtues. L'œil triste et morne, il tâchait de réchauffer dans son sein sa fille unique, qu'il aimait passionnément et jusqu'à la folie. La pauvre enfant, trop jeune encore pour comprendre le malheur qui avait frappé son père, frissonnait dans cet endroit mal aéré, humide et que le froid très-vif de la nuit rendait plus glacial encore, et elle se mourait de faim, car, soit oubli, soit raffinement de cruauté, personne n'avait songé à donner un peu de nourriture à cette famille infortunée.

Un des chaikhs prit la parole.

—Nous venons vous annoncer, seigneur, dit-il, que les vizirs et les notables, réunis dans la mosquée, ont arrêté que vous....

—Bien, bien, interrompit Hichâm, je me soumettrai à leur décision, quelle qu'elle soit; mais faites donc donner, je vous en supplie, un morceau de pain à cette pauvre enfant qui se meurt de faim.

Profondément émus, les chaikhs ne purent retenir leurs larmes. Ils firent apporter du pain, et alors celui qui portait la parole reprit en ces termes:

—Seigneur, on a arrêté qu'à la pointe du jour vous serez transporté dans une forteresse où vous devrez rester prisonnier.

—Soit, répondit Hichâm d'un air triste, mais résigné. Je n'ai plus qu'une seule grâce à vous demander: donnez-nous une lumière, car l'obscurité qui règne dans ce triste endroit nous fait peur.

Le lendemain, dès que Hichâm eut quitté la ville, les vizirs annoncèrent par un manifeste aux Cordouans que le califat était aboli à perpétuité et que le conseil d'Etat avait pris en mains les rênes du gouvernement. Puis ils se rendirent au palais. Omaiya y était encore. Il avait cru fermement jusque-là aux promesses secrètes des vizirs, et déjà il avait convoqué les officiers afin qu'ils lui prêtassent serment. Il allait être détrompé. Les vizirs reprochèrent aux officiers et aux soldats la précipitation avec laquelle ils allaient reconnaître un aventurier, sans avoir attendu la décision des notables. «Les notables, poursuivit Ibn-Djahwar, ont aboli la monarchie, et le peuple a applaudi à cette mesure. Gardez-vous donc, soldats, d'allumer la guerre civile; souvenez-vous des bienfaits que vous avez reçus de nous, et attendez-vous à en recevoir de plus considérables, si vous vous montrez disposés à nous obéir.» Puis s'adressant aux officiers: «Je vous charge, leur dit-il, d'arrêter Omaiya, de le conduire hors du palais d'abord, et ensuite hors du territoire de la ville.»

Cet ordre fut exécuté sur-le-champ. Omaiya, au comble de la fureur, criait vengeance contre les perfides vizirs qui, après l'avoir bercé d'espérances trompeuses, le chassaient comme un vil criminel, et il essayait d'intéresser les officiers à sa cause; mais comme ceux-ci étaient accoutumés à obéir aux membres du conseil, les promesses qu'il leur prodigua furent aussi vaines que ses menaces et ses injures. On ne sait pas au juste quel fut son sort. Quelque temps se passa sans qu'on entendît parler de lui. Dans la suite il tâcha de rentrer dans Cordoue, et il y en a qui disent qu'à cette occasion les patriciens le firent assassiner secrètement.

Quant au malheureux Hichâm, il s'enfuit du château où on l'avait enfermé et se rendit à la ville de Lérida qui était alors au pouvoir de Solaimân ibn-Houd. Soit oubli, soit dédain, dit un auteur de l'époque, le sénat (car nous pouvons donner désormais ce nom au conseil d'Etat) ne lui avait jamais fait signer un acte d'abdication; jamais il ne lui avait fait déclarer, en présence de témoins, qu'il était incapable de régner et que le peuple était délié de son serment, comme cela se faisait d'ordinaire quand on détrônait un prince. Personne ne s'occupa plus de lui, on l'oublia, et quand il mourut cinq ans plus tard (décembre 1036), sa mort fut à peine remarquée à Cordoue. Le reste de l'Espagne s'en soucia moins encore.

FIN DU TOME TROISIÈME

Milton Keynes UK
Ingram Content Group UK Ltd.
UKHW050821040923
428018UK00009B/679